Y0-BTA-644

ÍÑIGO LÓPEZ DE MENDOZA,
MARQUÉS DE SANTILLANA

BÍAS CONTRA FORTUNA

ANEJOS DEL BOLETÍN
DE LA
REAL ACADEMIA ESPAÑOLA

ANEJO XXXIX

ÍÑIGO LÓPEZ DE MENDOZA, MARQUÉS DE SANTILLANA
BÍAS CONTRA FORTUNA

EDICIÓN CRÍTICA, INTRODUCCIÓN Y NOTAS
POR
MAXIM. P. A. M. KERKHOF

MADRID
1982

I. S. B. N.: 84-600-2976-X.

Depósito legal: M. 2.210 - 1983.

IMPRENTA AGUIRRE. - General Alvarez de Castro, 38; teléfono: 446 54 20. - MADRID-3.

*Al Prof. Dr. B. E. VIDOS, maestro y amigo,
en ocasión de su octogésimo aniversario.*

Quiero expresar aquí mi más profundo agradecimiento a mis amigos Johan Buysman, Dirk Tuin, Leon Beek y Willem Nijsen por la valiosa ayuda que me han prestado en la confección de los registros.

Especialmente quiero dar las gracias aquí a mi buen amigo Angel Gómez Moreno, en cuya casa de Madrid hicimos juntos una revisión general de mi versión española de esta edición.

«Bías contra Fortuna represents a landmark in the history of early Spanish humanism.»

ARNOLD G. REICHENBERGER, «The Marqués de Santillana and the Classical Tratition», *Iberoromania,* I (1969), p. 32.

«Santillanas Dichtung stellt in der spanischen Literatur überhaupt das erste Werk dar, das eine nahezu völlig antike und im Kern stoische Lebenslehre entwirft.»

KARL ALFRED BLÜHER, *Seneca in Spanien,* München, 1969, p. 154.

ÍNDICE

Bias contra Fortuna.

hecho por coplas: por el marques
de Satillana endereçado al duque
valua.

Portada de la edición de Sevilla, 1502.

I. INTRODUCCIÓN

A. Una nueva edición de «Bías contra Fortuna»

En 1852 José Amador de los Ríos dio a luz la primera edición de las obras completas del Marqués de Santillana basada en el cotejo de unos cuantos manuscritos y con aparato crítico [1].

En cuanto al *Bías contra Fortuna*, utilizando los códices Ma, Mi y Sd [2], Amador estableció el texto de un modo asistemático, sin una metodología determinada. Otras deficiencias de la edición son:

a) el cuerpo de variantes es muy incompleto y está lleno de errores.

b) la ortografía es muy arbitraria [3].

Sirvan de ilustración de estos dos reparos los siguientes ejemplos, tomados de la primera parte del prólogo:

	Edición de Amador	*Correcciones y añadiduras*
p. 145		
nota 3	Ma, Mi: es agora tu vida	Ma, Sd: agora es tu vida; Mi: es agora tu vida
nota 5	Ma, Mi: me recuerdo	Ma, Mi: me recuerda
nota 7	Mi: sefalenos	Mi: selfalenos
p. 146		
nota 10	Ma, Mi: le viesse e catasse	Ma: lo viese e catase; Mi: lo viese e acatase
l(ínea) 4	le estimaron	Ma, Mi, Sd: lo extimaron
l. 16	a uno	Mi: commo vno
l.17	el dolor, la mengua e la falta	Ma, Sd: el dolor, la mengua o la falta; Mi: el dolor o la mengua o falta
nota 20	Ma: Lelio	Ma, Sd: lelio
nota 22	Sd: desde alli	Mi, Sd: desde alli
l. 23	furtar	Ma: fartar
p. 147		
nota 25	Sd: sin çejo	Ma, Sd: syn çejo

---

[1] *Obras de don Íñigo López de Mendoza, Marqués de Santillana*, ahora por vez primera compiladas de los códices originales e ilustradas con la vida del autor, notas y comentarios por don José Amador de los Ríos, Madrid, 1852.

[2] Para las siglas, véase el cuadro sinóptico, cap. I.C.

[3] Cf. Luigi Sorrento, en el prólogo a su edición de «Il 'Proemio' del Marchese di Santillana», *Revue Hispanique*, LV (1922), pp. 10, 12 y 14.

l. 6	e lo mas	Ma, Sd: lo mas
l. 7-8	con las nuestras personas; nota 27: Mi: con las personas	Mi, Sd: con las personas: Ma: con nuestras las personas
nota 28	Ma: nunca ya te demande	Ma: nunca te mande
l. 17	denegasses	Mi: denegaste
l. 21	e sea	Ma: o sea
l. 25	poco	Ma, Sd: pocos
p. 148		
l. 1	la tu virtut	Ma, Mi, Sd: ca la virtud
l. 6	del Garay	Ma, Mi, Sd: de garray
nota 34	Mi: Xaraçon	Mi: xarançon
l. 11	emprendiesse	Mi: enprendiste
l. 14-15	e de Jahen	Ma, Sd: e jahen
nota 40	Mi, Sd: despues de aquel	Ma: despues que aquel
l. 21	e a los tristes	Ma, Sd: a los tristes
l. 22	yo que	Ma, Mi, Sd: yo sea que
nota 43	Ma, Sd: e muchos otros a la	Mi: e muchos otros a la
p. 149		
nota 45	Ma: de los prinçipes	Mi, Sd: de los prinçipes
l. 7-8	e forasteros	Ma, Mi, Sd: o forasteros
nota 47	Mi: Mordacheo	Ma: mordacheo; Sd: mordocheo
l. 16	a los sus	Ma, Mi, Sd: a sus
l. 24	E dende	Ma, Mi, Sd: e desde
p. 150		
l. 2	de mi thema	Ma, Mi, Sd: del mi tema
nota 52	Sd: de sus nobles actos loables	Mi: de sus nobles abtos loables
l. 4	commendables	Mi: comandables
l. 5	façe mucho a nuestro fecho	Mi: fazer mucho al nuestro fecho

Sin embargo, todo esto no quita para que la edición de José Amador de los Ríos representara en su época «una de las mejores ediciones... de cualquier autor clásico castellano», como escribió, con sobrada razón, Marcelino Menéndez y Pelayo [4].

Recientemente fue publicada una nueva edición de las poesías completas de don Íñigo hecha por Manuel Durán [5]. Por lo que se lee en la introducción, parece muy prometedora esta edición: «En la presente edición, partiendo de los códices y teniendo en cuenta las ediciones de Amador, García de Diego, Foulché-Delbosc (y para la *Carta-Prohemio* la de Sorrento), hemos tratado ante todo de reconstruir un texto que sea a la vez fiel y legible.» [6]

Desgraciadamente no se ha atenido de ninguna manera el editor a este criterio, porque reproduce fielmente las *canciones* y *decires* de la

[4] MENÉNDEZ Y PELAYO, Marcelino, *Antología de poetas líricos castellanos, desde la formación del idioma hasta nuestros días*, tomo V, Madrid, 1911, p. XCII.

[5] *Marqués de Santillana, Poesías completas*, I y II, Clásicos Castalia, núm. 64 y núm. 94, Madrid, 1975 y 1980.

[6] *Ed. cit.*, vol. I, p. 36.

edición, bastante defectuosa, de Vicente García de Diego, mientras que las demás obras del Marqués proceden de la edición de Amador de los Ríos[7]. La única ventaja sobre estas dos ediciones son las notas aclaratorias.

Volviendo a *Bías contra Fortuna*, podemos decir, pues, que hasta ahora no se ha hecho ningún intento de mejorar el texto establecido por Amador de los Ríos en 1852.

Por tanto, se hace evidente la necesidad de una nueva edición[8].

B. EDICIONES DE «BÍAS CONTRA FORTUNA»

Prólogo y poema:

— Sevilla, 1502 (Stanislao Polono).

4.° a[8] b[6] c[4]. 18 folios. Ejemplares: Bodley Library, sign. 28663. e. 7 y Biblioteca Nacional de Madrid, R-11886, siendo este último ejemplar procedente de la colección de Pascual de Gayangos (cf. F. J. NORTON, *A descriptive catalogue of printing in Spain and Portugal 1501-1520*, Cambridge University Press, Cambridge, 1978, núm. 736, p. 277).

La *Hispanic Society of America* publicó en 1902 una edición facsímile de esta edición.

Figura también en *Pliegos poéticos góticos de la Biblioteca Nacional*, Joyas Bibliográficas, V. Madrid, 1961, pp. 201-235. En la edición de Manuel Durán *(ed. cit.)* se reproduce entre las páginas 78 y 79 la «portada de la edición de *Bías contra Fortuna*. Sevilla, 1505». Sin embargo, que yo sepa, no existe tal edición.

---

[7] Para detalles remito a mi artículo-reseña «Algunas observaciones sobre la edición de Manuel Durán de las 'Serranillas', 'Cantares y Decires' y 'Sonetos fechos al itálico modo' del Marqués de Santillana (Clásicos Castalia, núm. 64, Madrid, 1975)», *Neophilologus*, LXI (1977), pp. 86-105.
Para el segundo volumen (Clásicos Castalia, núm. 94, Madrid, 1980) valen los mismos reparos.
Muy recientemente condenó el hispanista inglés Keith Whinnom, en una reseña publicada en *Bulletin of Hispanic Studies*, LVIII (1981), la edición de Durán con las siguientes palabras: «but it is surely legitimate to protest when, in a collection which has provided us with some meticulous and invaluable texts, a contemporary editor like Durán, while claiming to use manuscript sources (I, 36), serves up the text and errors of García de Diego for the *canciones* and *decires*, and Amador for the remainder, so slavishly indeed as to retain not only their outmoded accentuation but even García de Diego's here meaningless square brackets (without either explaining what they mean or recording the rejected readings). Misprints, not always distinguishable from minor and arbitrary tinkering with the text, only compound confusion. Volume I of the *Poesías completas* has been around long enough for mediaevalists to be familiar with its inadequacies; let it suffice to say that volume II, despite its glossary and a supplementary bibliography and list of variants, is no improvement» (pp. 140-141).
[8] Han sido publicadas ya por mí la *Comedieta de Ponza* (Groningen, 1976) y la *Defunsión de don Enrrique de Uillena, señor docto e de excellente ingenio* (Den Haag, 1977).

2

Creo que ha de ser de *Sevilla, 1502,* porque la portada de esta edición es idéntica a la reproducida en Durán.

— Toledo, ¿alrededor de 1502? (Pedro Hagembach):

4.º a^8 b^8 [c^4; cf. la edición de Sevilla, 1545]. 16 + [4] folios. El único ejemplar conocido, procedente de la colección de Pascual de Gayangos, se custodia en la Biblioteca Nacional de Madrid, sign. R-12340. Desgraciadamente le falta el último cuadernillo [c^4]. En *Los libros del Marqués de Santillana, Catálogo de la Exposición «La biblioteca del Marqués de Santillana» (febrero, 1977),* Biblioteca Nacional, Madrid, 1977, p. 42, se lee: «[Toledo, typ. de Hagenbach, c. 1503?]». Gayangos la creyó de la tipografía de Stanislao Polono, Sevilla, 1508, como anotó en la portada de su ejemplar. Cuando los editores de los *Pliegos poéticos góticos..., op. cit.,* le consultan a F. J. Norton, la máxima autoridad en problemas relacionados con la primitiva tipografía española, opina este erudito que la edición en cuestión fue impresa hacia 1510 en Toledo por el sucesor anónimo de Pedro Hagembach (cf. la *Nota editorial,* p. 278). Sin embargo, parece que Norton entretanto haya cambiado de opinión, porque en su *A descriptive catalogue..., op. cit.,* núm. 1029, pp. 359-370, la atribuye a Pedro Hagembach, Toledo, ¿alrededor de 1502?

Como ya dijimos, se trata de un ejemplar incompleto: el texto acaba tras la estrofa CXL, cuyo primer verso reza «Fuy los ayuntamientos». Faltan, pues, las últimas 40 estrofas, o sea, el cuadernillo c^4, porque en cada folio (recto y verso) figuran casi 14 estrofas.

Fue éste sin duda el ejemplar que vio Tomás Antonio Sánchez: «Esta poesía (= *Bías contra Fortuna),* con la carta y vida de Bías, se imprimió en un tomo en 4.º en Sevilla por Stanislao Polono, según denota el carácter. Faltan al fin de el exemplar que he visto algunas hojas que contenian 40 coplas del poema, y por eso carece de la nota del año y lugar de la impresion» *(Colección de poesías castellanas anteriores al siglo XV...,* ilustrada con notas por D. Thomás Antonio Sánchez, tomo I, Madrid, 1979, p. XLII).

La edición toledana de *Bías contra Fortuna* va seguida en la misma encuadernación de un fragmento de las *Coplas de Vita Christi,* de fray Íñigo de Mendoza, el cual fue impreso, según Norton *(op. cit.,* núm. 740, pp. 278-279), en Sevilla ¿alrededor de 1502?, en la tipografía de Stanislao Polono. Faltan los cuatro primeros cuadernillos, a^6 b^6 c^6 d^6 con las coplas 1-316 (primera quintilla). Consta el fragmento tan sólo de e^6 (segunda quintilla de la copla 316-fin).

Ambas ediciones figuran en *Pliegos poéticos góticos..., op. cit.,* respectivamente, pp. 153-184 y 185-199.

— Sevilla, 1511 (Jacobo Cromberger):

4.º a^8 b^{10}. 18 folios. El único ejemplar conocido —que yo sepa— se encuentra en el British Museum, sign. C.63. g. 24. Cf. también NORTON, *op. cit.*, núm. 798, pp. 299-300.

— Sevilla, 1545 (Antonio Álvarez).

4.º a⁸ b⁸ c⁴. 20 folios. Se encuentra un ejemplar en la Biblioteca Nacional de Lisboa, dentro de un volumen que consta de veinte pliegos y en cuyo tejuelo se lee: OBRAS VARIAS. Tiene la signatura Res. 218 V. Hay una edición facsímile de esta encuadernación bajo el título de *Pliegos Poéticos Españoles de la Biblioteca Nacional de Lisboa*. Edición en facsímile precedida de un estudio por María Cruz García de Enterría, Joyas Bibliográficas, Serie Conmemorativa, XX, Madrid, 1975. *Bías contra Fortuna* ocupa las páginas 341-378.

Teniendo en cuenta solamente las portadas y las maneras de distribuir el texto sobre las páginas, resulta que las cuatro ediciones pueden ser clasificadas en dos grupos, a saber:

a) Sevilla, 1502 y 1511.

b) Toledo, ¿1502? y Sevilla, 1545.

La portada de la edición sevillana de 1502 es casi idéntica a la de la edición de 1511: representa encima del título de la obra las figuras de Bías y Fortuna.

Lo mismo cabe decir sobre el frontis de las ediciones de Toledo y de Sevilla, 1545: en medio está el título y encima de él se ve un hombre que está escribiendo sentado a una mesa. En la edición sevillana de 1545 están reproducidas, además, debajo del título, cuatro figuritas, siendo las del centro, sin duda, Bías y Fortuna.

Una comparación de los prólogos de las cuatro ediciones revela que hay 14 variantes entre los grupos *a)* y *b)*, tres variantes entre las ediciones sevillanas de 1502 y 1511 y ocho variantes entre la edición de Toledo y la de Sevilla de 1545. Sin embargo, son todas variantes insignificantes.

Todo indica, pues, que se hizo la edición sevillana de 1511 sobre la de 1502; la de Toledo, sobre la sevillana de 1502, y la de 1545 (Sevilla), sobre la de Toledo.

Una comparación textual entre las ediciones y las copias manuscritas, hecha otra vez a base del prólogo de *Bías contra Fortuna*, enseña que el texto de las cuatro ediciones guarda estrecha relación con la tradición β (véase el capítulo sobre la constitución del estema):

V. gr. variante (de aquí en adelante *var.*) 127: las cuatro ediciones (de aquí en adelante *eds.*), MHa, Mc, Mi, Sa, Pg, R y H omiten «vençido la batalla de guadix e la pelea de xerez e».

var. 150: eds., MHa, Mc, Mi, Pg, R y H omiten «dexo».

var. 171: eds., Sa: nuzible.

var. 210: eds., MHa, Mc, Mi, Sa, Pg, R y H: hacer.

var. 213: eds., MHa, Ma, Mc y Sa omiten «bias philosofo».

var. 256: eds., MHa, Mc, Mi, Pe, Pg, Ps, R y H: assi commo capitan.
var. 279: eds., MHa, Mc, Mi, Pe, Pg, Ps, R y H: suyos.
var. 398: eds., MHa, Mc, Mi, Pe, Pg, Ps y R: vino.
var. 407: eds., MHa, Mc, Mi, Pe y Ps: bona mea.
var. 516: eds., Ps: generosamente.

En las cuatro ediciones antiguas va precedido el *Prohemio* por
un «prologo en la trasladacion».
Me pareció interesante reproducir una de estas ediciones en el
Apéndice. Opté por' la de Sevilla (1545) por la buena calidad del
microfilme que se me hizo en la Biblioteca Nacional de Lisboa.
Quiero expresar aquí mi agradecimiento a su director, el señor
doctor don João Pedro Palma Ferreira, por la autorización que
me dio.

— *Obras de don Íñigo López de Mendoza...*, por don José Amador de
   los Ríos, *ed. cit.*, pp. 145-216.

— *Cancionero castellano del siglo XV*, ordenado por R. Foulché-Delbosc, tomo I, Madrid, Casa Editorial Bailly-Baillière, 1912, pp. 475-
   496. Texto de la edición de Amador.

— *El Marqués de Santillana, Íñigo López de Mendoza. El poeta, el
   pensador y el hombre*, por M. Pérez y Curis, Ediciones Renacimiento, Montevideo, 1916, Apéndice I, pp. 361-379. Texto de la edición de Amador.

— *Antología de poetas líricos castellanos*, compuesta por Marcelino
   Menéndez y Pelayo, tomo IV, C.S.I.C., Santander, Aldus, 1944,
   pp. 275-303. Texto de la edición de Amador.

— *Cancionero de Roma*, edición de M. Canal Gómez, tomo II, Florencia, Sansoni, 1935, pp. 99-146. Texto del ms. 1098 de la Biblioteca Casanatense de Roma (R).

— *Cancionero de Juan Fernández de Ixar*, estudio y edición crítica
   por José María Azáceta, tomo II, C. S. I. C., Madrid, 1956, pp. 497-
   544. Texto del ms. 2882 de la Biblioteca Nacional de Madrid (Mi).

— *Marqués de Santillana, Poesías completas*, II: Poemas morales, po-
   líticos y religiosos. El proemio e carta. Edición de Manuel Durán,
   ed cit., pp. 79-154. Texto de la edición de Amador.

PRÓLOGO:

La primera parte del prólogo hasta «E desde aquí daremos la
pluma a lo profferido» se incluyó en el *Centón epistolario del
bachiller Fernán Gómez de Cibdareal. Generaciones y semblan-*

zas del noble caballero Fernán Pérez de Guzmán. Claros varones de Castilla, y letras de Fernando de Pulgar, Madrid, 1775, Adicciones (*sic*) II, pp. 224-228.

La misma versión se reprodujo después, con algunos cambios en la ortografía y la puntuación, en *Claros varones de Castilla y letras de Fernando de Pulgar, consejero, secretario y coronista de los Reyes Católicos don Fernando y doña Isabel,* Madrid, 1789, Adiciones II, pp. 304-310.

C. CÓDICES UTILIZADOS

[1] Mussafia	Bartolini	Azáceta	Várvaro	Mis siglas	Biblioteca - lugar	Signatura
L	La	AH	MH	MHa [2]	Biblioteca de la Real Academia de la Historia - Madrid.	2-7-2 Ms.2
—	Lb	—	Ma	Ma	Biblioteca Nacional - Madrid.	3677
—	—	—	Mc	Mc [3]	Biblioteca Nacional - Madrid.	3761
I	I	FI	Mi	Mi	Ibídem	2882
—	—	—	—	Mo [4]	Ibídem	3686
—	—	—	—	T [5]	Biblioteca Pública - Toledo	80
[X[6] (Wittstein)] [6]	Ld	—	Sa	Sa	Biblioteca Universitaria - Salamanca	1865
[X[3] (Lang)] [7]	Lc	—	Sd	Sd	Ibídem	2655
E	E	PE	Pe	Pe	Bibliothèque Nationale - París	230 Classemo de 1860
G	G	PG	Pg	Pg	Ibídem	233 Classemo de 1860
S	S	Sa	Ps	Ps	Ibídem	510
R1 y R2	R	Ro	R	R	Biblioteca Casanatense - Roma	1098
—	Ua	OC	OC	H[8]	Houghton Library - Harvard University	fMS Span 97

Signatura(s) anterior(es)	Simón Díaz n.ᵒˢ 1.ᵃ ed.	Simón Díaz n.ᵒˢ 2.ᵃ ed.	Homero Serís n.ᵒˢ fichas	Ch. V. Aubrun	Steunou Knapp números	J. González Cuenca	Folios Bías	Prólogo
S-9-2	2251	2834	2188	B-V-1	027	1.1.5.1.	115-131 v	Sí
M-59	3373	3837	2176	C-I-3	012	1.2.2.2.[11]	96-129 v	Sí
—	—	—	—	B-II-9	—	1.1.2.	2-52 v	Sí
M-275	2249	2828	2175	B-II-4	011	1.1.2.4.	237-249 v	Sí
—	—	—	—	—	—	—	1-11	No
—	—	—	—	—	054	1.2.5.2.	15-44 v	No
olegio Mᵒʳ de ·nca: N 164// ·cio: VII-Y-4/ ·F-5/[II] 596	—	—	[2176][10]	[C-I-6][10]	047	1.1.3.3.	69-86 v	Sí [12]; incompleto
olegio Mᵒʳ de ·nca: N 145 // ·cio: 1114/VII- ·/2-G-4/[II]747	3372	3836	2176	C-I-6	049	1.2.3.1.	194-232	Sí
3)/Anc. Fonds: · [Cat. Morel-·atio: 590] [9]	2230	2807 y 2810	2216	B-III-7	040	1.1.4.7.	196-224 v	Sí [13]; sólo la 2.ᵃ parte
3)/Anc. Fonds: · [Cat. Morel-Fatio: 592]	2232	2809 y 2810	2216	B-III-9	042	1.1.4.9.	23-93	Sí
—	2320	2906	2207	B-III-2	045	1.1.4.2.	I-XXXIII	Sí [14]; sólo la 2.ᵃ parte
A.II.29	2317	2903	2166	B-VI-3	046	1.1.6.6.	167-194 v	Sí
—	2299	2885	2170	B-V-3	060	1.1.6.17.	115-132	Sí [15]

1 MUSSAFIA, Adolf, «Per la bibliografía del 'Cancioneros' Spagnuoli», en *Denkschriften der Kaiserlichen Akademie der Wissenschaften, Philosophisch-Historische Classe*, 47. Band, *Wien*, 1902, pp. 1-13.

BARTOLINI, Alessandra, «Il canzioniere castigliano di San Martino delle Scale (Palermo», *Bolletino centro di studi filologici e linguistici siciliani*, Palermo, 4 (1956), pp. 164-165.

AZÁCETA, José María, en la introducción a su edición del *Cancionero de Juan Fernández de Ixar*, tomo I, ed. cit., p. XXXII-XXXV, del *Cancionero de Gallardo*, C. S. I. C., Madrid, 1962, pp. 10-14, y del *Cancionero de Juan Alfonso de Baena*, tomo I, C. S. I. C., Madrid, 1966, pp. XCIV-XCVIII.

VÀRVARO, Alberto, *Premesse ad un'edizione critica delle poesie minori di Juan de Mena*, Napoli, Liguori, 1964, pp. 9-20.

Sigo el sistema propuesto por Vàrvaro; es el más coherente y no deja lugar a confusiones. Cf. mi edición de la *Comedieta de Ponza*, del Marqués de Santillana, ed. cit., pp. 13-15.

SIMÓN DÍAZ, José, *Bibliografía de la Literatura Hispánica*, tomo III, C. S. I. C., Madrid, 1953.

Idem, *Bibliografía de la Literatura Hispánica*, tomo III, vol. primero, C. S. I. C., Madrid, 1963.

SERÍS, Homero, *Manual de bibliografía de la literatura española*, primera parte, Syracuse, New York, 1948.

AUBRUN, Charles V., «Inventaire des sources pour l'étude de la poésie castillane au XVe siècle», en *Estudios dedicados a Menéndez Pidal*, IV, Madrid, 1953, pp. 297-330.

STEUNOU, Jacqueline, y KNAPP, Lothar, *Bibliografía de los cancioneros castellanos del siglo XV y repertorio de sus géneros poéticos*, tome I, Centre National de la Recherche Scientifique, París, 1975.

GONZÁLEZ CUENCA, Joaquín, «Cancioneros manuscritos del prerrenacimiento», *Revista de Literatura*, XL (1978), pp. 177-215.

Cf. también Miguel Ángel Pérez Priego en la introducción a su edición de la *Obra lírica de Juan de Mena*, Editorial Alhambra, Madrid, 1979, pp. 48-53.

2 Añadí a la sigla empleada por Vàrvaro el subíndice diferenciador *a* para diferenciar el códice del *Cancionero de Juan Álvarez Gato*, el ms. 9-25-6, C núm. 114 (Aubrun: C-I-8; Steunou-Knapp: 028); podríamos dar a este códice la sigla MHb.

3 Es el volumen VI de una compilación que lleva como título *Cancionero del siglo XV*.

4 En la lista de siglas de Vàrvaro va la parte relacionada con los códices de la Biblioteca Nacional de Madrid hasta Mm inclusive (op. cit., p. 13). La continué añadiendo la sigla Mn para el ms. 10445 de la misma biblioteca (ver mi edición de la *Comedieta de Ponza*, ed. cit., p. 15). De ahí la sigla Mo para el ms. 3686 de la Biblioteca Nacional.

5 Códice hasta ahora —que yo sepa— no utilizado por nadie. La sigla T no figura en la lista de Vàrvaro.

6 WITTSTEIN, A., «An unedited Spanish Cancionero», *Revue Hispanique*, XVI (1907), pp. 297-298.

7 Es la sigla que Henry Lang, continuando la lista de Mussafia, dio al códice que hoy día se reseña con Sd (= el códice 2655 de la Biblioteca Universitaria de Salamanca): véase Henry R. Lang, *List of Cancioneros*, en *Cancionero Gallego-Castellano, the extant Galician poems of the Gallego-Castilian school (1350-1450), collected and edited with a literary study, notes and glossary by...*, New York-London, 1902, p. 276.

8 CALOMINO, Salvatore, «Early Spanish Manuscripts in American University Libraaries, I. Houghton Library, Harvard University», *La Corónica*, vol. V (Spring, 1977), núm. 2, p. 114.

9 MOREL-FATIO, A., *Catalogue des manuscrits espagnols et portugais de la Bibliothèque Nationale*, París, 1982, pp. 188-189.

Cf. BOURLAND, C., «The unprinted poems of the Spanish Cancioneros in the Bibliothèque Nationale, Paris», *Revue Hispanique*, XXI (1909), pp. 460-566.

10 Manuscrito confundido con Sd; véase mi artículo «Algunas notas acerca de

los manuscritos 2655 y 1865 de la Biblioteca Universitaria de Salamanca», *Neophilologus*, LVII (1973), pp. 135-143.

[11] GONZÁLEZ CUENCA, Joaquín, *repertorio cit.*, p. 214, nota 112, se equivoca cuando escribe que fue este el cancionero que Amador de los Ríos creyó confeccionado bajo la supervisión del marqués. Amador habló en ese sentido sobre un ms. VII-Y-4 (el actual 2655 de la Biblioteca Universitaria de Salamanca), mientras que García de Diego lo confundió con otro VII-Y-4 (el actual 1865 de la misma biblioteca) que es efectivamente posterior a la muerte de Santillana, porque en el folio 92 empieza «El planto de las virtudes e poesía por el manífico señor don Yñigo Lopes de Mendoza, Marqués de Santillana e Conde de Real, conpuesto por Gomes Manrique su sobrino».

El profesor Aubrun, *repertorio cit.*, se despistó también, porque en su lista de cancioneros individuales sugiere bajo C-I-6 que Amador y García de Diego trataron del mismo VII-Y-4. Además, cuando bajo C-I-7 se refiere a un manuscrito VII-A-3/2-G-4, que, como nos informa, había sido utilizado por Amador y García de Diego, habla en realidad del VII-A-3/2-F-5/II-594 (Biblioteca de Palacio) // 2653 (Biblioteca de la Universidad de Salamanca), que es un códice que había mencionado ya bajo B-I-2. De modo que no hay que identificar el 2655, nuestro Sd, con el C-I-7 de Aubrun, como hace González Cuenca, *repertorio cit.*, bajo 1.2.3.1, p. 215.

Cf. mi artículo citado en la nota anterior; Amador DE LOS RÍOS, *ed. cit.*, *pp. CLXIV-CLXV*; GARCÍA DE DIEGO, Vicente, en su edición *Marqués de Santillana, Canciones y Decires*, Espasa-Calpe, Madrid, 1968, pp. XXXIV-XXXV; VENDRELL GALLOSTRA, Francisca, «La corte literaria de Alfonso X de Aragón», *Boletín de la Real Academia Española*, XX (1932), pp. 390-392; esta estudiosa hizo una edición bajo el título *El Cancionero de Palacio (Ms. n.º 549)*, Barcelona, 1945; STEUNOU-KNAPP, *repertorio cit.*, núm. 048, pp. 114-115.

[12] La última frase es: «E como después de muchos rruegos e grandes afincamientos la açebtase, en muy pocos tienpos así de los amigos como de enemigos fue conosçida la su vyrtud».

[13] Es la parte biográfica del prólogo que empieza por «Fue Bías, segund plaze a Valerio...».

[14] Véase la nota anterior.

[15] Cuando la corrección de pruebas de este libro ya estaba casi terminada recibí un microfilme del ms. 489 de la Beinecke Rare Books Library de Yale, cuyo contenido me era desconocido. Este manuscrito, con letra del siglo XVI, está estrechamente relacionado con T, porque contiene hasta el folio 121r casi los mismos textos; por tanto, figura en él también el *Bías contra Fortuna*.

Los demás folios (121r-327v) contienen las obras siguientes:
— *Proverbios* (fols. 121r-322r). Sin embargo, no son los *Proverbios* o *Centiloquio* del Marqués de Santillana.
— *Dichos de filósofos* (fols. 322-324v).
— *Oración sacada de Cornelio Táçito tornada en romançe del libro de Agusto* (fols. 324v-326v).
— *A Séneca. Nero en esta manera respondió* (fols. 326v-327v).

En la introducción a mi edición de la *Comedieta de Ponza*[15] doy las descripciones con abundantes datos bibliográficos de los siguientes manuscritos: MHa (AH), Ma, Mi, Sa, Sd, Pe (PE), Pg (PG), R y H (OC).

Mc, Mo, T y Ps:

Mc: El texto de *Bías contra Fortuna* figura en el tomo VI del así llamado *Cancionero del siglo XV* de la Biblioteca Nacional de Madrid, signatura 3761. Este tomo pertenece a una serie de once volúmenes (nueve con textos más dos con índices) numerados I-X y con las signaturas 3755-3765, ya que el tomo V consta de dos volúmenes, cada uno con su propia signatura: 3759 (Va) y 3760 (Vb). Se realizó esta colección a principios del siglo XIX, a partir de 1807[16], con el fin de reunir toda la poesía del siglo XV de los distintos códices de los siglos XV y XVI.

Para las obras del Marqués de Santillana se acudió a los cancioneros que actualmente llevan como siglas Ma, Sa, Sd y Sx[17], y al «cancionero ms. A de la libreria de camara del Rei». De este cancionero se copió también *Bías contra Fortuna* en el tomo VI[18]. Según Aubrun se trata de un códice perdido[19], aunque tal vez pudiera ser el ms. 1250 (2-J-3/VII-Y-2) de la Biblioteca de Palacio[20]. Sin embargo, Jules Piccus lo ha identificado de un modo convincente con el MHa a base de un estudio de los contenidos y datos sobre la foliación[21]. De modo que, antes de llegar a manos de Bartolomé José Gallardo[22], el MHa formó parte de la colección manuscrita de la biblioteca del Palacio Real de Madrid.

Una comparación de los textos de *Bías contra Fortuna* en Mc y MHa confirma la constatación de Piccus, como se verá en el capítulo sobre el estema de los códices utilizados en nuestra edición.

La copia de *Bías contra Fortuna* fue realizada por dos copistas:
1.º el prólogo y los versos 1041-final (fols. 2-10r y 40r-52v).
2.º los versos 1-1040 (fols. 11r-40r).

El segundo copista tuvo dificultades con la letra y las abreviaciones de MHa: deja en blanco algunos versos (514, 574, 619, 750, 854 y 975) o los copia parcialmente dejando en blanco lo que no entiende (535. a los ...traiste; 573. ca si los ...; 620. robaban ...;

---

[15] *Ed. cit.*, cap. V, pp. 18-77.

[16] Cf. Piccus, Jules, «El 'Cancionero A' y el 'Ms 247' del 'Cancionero General del siglo XV' que mandó componer el Rey. Dos cancioneros "perdidos" identificados», *Hispanófila*, 17 (1963), p. 4.

[17] Cf. el tomo X del *Cancionero del siglo XV*, ms. 3765, fols. 107 y 217. El Sx es el actual 2763 de la Biblioteca Universitaria de Salamanca.

[18] Cf. tomo VI, ms. 3761. fol. 52v.

[19] Aubrun, *repertorio cit.*, pp. 306-307.

[20] *Ibídem*, p. 301, nota 1.

[21] Piccus, Jules, *est. cit.*, pp. 24-29. Véase también del mismo estudioso, «The nineteenth century 'Cancionero General del siglo XV'», *Kentucky Foreign Language Quarterly*, VI (1959), p. 124.

[22] Cf. Kerkhof, introducción a la edición de la *Comedieta de Ponza*, ed. cit. p. 35.

626. ... de sus muchos males; 647. del principe ...; 654. de sus ...;
655. a estos ...; 665. de sardana...; 673. mas di...; 686. el po...; 753.
a los dichos de ...; 759. el fablar de ...; 778. del muy anciano ...;
781. e las reglas de ...; 782. mi ...; 805. aquel g ... de natura;
853. ... consiguio la via; 855. sicia ...; 857. ... la de occeano; 901.
de ...; 904. e homero ...; 968. y aun ...; 1017. muestra ...). Abreviaciones: vs. 782, MHa *vdadero:* Mc lo deja en blanco; vs. 800, MHa
vsos (=versos): Mc transcribe *usos* [23].

Mo: En el catálogo de la exposición de la biblioteca del Marqués de
        Santillana, celebrada en febrero de 1977, se lee sobre este manus-
        crito: «*Bías contra Fortuna.* II fol. (Fol. I-II) 300 × 220 mm. S.XV.
        B. N., ms. 3686» [24].
        Bías contra Fortuna está encuadernado juntamente con algunas
        poesías de Fernán Pérez de Guzmán [25].
        El texto de Santillana ocupa once folios numerados moderna-
        mente a lápiz en el ángulo superior derecho, y las poesías de Fer-
        nán Pérez de Guzmán, escritas por otra mano, pero muy parecida
        a la de *Bías contra Fortuna,* se extienden sobre ochenta y cuatro
        folios, con numeración en cifras romanas (fols. I-LXXXIIIIr) en el
        ángulo superior derecho, con la misma tinta que la de los textos.
        Falta la última estrofa del poema de Santillana. Es posible que
        el folio 12 se haya perdido.
T: Véanse las descripciones de Gallardo, Esteve Barba y Kerkhof [26].
Ps: Véanse Simón Díaz, Aubrun, Steunou-Knapp (cf. la nota 1), y Salvá
        y Mallén [27].
        En la «Clasificación de las poesías por orden alfabético», que cons-
        tituye el segundo volumen del repertorio de Jacqueline Steunou y
        Lothar Knapp, se observa, erróneamente, que el *Bías contra For-
        tuna* figura también en el ms. 1250 (VII-Y-2/2-J-3) de la Biblioteca
        del Palacio Real de Madrid [28]. En el primer volumen, donde se
        ofrecen los datos sobre los contenidos de los códices, se ve que
        nuestro texto no forma parte de dicho manuscrito [29]; lo he com-
        probado en la Biblioteca de Palacio.

---

[23] No repetiremos estos casos en el cuerpo de variantes.

[24] *Op. cit.,* p. 22.

[25] El encabezamiento, en letra moderna, de las obras de Fernán Pérez de Guzmán
reza: «Coplas de Fernán Pérez de Guzmán de vicios e virtudes e ciertos hymnos de
nuestra Señora y otras obras del mismo» (fol. I).

[26] GALLARDO, Bartolomé José, *Ensayo de una biblioteca española de libros raros y
curiosos,* t. III, Madrid, 1968, col. 476, núm. 2766; ESTEVE BARRA, Francisco, *Biblioteca
Pública de Toledo. Catálogo de la colección de manuscritos Borbón Lorenzana,* Madrid, 1942, núm. 80; KERKHOF, Maxim. P. A. M., «El Ms. 80 de la Biblioteca Pública de
Toledo y el Ms. 1967 de la Biblioteca de Catalunya de Barcelona, dos códices poco
conocidos: algunas poesías inéditas y observaciones sobre varios textos contenidos
en ellos», *Revista de Archivos, Bibliotecas y Museos,* LXXXII (1979), pp. 17-43.

[27] SALVÁ Y MALLÉN, Pedro, *Catálogo de la biblioteca de Salvá enriquecido con la
descripción de otras muchas obras, de sus ediciones, etc.,* vol. I, Valencia, 1972,
núm. 811.

[28] *Repertorio cit.,*t. II, París, 1978, p. 328.

[29] *Repertorio cit.,* t. I, pp. 235-238.

D. La constitución del estema

De todos los procedimientos para clasificar varios representantes de un texto es el más exacto —y el más laborioso— aquel que consiste en el examen intrínseco de las variantes textuales.

Una comparación externa de los manuscritos, por lo general, nos permite distinguir solamente ciertos grupos y/o puede mostrar que no es posible derivar x de y si

a) y tiene una(s) laguna(s) donde x ofrece el texto completo,
b) el texto de y tiene otra ordenación, y
c) y es un manuscrito más reciente que x[1].

Claro está que en caso de transcripción transversal, o sea, cuando el copista de x acudió a más de un modelo, es posible que en a) y b) x derivase de y, porque la(s) laguna(s) y la ordenación distinta pueden haber provenido del segundo antígrafo.

A través del estudio de los contenidos concluyó Adolf Mussafia que Pg y R están estrechamente relacionados[2]. Mi debe de estar emparentado con ellos de una manera u otra, porque los tres tienen un gran número de composiciones de común[3]. También es muy probable que Mi tenga algún parentesco con Pe, porque casi todas las composiciones de Santillana de Pe figuran asimismo en Mi, y lo que es más, en ambos códices siguen a la *Comedieta de Ponza* diecisiete sonetos del Marqués[4].

Otros códices que aparentemente están relacionados entre sí son MHa, Sa y H, puesto que —como mostramos hace tiempo— buena parte de los materiales de Sa coincide con los de MHa y H[5].

Ya apuntamos que Jules Piccus ha probado que Mc procede de MHa a través de un estudio de los contenidos y de datos sobre la foliación.

Por fin, los últimos manuscritos que revelan una relación a base de la comparación de los contenidos son Ma y Sd[6].

Ahora bien, los datos proporcionados hasta aquí muestran, pues, tres grupos, a saber:

a) Mi, Pe, Pg, R.
b) MHa, Mc, Sa, H.
c) Ma, Sd.

---

[1] Mussafia, Adolf, *est. cit.*, pp. 16-19; Marichal, Robert, «La critique des textes», en *Encyclopédie de la Pléiade*, t. II París, 1961, pp. 1274 y ss.; Engelbert, Manfred, en el estudio introductorio a su interesante edición crítica de *El pleito matrimonial del cuerpo y el alma* por Pedro Calderón de la Barca, Berlín, 1969, pp. 14 y ss.

[2] Mussafia, Adolf, *est. cit.*, pp. 16-19.

[3] Cf. De Nigris, Carla, y Sorvillo, Emilia, «Note sulla tradizione manoscritta della 'Comedieta de Ponça'», *Medioevo Romanzo*, V (1978), p. 112, nota 9.

[4] Cf. la edición del códice de Azáceta, José María, *ed. cit.*, pp. 562-611, y Mussafia, Adolf, *est. cit.*, pp. 12-14.

[5] Cf. Kerkhof, M. P. A. M., «Anotaciones bibliográficas a los textos del cancionero 1865 (X⁶) de la Biblioteca Universitaria de Salamanca», *Revista de Archivos, Bibliotecas y Museos*, LXXVII (1974), pp. 601-618.

[6] Cf. mi edición de la *Comedieta de Ponza*, *ed. cit.*, pp. 92-97. Cf., también, el inventario de las menciones de los interlocutores, cap. VII, vss. 210, 211 y 577.

Si tomamos en consideración también los datos sobre las estrofas y versos que faltan, y sobre las inversiones del orden de estrofas y de versos [7], podemos sacar unas conclusiones más:

— La falta de las mismas estrofas en Mi, Pe, Pg y R y la misma alteración del orden de unas estrofas en todos ellos ofrece más argumentos en favor de su agrupación. Además prueban estos datos que ninguno de los demás códices procede de uno de los miembros de este grupo.
— Se aíslan Pg y R de Mi y Pe por carecer aquéllos de los versos 38 y 324-325. Estas lagunas imposibilitan al mismo tiempo la dependencia de Mi y Pe de la tradición representada por Pg y R.
— Por la falta de la primera parte del prólogo y de las estrofas XCVI - XCVIII y C en Pe queda excluida la posibilidad de derivar Mi de Pe.
— Parece muy probable que haya una relación entre Mo y Sa: faltan en ellos las mismas estrofas (LXVII y LXXXIV-LXXXV) y en ambos precede la estrofa CXXXII a la CXXXI. Mo no procede de Sa ni Sa de Mo porque en Mo faltan el prólogo y los versos 651 y 1424, mientras que Sa carece del verso 1315. Se sobreentiende que los demás códices tampoco derivan de Mo o Sa.
— La falta de estrofas en T, que sí se encuentran en los demás manuscritos, excluye la posibilidad de haber sido T el modelo de uno de ellos. Igual ocurre con Ps. Además falta en T todo el prólogo, y en Ps la primera parte de él.

Como ya observamos arriba, cuando hay contaminación pueden cambiar totalmente algunas conclusiones basadas en unas comparaciones externas. Así, por ejemplo, es posible que Mi derivase de Pe si el copista de aquél dispusiese de un segundo antígrafo que sí contenía la primera parte del prólogo y las estrofas XCVI-XCVIII y C.

A base de un dato extratextual podemos rechazar también la posibilidad de derivar Sd de Ma, puesto que éste fue copiado a fines del siglo XV o principios del XVI, mientras que Sd data de los últimos años de la vida del Marqués de Santillana, o sea, de mediados del siglo XV [8].

Mc fue copiado a principios del siglo XIX [9]; por lo tanto, ninguno de los demás códices puede proceder de él.

De todo lo dicho se evidencia que para establecer con exactitud la genealogía de los códices de *Bías contra Fortuna* no bastan estos datos, porque no nos permiten determinar cuáles son las relaciones precisas entre los distintos grupos de códices y, dentro de los grupos, entre los representantes de cada uno de ellos, ni cuál la posición de T o de Ps en relación con los demás.

Vamos a ver, pues, lo que el examen de las variantes textuales nos enseña. Como ya hemos visto, falta la primera parte del prólogo en Pe y Ps, mientras que Mo y T carecen de toda la introducción. A pesar de este inconveniente, empiezo por estudiar la disposición genealógica de los

---

[7] Véanse los inventarios en las pp. 185-186.
[8] Cf. mi edición de la *Comedieta de Ponza*, ed. cit., pp. 37 y 46-47.
[9] Véase el capítulo sobre los códices utilizados.

códices [10] MHa, Ma, Mc, Mi, Sa, Sd, Pe, Pg, Ps, R y H a través del prólogo, por encontrarse en él variantes de buena calidad como para clasificarlos.

A falta de datos precisos ampliaré el campo de elección de variantes, tomando en cuenta también el poema.

En el momento oportuno estudiaré los lugares que Mo y T ocupan en el estema.

Parto del punto de vista de que en esta fase preparatoria es ilógico juzgar una variante, sea como error, sea como la justa lectura [11]. Tampoco conviene que consideremos las variantes simplemente como «des formes diverses présentées par les divers manuscrits», como hizo Don Quentin [12], porque este acercamiento sólo nos permite aislar un códice o agrupar dos o más códices. El mismo Dom Quentin se enfrentó con este problema al ocuparse de las relaciones entre varios códices y necesariamente tuvo que acudir a la crítica interna, es decir, a la *lección errónea* y la *falta común*. Este procedimiento, es decir, juzgar *a priori* si una variante es una falta o no, parece estar en flagrante contradicción con lo que postulamos arriba. Sin embargo, creo que en esta etapa de nuestro trabajo, anterior a la fijación del estema y del texto crítico, es lícito utilizar ya la etiqueta *error* si se trata de una lectura *visiblemente equivocada*.

Por lo tanto, en las listas que van a continuación nos serviremos de estas lecturas visiblemente erradas para determinar la dependencia o independencia de un códice o grupo de códices de otro, mientras que para agrupar códices tomaremos en cuenta también las distintas lecturas posibles. Las lecciones provistas de un asterisco son errores.

MHa, Ma, Mc, Mi, Sa, Sd, Pe, Pg, Ps, R, H.

Resulta que hay dos grupos, uno constituido por Ma y Sd, y otro por MHa, Mc, Mi, Sa, Pe, Pg, Ps, R y H:

Núms.	Ma, Sd	MHa, Mc, Mi, Sa, Pg, R, H
6	agora es	es agora
48	a	*om.*
52	la	*om.*
68	interrupción	ynterrucçion, enterrupçion, ynteruçion (por *interrupçion*) / ynteruençion alguna
70	sin çejo * (+ MHa, Mc)	çincer, senzero, sinçeros (por *sinçero*) (—MHa, Mc)

---

[10] Claro está que vamos a estudiar la disposición genealógica de los textos de *Bías contra Fortuna* contenidos en los distintos códices. De modo que cuando digo 'códice' me refiero únicamente al texto en cuestión.

[11] Cf. QUENTIN, Dom H., *Essais de critique textuelle (Ecdotique)*, París, 1926, p. 65.

[12] *Ibídem,* pp. 84-85.

Núms.	Ma, Sd	MHa, Mc, Mi, Sa, Pg, R, H
72	om.	e
127	vençido la batalla de guadix e la pelea de xerez e	om. *
189	nin muchos otros tales	nin de otros * muchos/muchos otros tales
192	e	om.
210	faze	fazer

	Ma, Sd	MHa, Mc, Mi, Sa, Pe, Pg, Ps, R, H
231	de (+ Pe)	om. (— Pe)
256	om.	assi commo capitan

	Ma, Sd	MHa, Mc, Mi, Pe, Pg, Ps, R, H[13]
277	sus	los
279	parientes	parientes suyos
291	a	om.
329	om.	mouida e
346	quales	que
350	escrive	descrive
353	muy	om.
377	las	om. *

Por razones de espacio me limito a veinte ejemplos. Además faltan en el resto del prólogo y en el poema casos de errores evidentes que Ma y Sd tienen en común.

Ahora bien, aunque en la lista de arriba solamente en unos pocos casos se trate visiblemente de un error, parece muy probable que haya dos familias que se originaron en modelos diferentes.

Por lo tanto, partimos de un arquetipo ω ramificado en dos subarquetipos, α y β:

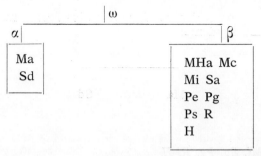

Los materiales que a lo largo de este capítulo ofreceremos confirmarán este modelo bipartito.

---

[13] En Sa falta casi toda la segunda parte del prólogo.

La familia α

Los cuerpos de variantes del prólogo y del texto muestran bien a las claras que los dos representantes de esta familia están muy cerca el uno del otro [14].

Dada la mayor antigüedad de Sd, de mediados del siglo xv, sobre Ma, de fines del siglo xv o principios del xvi (véase arriba), se excluye la posibilidad de que Sd sea copia de Ma. Además habría impedido tal dependencia una serie de faltas de Ma: cf., por ejemplo las variantes núms. 5, 31, 61, 67, 74, etc., del *Prohemio*.

No es nada fácil probar si Ma puede derivar de Sd o no por la escasez de datos conclusivos. Sin embargo, teniendo en cuenta el texto completo —prólogo y poema— encontramos algunas faltas que hacen muy improbable esta posible relación:

Núm.	*Sd*	*Ma*
114	theresi	teresa

Vss.		
121	*om.*	e
391	malio	manlio
394	*om.*	a
961	eligeron	eligieron
1279	despeña	despeña
1419	*om.*	sus

Estos casos de errores de Sd, donde Ma y por lo general los demás manuscritos tienen una buena lectura en común, prueban al mismo tiempo que tampoco ninguno de los demás códices deriva de Sd. Igual ocurre con Ma, puesto que las faltas exclusivas de este códice —apuntamos arriba algunas— excluyen la posibilidad de ser Ma el modelo de uno de los demás.

Por lo tanto, β no deriva de ninguno de los representantes de α, y α tiene el esquema siguiente:

Ma   Sd

La familia β

MHa, Mc, Mi, Sa, Pg, R, H

Numerosas faltas y lecturas exclusivas que Mi, Pg y R tienen en común aíslan estos códices de los demás:

---

[14] Cf., también, el inventario de las menciones de los interlocutores.

Núms.	Mi, Pg, R	MHa, Mc, Sa, H
14	e referiendo	rrefiriendo, rrefiendo
16	escriuio	escriue
19	neufragio *	naufragio
20	selfalenos, selfaneos *	çefalenos
35	apena *	apenas
40	amad con	auet en
43	lectos *	litos
44	cae	cayo
53	libio	lelio
68	ynteruençion *	ynterrucçion, enterrupçion, ynteruçion (por *interrupçion*)
73	*om.*	del tiempo
79	trae *	trahen
96	*om.*	que de
109	cerradas *	çesadas
113	xaranço *	xalançe
114	toreça *	teresa
116	e en el *	en el
117	gandia *	granada
128	ganadas *	ganado
131	combatiendolas	combatiendolas
etc.	entrandolas *	e entrenandolas; Mc: o entrandolas

Son idénticos también los epígrafes del *Prohemio* de Mi, Pg, y R: «Epistola que enbio el señor marques al Conde de alua quando estaua en presion.» Además tienen en común la falta de las mismas estrofas.

En vista de las faltas de Mi, Pg y R, donde MHa, Mc, Sa y H ofrecen lecturas correctas, queda claro que éstos no derivan de aquéllos.

Ahora bien, antes de averiguar si Mi, Pg y R dependen de MHa, Mc, Sa y H o no, vamos a establecer la relación entre Mi, Pg y R.

Mi, Pg, R

Una serie de errores evidentes y lecciones singulares de Pg y R, donde Mi lee bien junto con los demás códices, hacen juntar a Pg y R y excluyen la posibilidad de derivar Mi de Pg o R:

Núms.	Pg, R	Mi y los demás mss.
25	delante	ante
75	e sienpre	syenpre
77	aquellos que las *	aquellos a quien
80	continua *	continuamente
82	o de guerra	e de guerra
94	de nuestros reynos *	deste nuestro rregno
106	e nauarra	e de nauarra
133	ningunt otro non basto *	ninguno otro

Núms.	Pg, R	Mi y los demás mss.
142	espero yo ser *	espero yo sea
148	fechos e por *	fechos que por
178	caualleros *	cauallos
187	archila *	athila
188	flagelandi *	flagelun(—m) dey
194	om.	todo
196	om.	de tus
282	guardias	guardas
337	om.	suyos
347	plaziese *	pluguiese
363	errada ca los *	errada e los
389	escaupar *	escapar
etc.		

Tanto en Pg como en R faltan los vss. 38 y 324-325, como ya hemos visto.

Faltas y lecturas únicas de Mi, donde Pg y R están de acuerdo con los demás códices, impiden que éstos procedan de aquél:

Núms.	Mi	Pg, R y los demás mss.
24	fue *	fuese
50	om.	mengua
55	amado o sin amar *	armado o syn armas
56	etenidad *	eternidat
64	prentes *	aparentes
78	plase *	plazen
86	suplieses *	conplieses
108	manjano *	majano
123	de nuestro señor	de nuestro rrey
130	guerreandolos	guerreandolas
174	o bozes	e bozes
227	ynistrado *	ynstruydo
254	tura *	cura
274	fasiendolas *	faziendoles
298	claro *	raro
302	al alto *	aliato
308	del	de
317	gamellos *	cauallos
320	en *	e
332	de fuera *	fuera
etc.		

Pg, R

Pg no deriva de R como muestran los ejemplos siguientes:

Núms.	R	Pg y los demás mss.
93	om.	todos
147	om.	yo
164	om. *	con
206	e de algunos	e algunos

Núms.	*R*	*Pg y los demás mss.*
228	las artes liberales	las liberales
283	blasfemando *	blasmando
305	como cierto fuese	como fuese çierto
376	todas las cosas otras *	todas las otras cosas
427	*om.* *	muchas vezes
436	*om.*	esto
476	*om.* *	los amigos
496	*om.*	ser
498	fue	fuese
517	en el tiempo	en los tiempos

Vss.		
10	paedes *	puedes
313	fablar *	fablare
327	*om.* *	los
351	luego *	juego
615	por los	por sus
1230	noçerme *	nozirme
etc.		

Al investigar la posibilidad de derivar R de Pg he encontrado unas pocas variaciones que tienden a excluir tal hipótesis:

Núms.	*Pg*	*R y los demás mss.*
98	encomençe	comence
149	llegar	allegar
296	demandole *	demandandole
402	d'ellos otros *	de los otros
vs.		
752	molares *	morales

A base de lo expuesto podemos establecer el parentesco entre Mi, Pg y R como sigue:

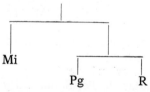

De modo que tenemos hasta ahora:

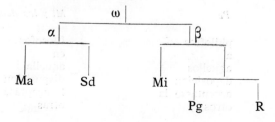

Mi, Pe

Los siguientes ejemplos de lecturas exclusivas y erróneas que los dos códices tienen en común, corroboran la constatación que ya hicimos sobre su parentesco:

Núms	*Mi, Pe*	*los demás mss.*
265	de su	del su
269	e mando	mando
284	e demostrando *	denostando
294	rreferiendoles ç	referiendolẽ
340	fablar o tratar	fablar
390	vtiles manos *	hostiles manos;
		Pg, R: estiles * manos
401	syguio *	seguia
414	estil bueno *	estilbon
418	esta *	este
428	paresçe *	pare
438	e enfermedad	enfermedad
518	judea *	juda

Vss.

165	lloran *	lloren
219	marmores *	marmoreas;
		Sa: marmoles
284	quier *	quieres
314	desto *	destos
491	de mi *	dime
650	en juuentud e	en jouen e
654	geno *	genos
732	que jamas faras *	que fagas jamas
etc.		

El encabezamiento de la segunda parte del prólogo es casi idéntico en ambos códices: «Carta que enbio el (Mi: señor) marques de santillana al conde de alua quando estaua en presion (Pe: en la prision) en la qual rrelata quien fue vias e donde (Mi: de donde) e algunos de sus fechos.»

Ya concluimos a base de criterios externos que Mi no fue copiado de Pe. Las numerosísimas faltas de Pe, donde Mi y los demás tienen una buena lectura en común, lo confirman:

Núms.	*Pe*	*Mi y los demás mss.*
220	philoffos	filosofos
242	a	en
245	aquellos	aquella
253	deposicion	dispusiçion
258	acçeptasse la	la açeptase
261	otros	otras

Núms.	Pe	Mi y los demás mss.
273	depositados	depositadas
275	gracias de dones e de	gracias e dones de
293	enuiaron los sus	enbiaronle sus
306	de las victualles	de los beuires
319	*om.*	de la çibdad
321	fossen tomados e prizo	fuesen tomados puso
325	*om.*	a
354	montorias	montones
355	e	en
367	*om.*	a tiempo
372	*om.*	asy mesmo
375	otros	otras
380	vnos	vno
382	e de	de
etc.		

Tampoco es posible hacer depender Pe de Mi, puesto que a tal derivación se opone una serie de errores de Mi donde Pe tiene buenas lecciones:

Núms.	Mi	Pe y los demás mss.
227	ynistrado	instruydo
254	la tura	la cura
274	fasiendo las graçias	faziendoles gracias
298	de claro	de raro
302	al alto	aliato
317	gamellos	cauallos
379	ero dio	en odio
387	polos otros	por otros
395	exidos de fuera	exidos fuera
397	fugese	fingiesse; Ma: fingese
400	lo	le
409	bienes buenos	bienes
411	dise seneca	senecha
426	vsada	ozada
437	de la mina	del anima
458	lo	la
481	se te	te
512	syetan	sientan
521	muerte	muerto
etc.		

De los datos que anteceden se deduce que para los códices Ma, Mi, Sd, Pe, Pg y R es éste el esquema genealógico:

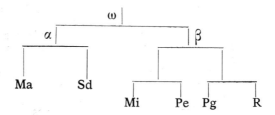

MHa, Mc, Mo, T, Sa, Ps, H

Ya comprobamos que MHa, Mc, Sa y H pertenecen a la misma familia que Mi, Pe, Pg y R, y que aquéllos no dependen de éstos.

Ahora bien, resulta que Mo, T y Ps forman juntamente con MHa, Mc, Sa y H una subtradición que denominaremos γ:

Vss. [15]	*MHa, Mc, Mo, T, Sa, Ps, H*	*los demás mss.*
331	mensarios * o magistrados	Ma, Sd: mensajeros magistrados;
	(Sa: magestados)	Mi, Pe, Pg, R: mensajeros maestrados
939	MHa, Mc, T, Ps, H: dirias; Mo: derias *; Sa: darias *	dezias
1239	ningunos (MHa: nigunos)	algunos
1316	de tan grand	de muy grand
1403	MHa, Mc; hemençia; Mo, Sa, H: femençia; el copista de T cambió *femençia* en *hemençia*; Ps: rreuerençia	eminençia
1419	*om.* (+ Sd)	sus (— Sd)

Estos datos indican al mismo tiempo que Mi, Pe, Pg y R no derivan de MHa, Mc, Mo, T, Sa, Ps o H.

Resulta, pues, que la tradición β se ramifica en dos subtradiciones: γ y la representada por Mi, Pe, Pg y R, la cual denominaremos δ.

---

[15] Por faltar el prólogo en Mo y T será de aquí en adelante el poema el campo de elección de variantes.

El árbol será entonces:

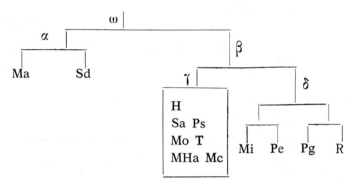

Queda por establecer la interrelación de los representantes de la sub-tradición γ. En esta subtradición se perfilan claramente dos grupos: uno constituido por MHa, Mc y H y otro por Mo y Sa:

Vss.	MHa, Mc, H	los demás mss.
21	om. *	nin
88	·asy non *	e si non
143	de la maçedonia	Ma, Mo, Sa, Sd, Ps: de laçe-demonia; Mi, Pe: de la çi-rimonia *; T: de lacedemo-nia (después cambió el co-pista la lectura en: de la gran cedemonia *; Pg, R: de la cidymonia *
642	afectos *	affricos; Ma: africas *
655	om. *	o; Mo, Sa: y
674	clamare *	Ma, Mi, Mo, T, Sa, Sd, Pg, R: clamate; Pe: clamense *; Ps: el amoto *
1403	dioses de grand	dioses con gran [16]

El estudio de las variaciones textuales confirma completamente la conclusión de Jules Piccus, según la cual Mc es copia de MHa (véase antes):

Vss.	MHa, Mc	los demás mss.
93	cosas que mas non son *	Ma, Sd: cosas en mas que son; Mi, Mo, T, Sa, Pe, Pg, Ps, R, H: cosas mas que non son
141	om.	e
220	sojuzguen *	sojudgue
255	yo non me *	yo me

---

[16] Para más ejemplos, véase el prólogo, núms. 4, 45, 71, 111 y 236.

Vss.	MHa, Mc	los demás mss.
425	esos	estos
461	e a vaspasiano	Ma, Mo, T, Sd, Ps, H: e vaspasiano; Mi, Sa, Pe, Pg, R: baspasiano
473	desta as bien sabido *	desta bien as salido
497	om. *	dos
581	et los	o los
584	han *	ha
675	tales	tantos
684	virtud *	verdad
685	om. *	de
687	en vsar *	en vn; Sa: avn *
725	que son	ca son
761	o vidas	e vidas
769	ca *	e
770	e pitagoras *	de pitagoras
795	posas *	prosas; Sa: preçes *
800	primeros *	primos
etc.		

Esta lista muestra también que H no procede de MHa.

Lecturas únicas y faltas de H, donde MHa lee como los demás, prueban que MHa no puede derivar de H:

Vss.	H	MHa y los demás mss.
11	rrogistir *	rresistir; Sa: rregistir
98	om. *	en
116	alcançar	acabar
146	conrintio *	corintio
241	commo destas	bias destas
392	podedes	MHa, Ma, Mc, Mi, Mo, Sd, Ps: querredes; T: quisieredes; Sa, Pe, Pg, R: queredes
420	los *	lo
447	caso *	casio
457	te rrepito *	los rrepito
471	mando *	vando
490	e algunos *	algunos
493	de los frigios desta vida *	de los frigios que pasasen (Mi, Pe, Pg, R: pasaron)
494	que pasasen *	esta vida
508	periamo *	priamo
514	de ector *	qual hector
533	tales bregas	MHa, Ma, Mc, Mo, T, Sa, Sd, Ps: tales rruydos; Mi, Pe, Pg, R: tal rruydo
562	gloria *	victoria
563	victoria *	gloria
592	afortunado *	MHa, Ma, Mc, Mi, Mo, T, Sd, Pe, Pg, Ps, R: infortunado; Sa: fortunado *
635	el terçero	terçero
etc.		

Mo, Sa

También estos dos códices se hallan muy cercanos el uno al otro, como revelan las abundantes lecturas conjuntivas:

Vss.	Mo, Sa	los demás mss.
8	que	ca
84	es dar	el dar
127	syn ellas no se	nin sin ellas se
179	lo qual	el qual
194	tu non	di non
282	con el byento	donde el viento
295	cuydo *	cudo
316	el mayor	al mayor
341	que destos	e destos
362	deste marçio *	desse marco
451	mas prueua * (Sa: preua)	mas dexa
475	que las	ca las
479	destos	dessos
521	e	ay
556	quantos fueron	tantos fueron
656	diste	MHa, Ma, Mi, T, Sd, H: buscaste; Pe: buscasse *; Pg, Ps, R: buscas
660	cruel guerra	mala guerra
724	non pido	nin pido
737	om.	que
748	seruiçio *	seruiçios
etc.		

De estos materiales se deduce fácilmente que MHa y H no derivan de Mo o Sa. Tampoco proceden Mo y Sa de MHa o H, como ya vimos al comparar MHa, Mc y H con los demás manuscritos.

A continuación vamos a estudiar la relación entre Mo y Sa.

Mo no fue el modelo de Sa, como muestra la siguiente serie de variantes:

Vss.	Mo	Sa y los demás mss.
11	como cuydas *	o me cuydas
22	om. *	lo
23	verdat *	vyrtud
33	quemada *	MHa, Mc, Mi, T, Sa, Sd, Pe, Pg, Ps, R, H: tomada; Ma: robada *
71	abfecter *	MHa, Ma, Mc, T, Sa, Sd, Pe, Pg, Ps, R, H: abstener; Mi: ostener *
95	que	ca
105	om *	bien

Vss.	Mo	Sa y los demás mss.
176	conoscio	conosçe
177	viandante *	bien andante
187	que fuy	MHa, Ma, Mc, Mi, Sa, Sd, Pe, Pg, Ps, R, H: e fuy; T: yo fuy
216	segura *	asegura
320	puedes	puedas
322	consulos *	consules
343	preçentor *	preçebtor
344	rramana *	rromana
372	porque *	por
429	asy mares *	mares
509	dexamos *	dexemos
513	om. *	ya
514	hiso *	hermanos
etc.		

Queda por averiguar si Mo desciende de Sa.

Sin embargo, a tal relación se oponen numerosas lecciones singulares y errores contenidos en Sa:

Vss.	Sa	Mo y los demás mss.
21	vmano *	mundano
24	el qual *	la qual; Mi: lo qual *
29	me lleuo *	lleuo
39	ado	do
47	que	ca
48	a dexar *	dexado
50	posada	morada
51	rroble	robre
69	dificil *	façil
77	y sy	ca si
81	que	ca
92	o	e
110	rralos *	raros
126	çesaran	çessarian
127	faran	farian
135	lo	el
138	athenas *	thebas
147	largo *	lago
149	sean *	son
175	vy *	vio
etc.		

Algunas coincidencias textuales entre MHa, Mc, Mo y Sa y entre Mo, Sa y H parecen indicar que MHa, Mc, Mo, Sa y H se encuentran en un grupo:

Vss.	MHa, Mc, Mo, Sa	los demás mss.
908	las joyas	joyeles
1400	sin angustia;	sin astuçia
	Mo, Sa: sin angustias	

Vss.	Mo, Sa, H	los demás mss.
152	fieres; baldonas	fieras; baldones
277	donde apolo	do el apolo
311	es vna golondrina	la sola golondrina
936	contigo *	contin(u)o
967	registença *; Mo: rregistençia	resistençia
1435	bien satisfecho	pro/por satisfecho
	(—Mo; falta la última estrofa)	

Siendo, pues, muy probable que los cinco códices en cuestión formen parte de un grupo, se evidencia que tanto el copista de MHa, como el de H trabajaron sobre más de un antígrafo[17]. Posiblemente utilizó el copista de MHa como segundo modelo un códice procedente de la tradición representada por Ma y Sd: cf. los núms. 70 y 97 del prólogo.

Estas constataciones nos llevan a clasificar los cinco representantes de la subtradición γ discutidos hasta ahora de la manera siguiente:

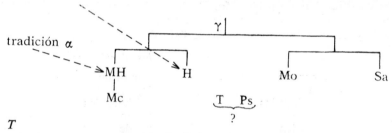

T

Al igual que MHa, Mc. Mo, Sa, Ps y H, pertenece T a la subtradición γ, como ya hemos concluido arriba.

Por los datos proporcionados arriba sobre los grupos constituidos, respectivamente, por MHa y H y Mo y Sa sabemos que ninguno de estos códices puede ser el modelo de T.

La siguiente lista de lecciones únicas y erróneas de T, donde los demás manuscritos concuerdan en buenas lecturas, muestra que tampoco ninguno de los dos grupos deriva de T:

---

[17] Para el problema de la contaminación, consúltense, por ejemplo: PASQUALI, G., *Storia della tradizione e critica del testo*, Firenze, 1934, p. XVII; DAIN, A., *Les manuscrits*, París, 1949, p. 126; WEST, M. L., *Textual Criticism and Editorial Technique*, Stuttgart, 1973, pp. 12 y ss., y 35 y ss.

Vss.	T	los demás mss.
13	son	soys
19	ca	que
31	soy	voy (Pe, Pg, R: vo)
77	junta *	juntas
141	om.	de 2
143	ques	que fue
148	vinceral *	viçeral; Sa: viçial
187	yo fuy	e fuy; Mo: que fuy
211	cuydes *	cuydas
213	mras *	miras
226	que mo *	non has
247	hierra *	yerra
293	mucho *	muchos
319	yo me temo *	ya non temo; Mo: yo non temo
339	que por prosperos*	que prosperos
362	narraste	fablaste
367	fines tristes e pausas	fines e tristes pausas
369	om. *	yo
380	y a otros	a otros; Pg, R: e otros
439	y sus *	de sus
etc.		

Ps

También este códice forma parte de la subtradición γ, como ya hemos visto.

A base de las listas de variantes discutidas anteriormente en relación con la clasificación de MHa, Mo, T, Sa y H se excluye la posibilidad de que Ps proceda de uno de ellos, y una serie de errores exclusivos de Ps imposibilita la dependencia de éste de uno de aquéllos:

Vss.	Ps	los demás mss.
8	por rra	por razon
10	la	lo
13	sosingados	subjudgados
16	poco	punto
95	pueden	puede
425	fauorables	fauoridos
457	claudius	claudios
527	cruel	crueldad
631	reyno	region
649	faze	fize
673	om.	di
837	vil	vtil
898	om.	te[1]
919	morir non	non moriras; Mi, Pe: sy moriras
999	dira	dire
1010	e	om.
1027	los	las
1029	prouinçiales	prouinçias
1082	solepnidat	solepnidades
1123	su	tu
etc.		

La subtradición γ resulta, pues, tripartita:

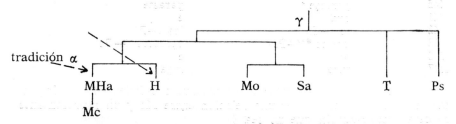

Todas las listas en que intervinieron representantes del bloque constituido por MHa, Mc, Mi, Mo, T, Sa, Pe, Pg, Ps, R y H confirman que α no
puede proceder de β.

La relación de Sa con la tradición α

Una serie de lecturas del prólogo que Sa tiene en común con Ma y Sd
permite postular que el copista de Sa acudió a un segundo modelo al
transcribir esa parte del texto [18].

Núms.	Sa, Ma, Sd	los demás mss.
103	tu virilidad	tu virtud
118	enprendiesse	enprendiste
143	tiempos	dias
150	dexo	*om.* *
198	assi	*om.*

La relación de Mo y Sa con la subtradición δ

La siguiente lista de lecturas únicas y erradas revela que de una
manera u otra se relaciona el grupo constituido por Mo y Sa con la subtradición δ:

Vss.	Mo, Sa, Mi, Pe, Pg, R	los demás mss.
202	peresçiera	peresçera
303	que lo *	nin lo
432	Mo, Sa: tan presto; Mi, Pe, Pg, R: tanto * presto	mas presto
681	estos	essos
782	muy * (—Pe)	mi (+ Pe)
844	en las *	de las

Aunque no todos los ejemplos tengan la misma fuerza demostrativa
—en algunos casos puede tratarse de poligénesis—, queda suficientemente clara tal relación.

En unos pocos casos concuerda únicamente Sa con Mi, Pe, Pg y R:

---

[18] En el poema he encontrado un solo caso (será ∞ sea), que puede ser fortuito.

Vss.	Sa, Mi, Pe, Pg, R	los demás mss.
145	paresçe *	paraste
461	om.	e
462	lo (—R)	los (+R)
488	presos * (+Ps)	opressos (— Ps)
505	o	e
1147	fago	faga

Sin embargo, no encuentro estas variantes suficientemente importantes como para establecer una relación entre Mo y un representante de otra (sub)tradición que no sea δ.

Contaminación en Mi

Sin duda influyó un códice de otra (sub)tradición en Mi[19] porque en unos casos concuerda Mi con los demás en una buena lectura, donde Pe, Pg y R tienen una lectura exclusiva o una falta:

Núms.	Pe, Pg, R	Mi y los demás mss.
473	om.	e mas segura
493	om. *	traspasarlo

Vss.		
249	toda parte	todas partes
617	de veto *	debello; T, Sa: debelleo *

Ahora bien, sin pretender que el problema de la contaminación en las distintas copias haya sido investigado de un modo exhaustivo, presento a base del *corpus variorum* la siguiente clasificación de los trece representantes de *Bías contra Fortuna:*

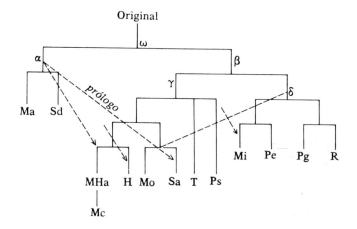

[19] Es lo que, según Florence Street («The text of Mena's 'Laberinto' in the 'Cancionero de Ixar' and its relationship to some other fifteenth-century mss.», *Bulletin of Hispanic Studies*, XXXV (1958), p. 66), ocurrió también en la copia del *Laberinto de Fortuna* de Mi.

E. CRITERIOS DE LA EDICIÓN

La transcripción:

— Conservo fielmente la ortografía de cada manuscrito, con una excepción : transcribo la *i* larga (j), cuando es vocal, como *i*.
— Se han regularizado las mayúsculas y minúsculas, que en el texto se usan sin ningún criterio.
— Interpreto la *R* y los signos ℣ y ℱ como *rr*.
— Resuelvo las abreviaturas. Solamente las abreviaturas del texto de Sd —base de la edición (véase abajo)— las indico en el texto crítico poniendo las letras suplidas en cursiva.
— Utilizo el apóstrofo siempre que se han unido dos palabras con pérdida de vocal.
— Separo y agrupo las palabras según el criterio moderno.
— El signo sobre *como* lo reproduzco con *m*, editando *commo*.
— No presto atención a las tildes ociosas que acompañan a la *ch* y la *y*.
— Todos los signos para la conjunción copulativa los transcribo como *e*.

El establecimiento del texto

El texto base será el Sd. Es éste con toda probabilidad el *Cancionero de sus Obras*[1] —o copia del mismo— que don Íñigo mandó hacer para su sobrino don Gómez Manrique alrededor de 1456[2]. Este códice fue ejecutado con todo esmero y cuidadosamente corregido[3] en el 'scriptorium' del Marqués. Se trata, pues, de un texto muy fidedigno.

---

[1] Cf. la primera poesía que figura en Sd, que empieza por el verso «O fuente manante de sabiduría», en la cual Gómez Manrique le pide a su tío un «Cancionero de sus Obras», fols. 1v - 3.

[2] Cf. mi edición de la *Comedieta de Ponza, op. cit.*, pp. 46-47. Este códice y el 3677 de la Biblioteca Nacional de Madrid (nuestro Ma) son los únicos que reúnen exclusivamente obras de don Íñigo López de Mendoza.

[3] Enmendaciones en Sd:

49. El copista escribió *mas* sobre un vocablo borrado del cual todavía se leen las dos últimas letras, a saber: *-as*
70. de lo fazer   ⟶   (= corregido en) de fazer
93. entre *mas* y *que* se encuentran letras borradas
121. por   ⟶   e por
135. e lo   ⟶   e non lo
162. ageno   ⟶   agenos
205. yo mo dubdo   ⟶   yo no dubdo
220. que sojudgue   ⟶   que me sojudgue
225. feroçida   ⟶   feroçidad
278. de de grado   ⟶   de grado
331. entre *mensajeros* y *magistrados* hay una letra borrada, posiblemente *o*

Nos apartamos de Sd en caso de un error evidente o si Ma y β tienen otra lectura en común, siendo ésta aceptable. Si atribuimos a cada subarquetipo el valor 1/2, representan Ma y β el valor 3/4 (1/4 [= 1/2 α] + 1/2) contra 1/4 (1/2 α = Sd).

Si α, γ y δ tienen cada uno una lectura diferente y aceptable, seguiremos la de α (Sd, Ma).

Si α + γ (1/2 + 1/4 = 3/4) van en contra de δ (1/4) o α + δ (1/2 + + 1/4 = 3/4) en contra de γ, tratándose de lecturas posibles, optaremos naturalmente por la de α + γ o la de α + δ.

En caso de equipolencia entre α y β ofreceremos las dos lecturas entre barras oblicuas, siendo la primera la de α y la segunda la de β.

El el *Prohemio* se dan algunos casos de equipolencia en los cuales la lectura de una rama se compone de más palabras que la de la otra. Resolvimos estos casos dando preferencia a la lectura que consta del mayor número de elementos [4].

Cada desvío de estas reglas se indica en una nota.

Otros criterios de la edición:

378.	destr...uyes	⟶	destruyes
391.	mayo	⟶	gayo
461.	e a vaspasiano	⟶	e vaspasiano
575.	su	⟶	sus
585.	Nin aun contenta	⟶	Nin contenta
619.	arpinas	⟶	arpyas
627.	angoxas	⟶	congoxas
636.	triste	⟶	tristes
655.	estos	⟶	a estos
656.	siempre les buscaste	⟶	siempre buscaste
695.	conformes	⟶	ni son conformes
719.	entre *tus* y *azes* se halla una letra borrada		
762.	anaxagora	⟶	anaxagoras
808.	tanta	⟶	tan
940.	entre *que* y *tarde* hay una letra borrada, probablemente *a*		
1012.	e	⟶	a
1017.	liarca	⟶	hiarca
1069.	togavos	⟶	togados
1073.	el verso 1065 se repite (borrado) al principio de la estrofa CXXXIV		
1226.	buna	⟶	buena
1241.	dexa la	⟶	dexada la
1252.	noxia	⟶	non fria
1314.	que çertifica	⟶	que se çertifica
1316.	de grand	⟶	de muy grand
1340.	nuestras vidas	⟶	nuestras e vidas
1363.	quales e mas	⟶	quales mas
1391.	pazer	⟶	plazer

[4] Sirvan de ejemplo unos casos tomados del prólogo:
Núm. 48 a vno (α) : vno (β) ⟶ a vno
Núm. 52 la (α) : ∅ (β) ⟶ la
Núm. 69   interrupción (α): interrupçion alguna (β) ⟶ interrupçion alguna
Núm. 72   lo (α) : e lo (β) ⟶ e lo
Núm. 192   e humanos (α) : humanos β) ⟶ e humanos
Etc.

— Para facilitar la lectura pongo signos de puntuación, acentos y mayúsculas conforme al uso moderno.

— El signo ·· marca la diéresis.

— Empleo corchetes para enmiendas.

El aparato crítico:

— Para las siglas remito al capítulo I.C.

— No introduzco variantes ortográficas y, por lo general, paso por alto también las de tipo fonético.

— No presto atención a las variantes *non-no* y *nin-ni*.

— A veces paso por alto leves descuidos cometidos por los copistas.

— Si dos o más manuscritos tienen una variante en común doy la forma del primero, sin tener en cuenta las(s) eventual(es) variación(es) ortográfica(s) y/o fonética(s) del otro / de los otros.

— Si en el aparato crítico introduzco una variante relacionada con una palabra que figura más de una vez en el verso indico con un número a cuál me refiero.

— *om.* = omite(n).

— Por lo general indico el lugar de la variante en el verso según este sistema:

   — pongo la variante entre dos lecturas que el códice / los códices tiene(n) en común con el texto crítico);

   — si la variante se encuentra al comienzo del verso añado la lectura a partir de la cual ya no hay variación;

   — si la variante se encuentra al final del verso antepongo la lección que el códice / los códices y el texto crítico tienen en común.

V. gr.: «Mi, Pe, Pg, R: commo tu piensas que» (núm. 5), donde el texto crítico lee «commo y piensas tu que»; quiere decir, pues, que la variación se sitúa entre *commo* y *que*.

Donde no hay ninguna duda sobre el lugar de la variante en el verso introduzco solamente el vocablo que varía; v. gr. «Pe: piences» (núm. 1).

A veces la variación puede ser tal que hace falta la reproducción completa del verso.

Muy a menudo pongo tras la(s) sigla(s) *comienza(n)* o *termina(n)*, con el fin de evitar posibles dudas acerca del lugar de la variación en el verso, y añado *dice el verso* si, en un caso donde reproduzco todo el verso, la claridad lo exige.

Portada de la edición de Sevilla, 1545.

F. «Bías contra Fortuna»

Contenido, tema, fuentes

Cuando su primo el Conde de Alba, estando en la prisión, le ruega al Marqués de Santillana que le envíe algunas de sus obras para su consolación, piensa don Íñigo «inuestigar *alguna nueua manera, assy commo remedios o meditaçión contra Fortuna* (lo subrayado es mío), tal que, si ser podiesse, en esta vexaçión a la tu nobleza gratificasse» *(Prohemio)*.

El resultado de esta «investigación» es el *Bías contra Fortuna*. Sabemos que el Conde fue encarcelado en 1448 por orden de don Álvaro de Luna y que su prisión duró varios años. Por lo tanto puede ser fechado el poema en 1448 o poco después.

El poeta quiere mostrar a su primo que la mejor actitud ante las adversidades que le sobrevinieron es la plena confianza en la virtud. Ejemplifica este pensamiento al principio del *Prohemio* con la historia del naufragio de Ulises, amonestando: «haued en grand cura la virtud, la qual con el naufragio nada». Evidentemente, se entiende por «naufragio» todas las desgracias que a uno le pueden ocurrir.

Optó Santillana por la forma del 'debate', un género poético en que dos interlocutores sostienen una disputa sobre cualquier problema queriendo probar cada uno la superioridad de su propio punto de vista. Las normas del género prescribían que la intervención y su réplica tuviesen las mismas dimensiones, estructura métrica y rimas[1]. Sin embargo, Santillana no se atiene ni mucho menos al modelo medieval. Sobre todo en la segunda mitad del poema se extienden a veces las intervenciones de Bías sobre muchas estrofas seguidas y estos largos monólogos hacen desvanecer la idea de un debate.

El poema carece de una disposición interna bien ordenada y no hay trama. El tema se presenta en los primeros versos:

> ¿Qué es lo que piensas, Fortuna?
> ¿Tú me cuydas molestar
> o me piensas espantar,
> bien commo a niño de cuna?

A través de toda la obra Fortuna le amenaza a Bías con una serie de infortunios, pero éste se muestra imperturbable y no se deja «espan-

---

[1] Cf. Schossig, Alfred, *Der Ursprung der altfranzösischen Lyrik*, Max Niemeyer Verlag, Halle, 1957, p. 240, y Lapesa, Rafael, *La obra literaria del Marqués de Santillana*, Ínsula, Madrid, 1957, p. 221, nota 28.

tar». La actitud de Bías no cambia, pues, y por lo tanto sigue siendo válida al final del poema la pregunta del primer verso: ¿Qué es lo que piensas, Fortuna?

Ya que el Marqués quiere ofrecer una «meditaçión contra Fortuna» (véase ariba), es decir, contra la Fortuna adversa en vista de lo que le había ocurrido a su primo el Conde de Alba, la representa como una fuerza arbitraria y engañadora, o digamos, como símbolo y personificación de las desgracias que pueden alcanzar a uno en el mundo.

El papel de la Fortuna es secundario; ella funciona como punto de partida para la elaboración de la actitud estoica de Bías, el protagonista de la obra, o como escribió David William Foster, el papel de la Fortuna es «to place Bias in relief»[2].

Santillana tomó conocimiento de la vida legendaria de Bías a través de una traducción castellana del repertorio de Walter Burley *De vita et moribus philosophorum*[3] y en el *Prohemio* imitó —a veces al pie de la letra— buena parte del capítulo que el autor inglés dedica al filófoso de Priena.

En Walter Burley aparece Bías como genial estadista y —lo que es más importante— como filósofo estoico que desdeña los bienes materiales fiándose únicamente de la virtud. Cuando está ardiendo la ciudad de Priena, todos los habitantes huyen llevando consigo «todas las cosas suyas que eran de mas precio». Bías, sin embargo, no lleva nada y cuando le preguntan por qué no hace como los demás, contesta: « Todos los mis bienes, yo comigo me los traygo».

Esta anécdota figura también en el *Prohemio* con una diferencia: quien le hace la pregunta a Bías es la Fortuna. Con este cambio introduce don Íñigo de un modo muy hábil el diálogo que va a seguir, o sea, el debate entre Bías y Fortuna.

Un problema que se plantea es ¿por qué prefirió Santillana para la personificación de la imperturbabilidad ante las desgracias un personaje totalmente desconocido a uno que en ese contexto hubiera sido un modelo 'par escellence'? Me refiero a Séneca. Rafael Lapesa lo explica en su magnífico libro sobre el Marqués por el hecho de ser Bías la síntesis de un Séneca (filósofo estoico), Catón (estoico y político) y Marco Aurelio (víctima del hado)[4]. Además nos sugiere don Rafael que la figura de Bías corresponde perfectamente a la imagen que nuestro poeta tenía del caballero ideal, porque en Bías se combinan «la sabiduría, la grandeza de ánimo, el ejercicio de las armas y el arte de gobierno»[5]. Gómez Manrique celebró que don Íñigo con su «prosapia e grandeza de estado...

---

[2] FOSTER, David William, *The Marqués de Santillana*, Twayne's Publishers, New York, 1971, p. 33.

[3] *Gualteri Burlaei liber 'De vita et moribus philosophorum'* mit einer altspanischen Übersetzung der Eskurialbibliothek, herausgegeben von Hermann Knust, Tübingen, 1886; Unveränderte Nachdruck 1964, Minerva GMBH, Frankfurt am Main.

[4] LAPESA, Rafael, *op. cit.*, p. 216.

[5] *Ibídem*, p. 216. En la p. 217, Lapesa dice: «Recreado a imagen y semejanza del poeta, Bías habla de sus lecturas y su biblioteca con tanto amor como el magnate castellano lo haría en su palacio de Guadalajara».

congregó la ciencia con la caballería e la loriga con la toga» y Lucena escribió de él en su *Vida beata* que «ni las armas sus estudios ni los estudios empachan sus armas» [6]. Creo que otra razón importante es la que da el profesor Foster al decir que el Marqués tomó precisamente a una figura desconocida por su afán de enriquecer la poesía castellana «con las influencias más impresionantes y sofisticadas» [7]. Un último argumento podía ser el que Bías y el Conde de Alba se parezcan en cierto modo. Acerca de Bías leemos en el *Prohemio* que fue «de noble prosapia o linaje», que los habitantes de Priena le rogaron que «la cura de la guerra assí commo capitán enprendiesse», y que «en muy pocos tiempos assí de los amigos commo de enemigos fue cognosçida la su virtud e viril estrenuydad». De su primo dice el poeta en la primera parte del *Prohemio* que es hombre virtuoso que con «paçiençia... despreçio e buena cara» padece su «detençión e todas las otras congoxas, molestias e vexaçiones que el mundo ha traýdo», además de ser buen estratega. Esos datos sobre Bías no se encuentran tal y como en la versión de Walter Burley, aunque sí se sugieran implícitamente. Son, pues, de la propia cosecha de Santillana, o sea, el poeta los explicita en su *Prohemio* para hacer resaltar las semejanzas entre los dos personajes.

Hace años escribió Pedro Salinas acerca del tratamiento de la Fortuna en la obra del Marqués: «Se aprecia en Santillana toda la flexibilidad de interpretación poética a que se presta el tópico de la Fortuna» [8].

En efecto, mientras que unos doce años antes en la *Comedieta de Ponza* aparece la Fortuna —a imitación de Dante— como ministro de Dios [9], en la obra que aquí discutimos es un principio arbitrario, ciego y cruel que sólo trae desgracias a la humanidad. Fortuna le amenaza a Bías con varias desgracias, pero el sabio encuentra la fortaleza dentro de sí mismo diciendo que «en sola virtud» entiende (vs. 23), o sea, que esta actitud le protege de las vicisitudes de la vida, y que al fin y al cabo espera juntarse a los bienaventurados en la morada de las almas benditas y de los virtuosos (estrofas CLXXVIII y CLXXIX).

La fuente en que bebió don Íñigo principalmente es Séneca [10]. En este

---

[6] Apud VALBUENA PRAT, Ángel, *Historia de la Literatura Española*, t. I, 7.ª ed., Barcelona, 1964, p. 258.

[7] FOSTER, David William, *op. cit.*, pp. 33-34.

[8] SALINAS, Pedro, *Jorge Manrique o tradición y originalidad*, Seix Barral, Barcelona, 1974, p. 98. La primera edición es de Buenos Aires, 1947.

[9] «Yo soy aquella que por mandamiento / del Dios vno e trino, qu'el grand mundo rige, / e todas las cosas estando collige, / rebueluo las ruedas del grand firmamento» (estr. CVIII, 5-8, *ed. cit.*).

[10] Para paralelos, consúltense: LAPESA, Rafael, *op. cit.*, pp. 218-219; BLÜHER, Karl Alfred, *Seneca in Spanien*, Untersuchungen zur Geschichte der Seneca-Rezeption in Spanien vom 13. bis 17. Jahrhundert, München, 1969, pp. 147-156, y LÓPEZ BASCUÑANA, María Isabel, «El mundo y la cultura grecorromana en la obra del Marqués de Santillana», *Revista de Archivos, Bibliotecas y Museos*, LXXX (1977), pp. 309-316.

Hablando sobre la obra de SÉNECA en el prólogo al cancionero que mandó a su sobrino Pedro de Mendoza, Señor de Almazán, escribe don Íñigo: «... dexando las cosas de sacra escritura çiertamente vos non podedes estudiar ninguna mejor cosa nin de mayor vtilidad a la vida presente» (Ms. 489 de Yale, fol. 1v.).

contexto es significativa la constatación de que Séneca fue el mejor representado de todos los autores clásicos en la biblioteca de Guadalajara.

Del estoico cordobés poseyó Santillana las siguientes obras:

— *Varios tratados,* en latín:

  a. *Epístolas apócrifas cruzadas entre Séneca y S. Pablo.*
  b. *De clementia* (2 libros).
  c. *Epístolas a Lucilio.*
  d. *De remediis fortuitorum* (apócrifo).
  e. *De liberalibus artibus.*
  f. *De quattuor virtutibus* (apócrifo).
  g. *Liber declamationum de Marco Anneo Séneca.*
  h. *De questionibus naturalibus* (seis libros).
  i. *Proverbia* (en parte de Séneca).
  j. *De moribus* (apócrifo).
  k. *De beneficiis* (siete libros).
  l. *De providentia* (dos libros).
  m. *De beata vita.*
  n. *De tranquilitate animi.*
  o. *De brevitate vite.*
  p. *De ira.*
  q. *Ad Martiam de consolatione filii sui.*
  r. *Ad Helbiam matrem de consolatione.*
  s. *De contemptu bonorum temporalium et voluptatum.*

— *Epístolas. De Providentia Dei.* En italiano.

— *Tragedias.* En italiano. Contiene el ms.:

  Hercules furens, Thiestes, Thebays, Ypolitus, Edipus, Trohas, Medea, Agamemnon, Octauia y Hercules Oetheus.

— *Tres tratados de Séneca:*

  a. *Las quatro virtudes e doctrinas que compuso Seneca.*
  b. *Los remedios de los contrarios de Fortuna*[11].
  c. *Los prouerbios de Seneca llamados vicios y virtudes.*

— *Cartas a Lucilio.*

— *Varios tratados,* traducidos al castellano por Alonso de Cartagena:

  a. *De la prouidençia deuinal.*
  b. *De la demençia.*
  c. *Breue copilaçion que de sus dichos fue fecha.*
  d. *Libro de amonestaçiones e dotrinas.*
  e. *Libro de las syete artes liberales.*

---

[11] «Este libro compuso Séneca muy noble e eloquente para un hombre mui sauio que auia nombre Galion contra todos los ingenios e aduersidades de la fortuna». Apud Mario Schiff, *La bibliothèque du Marquis de Santillane,* Paris, 1905, p. 113.

— *Varios tratados* en la traducción de Alonso de Cartagena:

   a. *De Vita beata.*
   b. *2 Libros de la Prouidençia de Dios.*
   c. *2 Libros de la Clemençia.*
   d. *Libro de las Artes liberales.*
   e. *Libro de Amonestaciones e dotrinas.*
   f. *Breue copilaçion de algunos dichos de Seneca.*

— *De Vita beata,* traducción de Alonso de Cartagena.

— *De moribus* (apócrifo)[12].

Karl Alfred Blüher ve en Santillana una de las figuras más importantes en relación con la recepción senequista en la España del siglo XV: antes del Marqués se conocía a Séneca de un modo indirecto y por lo general muy superficial[13]. Según este gran conocedor de la influencia de Séneca en España representa el *Bías contra Fortuna* una profundización esencial de las ideas estoicas[14]. Antes de Blüher había recalcado ya el profesor Lapesa la importancia del *Bías contra Fortuna* dentro de la recepción senequista en España con estas palabras: «Ningún poema del siglo XV español ofrece una exposición tan rotunda y plena de la moral estoica»[15].

Sin embargo, también se encuentran conceptos cristianos en el poema que estamos discutiendo, sobre todo al final, donde el poeta, después de una descripción de los Campos Elíseos, a ejemplo de la *Eneida* VI de Virgilio, contrasta este paraíso con otro:

> Mas a la nuestra morada,
> do *las ánimas benditas*
> tienen / sus : las / sillas conscriptas,
> más lexos es la jornada;
> que son *los çelestes senos*
> *gloriosos,*
> do triumphan los virtuosos
> e buenos en todos genos.
>
> Este camino será
> aquel / que yo faré: que faré yo /, Bías,
> en mis postrimeros días,
> sy te plaze o pesará,

---

[12] SCHIFF, Mario, *op. cit.*, pp. 102-124, y PENNA, Mario, catálogo de la *Exposición de la Biblioteca de los Mendoza del Infantado en el siglo XV*, Madrid, 1958, núms. 149-156, pp. 57-58.
Sobre las traducciones castellanas de obras de Séneca observa Blüher: «Die kastilianischen Übersetzungen setzen zwar etwas später als die katalanischen ein, erlangen jedoch dann eine viel grössere Bedeutung. Sie sind fast sämtlich entweder am Hofe Johanns II. oder in dem literarisch regen Kreis um den Marquis von Santillana entstanden» (*op. cit.*, p. 99).
[13] BLÜHER, Karl Alfred, *op. cit.*, pp. 75-99.
[14] *Ibídem*, p. 148.
[15] LAPESA, Rafael, *op. cit.*, p. 217. El mismo autor publicó en *Ínsula* (XII, núm. 130, septiembre de 1957, pp. 1-2) un ensayo sobre *Bías contra Fortuna* con el título «Un gran poema estoico del Marqués de Santillana».

a *las bienauenturanças,*
do cantando
beuiré, siempre gozando,
do çessan todas mudanças.

(estrofas CLXXVIII-CLXXIX)

Las partes subrayadas por mí —conceptos totalmente desconocidos a la filosofía pagana— indican claramente que con esa otra morada se refiere Santillana al Empíreo cristiano según ha mostrado el eminente hispanista Otis H. Green [16].

El ambiente cristiano está presente también en el *Prohemio*, donde el Marqués dice que sólo Dios puede remediar los infortunios de su primo, o en el pasaje sobre la creación del mundo, donde aparece el concepto ortodoxo «natura naturante» (vs. 825). Aunque la fuente directa de este último pasaje son las *Metamorfosis* ovidianas, puede haber pensado el poeta al mismo tiempo en el *Libro Génesis*. La «sabia mano» del vs. 1320 es indudablemente la mano de Dios.

Conviene señalar que la concepción de la Fortuna como fuerza ciega y arbitraria es netamente senequista [17]. Pero acabamos de ver cómo el ambiente cambia al final del poema. Sobre este cambio escribió Otis Green en su bello estudio sobre las dos Fortunas que están presentes en toda la literatura española medieval y clásica, denominadas por él la *de tejas arriba*, la sierva de la Providencia, y la *de tejas abajo*, la Fortuna pagana: «El Marqués, que en su *Comedieta de Ponza* ya había presentado a la Fortuna sometida al Dios de los cristianos, sin más poder que el de ser delegada de la divina providencia, aquí, en su poema estoico *Bías contra Fortuna*, quiso limitarse —por un acto de voluntad consciente— a considerar las veleidades de la *otra* Fortuna, de la que yo llamo *Fortuna de tejas abajo*, y sólo ha dejado vislumbrar, muy al final del poema, que *hay más*, que *aquello no es todo*, que, en efecto, "no hay más Fortuna que Dios"» [18]. De modo que en *Bías contra Fortuna* aparece al final la idea de la Fortuna cristianizada, que hace que Bías «prevea el sitial que le espera en la morada cristiana de los bienaventurados, allá en el Empíreo inmóvil, "do çessan todas mundanças"» [19].

Lo que antecede nos podría hacer concluir que los elementos cristianos conviven perfectamente con los estoicos, o sea, que el poeta consiguió elaborar una síntesis de estoicismo y cristianismo. Pero un elemento no casa con tal simbiosis: el tema del *suicidio*, otro rasgo senequista.

---

[16] GREEN, Otis H., «Sobre las dos fortunas: de tejas arriba y de tejas abajo», en *Studia philologica. Homenaje ofrecido a Dámaso Alonso, II*, Gredos, Madrid, 1960-61, pp. 144-145; Lapesa, *op. cit.*, p. 200, señala la correspondencia de esta «morada» con el paraíso dantesco; pero según don Rafael el poeta «*no lo dice*, sin duda para no romper la línea ideológica de un poema que había procurado mantener dentro del modo de pensar de la antigüedad clásica».

[17] Cf. BLÜHER, Karl Alfred, *op. cit.*, p. 150. Véase también la nota 10.

[18] GREEN, Otis H., *art. cit.*, p. 145.

[19] *Idem*, p. 154.

Cuando la Fortuna le amenaza a Bías con la muerte, contesta éste que no tiene ningún miedo y alaba el suicidio a través de unos ejemplos de personajes mitológicos e históricos que se mataron a sí mismos (estr. CXIX y ss.).

Años antes había elogiado Santillana en sus *Proverbios* (1437) el suicidio de Catón, aunque añadió inmediatamente: «si permitiese/nuestra ley e consintiese/tal raçon/» (estr. LVI). Naturalmente no pudo nuestro autor poner reparos al suicidio por boca de Bías por ser éste filósofo pagano. Según Blüher., la actitud de Bías frente al suicidio refleja la visión personal del Marqués. El erudito alemán basa su tesis en el hecho de que el capellán Pedro Díaz de Toledo en su *Diálogo e Razonamiento en la muerte del Marqués de Santillana* (escrito después de 1458) le hace decir al muerto palabras favorables acerca del suicidio que el capellán reprueba después [20].

Por lo tanto, hemos de constatar que el Marqués de Santillana logró una síntesis 'casi' perfecta de estoicismo y cristianismo [21].

En conclusión, podemos estar completamente de acuerdo con quienes han puesto de relieve el lugar importante que el *Bías contra Fortuna* ocupa en la literatura española del siglo xv [22]. En efecto, es verdaderamente «a landmark in the history of early Spanish humanism», como escribió Arnold Reichenberger [23].

Lenguaje

A mediados del siglo xv surgió en España una nueva concepción de la lengua literaria. Algunos poetas mostraban un afán de ennoblecer y embellecer la lengua de tal modo que pudiera competir con el latín. El latín gozaba todavía de más prestigio que la lengua vernácula [24]. Este movimiento fue capitaneado sin duda por Juan de Mena, y el resultado de esos esfuerzos fue lo que María Rosa Lida de Malkiel ha llamado en su hermoso libro sobre este poeta una «lengua híbrida, en la que el latinismo chocante por no asimilado hoy se codea con el arcaísmo igualmente chocante por inusitado» [25].

Juan de Valdés juzgó esta dualidad en el lenguaje de Juan de Mena con las siguientes palabras: «quiriendo mostrarse doto, escrivió tan escuro que no es entendido, y puso ciertos vocablos, unos que por grosseros se devrían desechar, y otros que por muy latinos no se dexan entender de todos, como son «rostro jocundo, fondón del polo segundo»,

---

[20] Cf. BLÜHER, Karl Alfred, *op. cit.*, pp. 153-154.

[21] Cf. Juan de Dios MENDOZA NEGRILLO, S. J., *Fortuna y Providencia en la literatura castellana del siglo XV*, Anejo XXVII del *Boletín de la Real Academia Española*, Madrid, 1973, pp. 80-81.

[22] Véanse las páginas anteriores.

[23] REICHENBERGER, Arnold G., *art. cit.* p. 32.

[24] En su *Prohemio e carta ... al condestable de Portugal* ocupan los autores latinos juntamente con los griegos el grado más alto, a saber, el «sublime». *Ed. cit.*, p. 28.

[25] LIDA DE MALKIEL, María Rosa, *Juan de Mena, poeta del prerrenacimiento español*, México, 1950, pp. 233-234.

y «cinge toda la sfera», que todo esto pone en una copla, lo qual a mi ver es más escrivir mal latín que buen castellano» [26].

Todo lo que se ha escrito sobre Mena como renovador de la lengua literaria del siglo xv vale también, aunque sea en grado menor, para el Marqués de Santillana. Estoy convencido de que el papel del Marqués en este proceso innovador es más importante de lo que la crítica a veces hace suponer. Por ejemplo, de los 186 cultismos que Louise Vasvari Fainberg enumera en el estudio preliminar a su edición del *Laberinto de Fortuna* como aportación de Mena, figuran 29 (= 15 %) en la *Comedieta de Ponza*, obra de 1435-1436, es decir, anterior a 1438, fecha de la *Coronación* de Mena [27]. Son: belicoso, cándido, claror, desplegar, effecto, explanar, fatiga(n.), fatigar, feroz, furia, imperar, implora, imprimir, inmensa, invocación, lúcido, matrona, mundano, nocturno, ofender, orbe, posponer, prolijo, prudencia, recto, relatar, subjecto, turba y vulgar.

La dualidad lingüística a la que nos referimos arriba se manifiesta claramente en *Bías contra Fortuna*. Sirvan de ilustración algunos ejemplos [28]:

tendencia latinizante

Cultismos: çertifican (*Prohemio*, núm. 9), despreçio (núm. 10), detençion (núm. 11), molestias (núm. 12), vexaçiones (núm. 13), etc.; offensa (vs. 12), juridiçión (vs. 18), triumpho (vs. 21), mundano (vs. 21), tyrano (vs. 27), etc.

Cultismos semánticos: clámate (vs. 674), generosos (vs. 677), feroçes (vs. 1042).

Latinismos ortográficos: subjudgados (vs. 13), triumpho (vs. 21), auctoridad (vs. 102), cognosçe (vs. 176), máchina (vs. 201), subjectos (vs. 328), successores (vs. 361), augmentándoles (vs. 395), prompto (vs. 403), dubdando (vs. 470), etc.

Participio de presente en lugar de una oración de relativo, de un gerundio o de otros giros: Yo soy fecho bien andante (vs. 177); E juntos e discordantes / todos los cuatro elementos / en vno, mas descontentos / de sus obras non obrantes / eran... (vss. 817-821); e mandó, como imperante (vs. 828); ... e assí concordantes (vs. 847); o contin-

---

[26] VALDÉS, Juan de, *Diálogo de la lengua*. Edizione critica a cura di Cristina Barbolani de García, Messina-Firenze, 1967, p. 90.

[27] Alhambra, Madrid, 1976, pp. 48-50.
Los siguientes cultismos de la lista existen ya en el siglo XIII: citarista, desplegar, esclarecido, fornicario, interpretadores, mundano, occidente, prosperidad y recluso. Cf. José Jesús DE BUSTOS TOVAR, *Contribución al estudio del cultismo léxico medieval*, Anejo XXVIII del *Boletín de la Real Academia Española*, Madrid, 1974, pp. 372, 415, 452, 485, 518, 570, 586, 640 y 652. Lo mismo vale también para tres voces de la lista de cultismos introducidos por contemporáneos de Mena, que L. Vasvari enumera en la página 47. Son: pregaria, salario y vulto. Cf. José Jesús DE BUSTOS TOVAR, *op. cit.*, pp. 629, 671 y 731.

[28] Es una pequeña muestra y no un inventario exhaustivo.

gente de raro (vs. 941); ... Titanos... / ... penantes / de la noxia vejez (vss. 1250-1252), etc.

Ablativo absoluto: ... que, dexada la çena, todos estauan ... (*Prohemio*, línea 17); ... que, fechas las treguas ... e leuantadas las huestes ... çessadas las guerras ... e por ti obtenidas las inexpugnables fuerças..., hauer (líneas 65-70); Después, passados algunos tiempos, commo (líneas 151-152).

tendencia arcaizante

Léxico: lieuo *(Prohemio*, núm. 410), so (vs. 26), aýna (vss. 310, 920), vera (vs. 368), maguer (vs. 733), cale (vs. 1176), selva(s) (vss. 1187, 1345)[29].

Posesivo con artículo: la mi juridiçión (vs. 18); la su vida (vs. 56); los sus dolores (vs. 167); los mis mantos (vs. 196); la su romana grey (vs. 344); el su trono (vs. 448), etc., al lado de: Tu çibdad (vs. 25); Tu casa (vs. 33); mi razón (vs. 96); su vulto (vs. 99); su auctoridad (vs. 101), etc.

Pronombre enclítico: puédeslo (vs. 10), conuiénete (vs. 41), dubdólas (vs. 1194), temiólas (vs. 1197), Hanse (vs. 1377), al lado de: me cuydas (vs. 2); me piensas (vs. 3); te fago (vs. 12); lo atiendo (vs. 22); me puedes (vs. 28), etc.

Forma de la segunda persona de plural: querredes (vs. 392), sosternedes (vs. 389).

Muchos cultismos que figuran en *Bías contra Fortuna* parecen ser aportación de Santillana a la lengua literaria castellana [30]: congruas (*Prohemio*, núm. 436), contingente (vs. 941), cruçiados (vs. 1243), cúlmenes (vs. 682), deliçias (vs. 1282), dilaçión (núm. 291), documentos (vs. 776), enigmatos (vs. 775), eterna (vs. 688), exçelsa (vs. 563), eximido (vs. 17), flámines (vs. 329), fríuolos (vs. 1232), frondesçen (vs. 1348), fulgureando (vs. 1272), fulminaste (vs. 352), gratas (núm. 76), inexpugnables (núm. 111), interrupçión (núm. 68), juridiçión (vs. 18), leue (vs. 947), libertando (vs. 1310), marmóreas (vs. 219), modulaçión (vs. 1359), molestias (núm. 12), naufragio (núm. 19), noxia (vs. 1252), offensa (vs. 12), pacçiones (núm. 341), paçificada (vs. 1065), pontífices (vs. 324), prefectos (vs. 325), prosapia (núm. 223), purpuradas (vs. 1330), remito (vs. 460), ritos (vs. 1335), rumor (vs. 826), sequaçes (vs. 289),

---

[29] Cf. LÓPEZ BASCUÑANA, María Isabel, «Arcaísmos y elementos populares en la lengua del Marqués de Santillana», *Medioevo Romanzo*, IV (1977), pp. 405-409.

[30] Cf. COROMINAS, J., *Diccionario crítico etimológico de la lengua castellana*, IV volúmenes, Gredos, Madrid, 1955-1957; SMITH, C. C., «Los cultismos literarios del Renacimiento: pequeña adición al 'Diccionario crítico etimológico' de Corominas», *Bulletin Hispanique*, LXI (1959), pp. 236-272; ALONSO, Dámaso, *La lengua poética de Góngora*, tercera edición, corregida, Anejo XX de la *Revista de Filología Española*, Madrid, 1961; José Jesús DE BUSTOS TOVAR, *op. cit*; LÓPEZ BASCUÑANA, María Isabel, «Santillana y el léxico español (Adiciones al diccionario de Corominas)», *Nueva Revista de Filología Hispánica*, XXVII (1978), pp. 299-314.

tema (vs. 1439), tripudio (vs. 883), vexaçiones (núm. 13), victorioso (vs. 356) y virilidad (núm. 103).

La tendencia embellecedora se manifiesta también en el empleo de términos exóticos, como galicismos (baniçión, vs. 788; joyeles, vs. 908), catalanismos (encarir, vs. 92; ardit, vs. 571; cossos, vs. 573; desferra, vs. 722; cadira, vs. 1019) e italianismos (regraçiar, *Prohemio*, núm. 167; sacomano, vs. 35; a viçendas, vs. 725; tripudio (?), vs. 883; patrizar (?), vs. 954; salda, vs. 1021) [31].

Algunos de los cultismos y voces foráneas parecen ser «hapax legomena», por ejemplo: cúlmenes, frondesçen, noxia; cossos, a viçendas, patrizar.

Claro está que estas observaciones sobre la aportación de cultismos y extranjerismos por parte del Marqués tienen un carácter provisional [32] porque (todavía) no disponemos de un diccionario histórico completo ni de vocabularios de todos los autores medievales importantes. Mucho está, pues, por hacer en este terreno.

Recursos retóricos

Nos limitaremos a llamar la atención hacia los recursos retóricos más frecuentes en *Bías contra Fortuna*. Sobre el uso del hipérbaton en la obra de don Íñigo observa Louise Vasvari Fainberg que nuestro poeta «entre todas sus obras sólo emplea algunos desplazamientos sintácticos en la *Comedieta de Ponza* (que data del mismo año que el *Laberinto* [?])» [33]. Sin embargo, los muchos ejemplos en *Bías contra Fortuna* refutan tal aseveración:

> Dios entiende que la faze
> *Prohemio*, líneas 222-223

> Y demás, naturalesza
> nos dio las concauidades
> de las peñas e oquedades
>   vss. 57-59

> ¡O golfo cruel y lago!
>   vs. 147

> yo no dubdo pueda ser
> por tales vías
> de buenos amigos Bías
> fallesçido e caresçer
>   vss. 205-208

> Pero por satisfazer
> a tus oppiniones, Bías,
> argumentos e porfías
>   vss. 305-307
> etc.

---

[31] Cf. las notas aclaratorias.
[32] Véase la nota 27.
[33] VASVARI FAINBERG, Louise, *ed. cit.*, p. 40, nota 16.

Otro recurso estilístico predilecto del Marqués es la figura etimo-
lógica o el *políptoton* [34]:

> La segura pobredad
> me assegura que non tema
>
> vss. 215-216
>
> docto doctor
>
> vs. 342
>
> el jüyzio
> e non a ty, perjüyzio
>
> vss. 510-511
>
> e con forma se formassen
>
> vs. 812
>
> de sus obras non obrantes
>
> vs. 820
>
> etc.

Otra característica que aparece con mucha frecuencia es la *hendía-
dis* o emparejamiento de sinónimos o de voces de acepción parecida [35]:

> casa o mesón
>
> vs. 47
>
> dan y prestan y complazen
>
> vs. 76
>
> sin debate sin contienda,
> sin reñir / sin : nin / altercar
>
> vss. 107-108
>
> los señores,
> prínçipes e emperadores
>
> vss. 118-119
>
> larguezas nin benefiçios
>
> vs. 128
>
> etc.

Por lo general constan estas enumeraciones de dos o tres términos;
sólo unas pocas veces las hay de más de tres (por ejemplo, vss. 107-108
y 727-728) [36].
También hay muchos ejemplos en *Bías contra Fortuna* de la *anáfora*.
Véase, por ejemplo, la estr. XVIII, donde figura el tema del «ubi sunt»:

---

[34] Cf. la nota al vs. 253 en mi edición de la *Comedieta de Ponza*.
[35] Cf. la nota al vs. 27 en mi edición de la *Comedieta*.
[36] Para el mismo fenómeno en Mena, véase María Rosa Lida de Malkiel, *op. cit.*,
pp. 168-169.

¿Qu'es de Nínive, Fortuna?
¿Qu'es de Thebas? ¿Qu'es de Athenas?
. . . .
. . . .
¿Qu'es de Tyro e de Sydón
. . . . ?
¿Qué fue de Laçedemonia?

Elementos populares

Don Íñigo siente una gran atracción por lo popular. Dijo García de Diego: «Santillana no desdeñó las bellezas de la literatura popular: así se entretiene a veces en glosar lindas canciones populares, como en el villancico que dedicó a sus hijas; con más frecuencia glosa refranes conocidos, por ejemplo, en el *dezir* contra los aragoneses y en algunas canciones; ... rindió el más alto tributo de admiración al genio del pueblo con su colección de refranes, la primera que en lengua vulgar se ha escrito» [37].

A pesar del tono serio y erudito acude el Marqués en *Bías contra Fortuna* también varias veces a locuciones populares y dichos proverbiales:

o me piensas espantar,
bien commo a niño de cuna?

                 vss. 3-4

pues quien más tiene, más gasta

                 vs. 184

dar a las espuelas coçes?

                 vs. 212

ca todo me viene en popa.

                 vs. 276

Que es la sola golondrina,
la cual non faze verano.

                 vss. 311-312

etc. [38]

---

[37] *Ed. cit.*, p. XXXIII.
[38] Cf. LAPESA, Rafael, *op. cit.*, p. 222, y LÓPEZ BASCUÑANA, María Isabel, «Arcaísmos y elementos populares...», *art. cit.*, p. 410.

II. EDICIÓN CRÍTICA

A. «Prohemio del Marqués al Conde d'Alua»[1]

Quando[2] yo demando a los Ferreras[3], tus criados e míos, e avn a muchos otros[4], Señor e más que hermano mío, de[5] tu salud e de quál/agora es : es agora/[6] tu vida, e qué es lo que fazes o[7] dizes, e me[8] responden e çertifican con quánto esfuerço, con[9] quánta pa-
5 ciençia, con quánto despreçio e buena cara tú padesçes, consientes[10] e sufres tu detençion e[11] todas las otras congoxas, molestias[12] e vexaçiones[13] qu'el mundo ha traýdo, e con quánta liberalidad e franqueza partes e destribuyes aquellas cosas que a tus sueltas manos vienen, rrefiriendo[14] a Dios muchas graçias, me recuerda[15]
10 de aquello que Homero escriue[16] en la Vlixea; conuiene a[17] saber que commo por[18] naufragio[19] o fortuna de mar Vlixes, rrey de los çefalenos[20], desbaratado[21] viniesse en las riberas del[22] mar, e desnudo e maltractado[23] fuese[24] traýdo ante[25] la rreyna de aquella tierra e de los grandes[26] del rreyno que con ella estauan en vn festi-
15 ual[27] e grand[28] conbite; e commo aquélla lo[29] viesse e[30] acatasse[31], e[32] después todos los otros con grand[33] reuerençia tanto lo extimaron[34] que, dexada la çena, todos estauan contenplando en él, assí que apenas[35] era allí alguno que más deseasse cosa que pudiesse[36] alcançar[37] de los dioses que ser Vlixes en aquel estado. Adonde[38],
20 a grandes bozes e muchas vezes, este soberano poeta clama diziendo: «¡O[39] honbres, haued en grand[40] cura la virtud, la qual con el naufragio[41] nada, e al que está desnudo e desechado[42] en los marinos litos[43] ha mostrado con tanta auctoridad e assí venerable a las gentes!». La virtud, assí commo el Philósopho dize, siempre
25 cayó[44] de pies commo[45] el[46] abrojo. E çiertamente, Señor e[47] más que hermano mío, a los amigos tuyos e a mí, assí commo a[48] von de aquéllos, es o deue ser de los tus trabajos el dolor, la[49] mengua[50] o[51] la[52] falta, assí commo Lelyo[53] dezía de Sçipión; ca la[54] virtud siempre será, agora libre o detenido, rico o pobre, armado o sin
30 armas[55], biuo o muerto, con vna loable e marauillosa eternidad[56] de[57] fama.
Con estos Ferreras me escreuiste que algunos de mis tractados te enbiasse por[58] consolaçion tuya. Desde[59] allí con aquella atençión[60] que furtar[61] se puede de los mayores negoçios, e después de los

35 familiares, pensé inuestigar alguna nueua[62] mnaera, assý commo
remedios o meditaçión[63] contra Fortuna, tal que, si ser podiesse, en
esta vexaçión a la tu nobleza gratificasse, commo non sin assaz
justas e apparentes[64] causas a lo tal e[65] a mayores cosas yo sea tenido; ca prinçipalmente houimos vnos mesmos avuelos, e las[66]

40 nuestras casas[67] siempre, sin interrupçión[68] alguna[69], se miraron
con leales ojos, [sinçero][70] e[71] amoroso acatamiento; e[72] lo más
del tiempo[73] de nuestra criança quasi vna e· en vno fue, assí que
juntamente con las[74] personas cresçió e se augmentó nuestra verdadera amistad. Siempre[75] me ploguieron e fueron gratas las cosas

45 que a ti[76], de lo qual me toue e tengo por contento, por quanto
aquellos a quien las[77] obra de los virtuosos plazen[78], assý commo
librea o alguna señal traen[79] de virtud. Vna continuamente[80] fue
nuestra mesa, vn mesmo vso en todas las cosas[81] de paz e[82] de
guerra. Ninguna de las nuestras cámaras e[83] despensas se pudo[84]

50 dezir menguada, si la otra abastada fuesse. Nunca yo[85] te demandé
cosa que tú non cumpliesses[86], nin me la denegasses[87]; lo qual me
faze creer que las mis demandas fuessen rectas e honestas e conformes a razón, commo sea que a los buenos e doctos varones[88]
jamás les plega[89] nin deuan otorgar sinon buenas[90] e líçitas cosas.

55 E[91] sea agora por informaçiones[92] de aquellos que más han visto,
e paresçe que verdaderamente ayan querido fablar de las costumbres e calidades de todos[93] los señores e mayores honbres d'este
nuestro rreyno[94], o[95] de aquellos que de[96] treynta años, o/pocos :
poco/[97] más, que yo començé[98] la nauegaçión en este vexado e tra-

60 bajoso golfo, he hauido notiçia e conosçimiento, e de algunos compañía[99] o familiaridad, loando a todos, tú eres el[100] que a mí mucho[101] ploguiste e plazes. Ca la virtud non esperó a la mediana
mançebía nin a los postrimeros días de la vejez; ca en hedad nueua,
e avn puedo dezir moço[102], començó el resplandor de la tu virili-

65 dad[103] e nobleza. Nin es quien pueda negar que, fechas las[104] treguas con los rreynos[105] de Aragón e de[106] Nauarra, e leuantadas las
huestes de[107] Garray e del Majano[108], çessadas[109] las guerras, en las
quales viril e muy virtuosamente te[110] houiste, e por ti obtenidas las
inexpugnables[111] fuerças[112] de Xalançe[113] e Theresa[114], Zaara[115] e

70 Xarafuel en[116] el rreyno de Valençia, hauer tú seýdo de los primeros que contra Granada[117] la frontera/enprendiesse: enpren-
diste/[118], çiertamente estando ella en otro punto[119] e mayor[120]
prosperidad que la[121] tú dexaste, al tiempo que triumphal e gloriosamente por mandado[122] de nuestro Rrey de[123] las fronteras

75 de Córdoua e[124] Jaén te partiste, hauiendo[125] vencido la batalla
de Guadix e la pelea de Xerez[126] e[127] ganado[128] tantas e más villas e castillos[129], assí guerreándolas[130] commo combatiéndolas
e[131] entrándolas forçosamente que ninguno[132] otro[133]. E commo
quiera[134] qu'el prinçipal remedio e libertad[135] a la tu detençión e

80 infortunios[136] después dé[137] Aquél que vniuersalmente a los vexados[138] reposa, a[139] los afflictos remedia, a[140] los tristes alegra,
espero[141] yo sea que[142] en algunos/tiempos: días/[143] traerá a[144]

memoria a los muy exçelentes e claros nuestro Rrey e Prínçipe
—commo en la mano suya los coraçones de los rreyes sean [145]—
85 todas las cosas que ya [146] de los tus seruiçios yo [147] he dicho, e
muchos otros a la rreal casa de Castilla por los tuyos e por ti
fechos, que [148] por me allegar [149] a la ribera e puerto de mi obra
dexo [150].

Rrecuérdome [151] hauer leýdo en aquel libro, donde la vida del
90 rrey Assuero se [152] escriue, que De Ester se llama [153] —commo
en aquel tiempo la costumbre de los prínçipes fuesse, en los
retraymientos e reposos suyos, mandar [154] leer las gestas e actos [155] que los [156] naturales [157] de sus rregnos o [158] forasteros [159]
houiessen fecho en seruiçio de los rreyes [160], de la patria [161] o [162]
95 del bien público —que Mordocheo [163] prosperamente [146] e con
glorioso triumpho de la muerte fue [165] librado. Pues lee nuestro
Rrey e [166] mira los seruiçios, regráçialos [167] e [168] satisfázelos; e si
se aluenga, non se tira. Nin tanto logar [169] haurá [170] el yrasçible [171] apetito nin la çiega saña, que tales [172] e [173] tan grandes
100 aldabadas e [174] bozes [175] de seruiçios las sus orejas non despierten;
ca non son los nuestros señores Diomedes de Traçia, que de humana carne fazía [176] manjar [177] a sus cauallos [178], non Búseris [179]
de Egipto, matador de los huéspedes, non Perilo [180] siracusano [181],
que nueuos [182] modos de penas buscaua [183] a los tristes culpados
105 hombres, non [184] Dionisio d'esta mesma Siracusa [185], non [186] Atila [187] flagelum Dei [188], nin muchos otros [189] tales, mas [190] beníuolos [191], clementes e [192] humanos; lo qual [193] todo [194] faze a mí firmemente esperar la tu libertad, la qual con salud tuya e de
tu [195] noble muger e de tus [196] fijos dignos de ty Nuestro Señor
110 aderesçe [197], assí [198] commo yo desseo. E desde aquí daremos la
pluma a lo profferido, e porque ante [199] de todas cosas sepas
quién fue Bías, porque éste [200] es la prinçipalidad [201] del mi thema
—segund adelante [202] más claro paresçerá—, deliberé [203] de escreuir quién aya sydo [204] e de [205] dónde, e algunos [206] de sus nobles
115 actos [207] loables [208] e comendables [209] sentençias, porque me pa-
resçe/ffaze: fazer/ [210] mucho al [211] párrafo nuestro fecho e caso [212].
Bías philósofo [213].

Fue [214] Bías, segund [215] plaze a Valerio e a Laerçio [216], que más
lata [217] e [218] extensamente escriuió de las vidas e costumbres de
120 los [219] philósophos [220], asiano [221] de la çibdad de Ypremen [222], de
noble prosapia [223] o [224] linaje, bien informado [225] o [226] instruydo [227]
en todas las liberales artes [228] e [229] en la natural e moral philoso-
phia; de vulto fermoso e [230] de [231] persona honorable, graue [232] e
de grand [233] auctoridad en sus fechos, de [234] claro e sotil [235]
125 ingenio. Assí por mar commo por tierra [236] andouo toda [237] la
mayor parte del mundo. Quánto [238] tiempo durasse en este loable [239] exerçiçio non se escriue [240], pero baste que tornando [241]
en [242] la prouinçia e çibdad [243] de Ypremen [244], falló a los vezinos
de aquélla [245], en grandes guerras, assí nauales [246] commo terres-
130 tes [247], con los megarenses [248], gentes poderosas [249], expertos [250] en

5

armas; a quien con grand[251] atençión[252] fue rogado, vista la disposiçión[253] e habilidad suya, la cura[254] de la guerra[255] assí commo capitán[256] enprendiesse[257]. E commo después de muchos ruegos e grandes afincamientos la açeptasse[258], en muy pocos tiempos
135 assí de los amigos commo de[259] enemigos fue cognosçida la su virtud e viril estrenuydad[260]. Leemos d'él, entre otras[261] muchas[262] cosas[263] de[264] humanidad, que commo caualleros del[265] su exérçito[266] prendiessen en vna çibdad o villa grand[267] copia de vírgenes juntamente con otras cosas, tanto que a Bías llegaron
140 las[268] nueuas, mandó[269] con[270] grand[271] diligençia fuessen puestas[272] e depositadas[273] en poder de honestas matronas de su çibdad; e façiéndoles[274] graçias e dones de[275] muy valiosas[276] joyas a/sus : los/[277] padres, maridos[278] e/parientes : parientes suyos/[279], las[280] restituyó[281] enbiándolas con muy fieles guardas[282], blasmnado[283] e denostando[284] todo[285] linaje de crueldad, diziendo que
145 aun los[286] enemigos bárbaros non deuían con tal impiedad ser dapnificados. E commo lo tal a las orejas de los megarenses[287] llegasse e el fermoso acto[288] extensamente[289] recontado[290] les fuesse, sin dilaçión alguna, loando a[291] aquél, enbiáronle[292] sus
150 legados[293], reffiriéndole[294] graçias con muy ricos dones[292], demandándole[296] paz con[297] muy homildes e mansos coraçones. Después, passados algunos tiempos, commo de raro[298] la Fortuna en ningunas[299] cosas luengamente[300] repose[301], e Aliato[302], príncipe,, sitiasse[303] a los ypremenses[304], esforçándose de hauer la çibdad por
155 fambre, commo fuesse çierto 305 de los béuires[306] e[307] prinçipalmente de[308] pan careçiesse[309], Bías[310] con tal cautela o arte de guerra assayó[311] encobrir[312] la[313] su deffectuosa[314] neçessidad; ca fizo en[315] algunos días, durante el campo, engrossar[316] çiertos cauallos[317] e que se mostrassen, contra voluntad de las guardas[318], salir fuera
160 de la çibdad[319]. E[320] commo luego fuessen tomados, puso[321] en grand[322] dubba a[323] Aliato[324] e a[325] los que con él eran de la fambre de los ypremenses[326]. Assí que luego se tomó consejo[327] que a Bías e a ellos[328] fuesse mouida e[329] demandada fabla[330], por el qual açeptada[331] diziéndo que él non se fiaua de fablar fuera[322] de
165 los muros de su çibdad, más[333] que Aliato[334] o[335] qualesquiera[336] otros suyos[337] /podían : podrían/[338] entrar seguros a[339] fablar[340] de qualesquier pacçiones[341] e tractos[342], o[343] de[344] otras cosas[345], /quales: que/[346] les ploguiesse[347]. Açeptado lo tal[348], segund este[349] mesmo Laerçio/escriue : descriue/[350], muy mayor e más útil cabtela[351]
170 les fizo, ca[352] mandó poner muy[353] grandes montones[354] de arena en[355] las maestras calles e[356] plaças[357] por donde los mensajeros[358] hauían de passar, esparçiendo[359] e cubriendo aquéllos[360] de[361] todas maneras de pan. Assí que verdaderamente creyeron[362] ser la opinión suya errada e los ypremenses[363] en grand[364] copia de
175 mantenimientos[365] habundados[366]. E assí non solamente treguas a tiempo[367], mas paz perpetua fue entr'ellos con grandes certinidades[368] fecha, jurada[369] e[370] firmada. Testifica[371] assí mesmo[372] Vale-

rio que [373], dimittidas e dexadas las armas por este Bías, tanto se dio
a las sçiencia moral que todas las [374] otras [375] cosas [376] aborresçió, e
180 las [377] houo assí commo [378] en hodio [379], por tal que, non sin causa,
vno [380] de los siete sabios fue llamado e vno assí mesmo de aquellos
que, renunçiada la tabla o mesa de oro, la offresçieron con grand [381]
liberalidad al oráculo de [382] Apolo. D'este [383] Bías assí mesmo se
cuenta que, commo aquella mesma [384] çibdad [385] agora por los mega-
185 renses [386], agora por otros [387] enemigos se tomasse e posiesse [388]
a robo, todos aquellos que podieron escapar [389] de las hostiles [390]
manos, cargando las cosas suyas [391] de mayor preçio, fuyeron [392] con
ellas, e commo él solo con grand reposo passeasse [393] por los [394]
exidos fuera [395] de [396] la çibdad, fingiesse [397] qque la Fortuna le /fue :
190 vino/ [398] al encuentro [399] e le [400] preguntasse cómmo él non seguía [401]
la opinión de los [202] otros vezinos de Ypremen [303], e éste [404] fue el que
respondió [405]: «Omnia /mea bona : bona mea [406] / [407] mecum porto»,
que [408] quiere dezir: todos mis biene [409] comigo los lieuo [410]. Dizen
otros, de los quales Séneca [411] es vno, que éste [412] fuesse [413] Estil-
195 bón [414]; pero digan lo que les plazerá, e sea qualquiera [415], tanto que
sea [416], ca de los nombres [417] vana e sin prouecho es la disputa. E en
conclusión, éste [418] será [419] el [420] nuestro [421] thema.
Escriuió [422] Bías estas cosas que se siguen:
— Estudia [423] de complazer a los honestos [424] e a los viejos [425].
200 — La osada [426] manera muchas vezes [427] pare [428] empeçible [429] lesión.
— Ser [430] fuerte [431], fermoso [432], obra [433] es de natura; habundar en
riquezas, obra es de la Fortuna; saber e poder fablar [434] cosas
conuenibles [435] e congruas, esto [436] es propio del ánima [437] e de la
sabiduría.
205 — Enfermedad [438] es del [439] /ánimo : ánima/ [440] cobdiçiar [441] las
cosas [442] impossibles.
— Non es de [443] repetir el ajeno mal.
— Más triste cosa es judgar [444] entre dos amigos que entre dos
enemigos; ca judgando entre los [445] amigos, el vno será [446] fe-
210 cho [447] enemigo, e judgando entre los [448] enemigos, el vno/será
fecho : se fará/ [449] amigo.
— Dezía que assí [450] hauía [451] de ser [452] medida la vida de los hombres [453], commo si mucho tiempo o poco [454] houiessen de beuir [455].
Conuiene [456] a los hombres hauerse [457] assí en el vso de la [458] amis-
215 tad, commo si se membrassen [459] que podía [460] ser conuertida en
graue [461] enemistad.
— Qualquier [462] cosa que pusieres [463], perseuera en la [464] guardar.
— Non fables arrebatado, ca demuestra vanidad.
— Ama [465] la prudençia, e fabla de los dioses commo son.
220 — Non alabes al [466] hombre [467] indigno por sus riquezas.
— Lo [468] que tomares [469], resçíbelo demandándolo e non forçándolo.
— Qualquier [470] cosa buena que fizieres [471], Dios entiende que la [472]
faze.
— La sabiduría más cierta cosa es e más segura [473] que [474] todas las
225 otras possessiones [475].

— Escoje los amigos [476] e delibera [477] grand tiempo en los eligir, e tenlos en vna affecçión [478], mas non en vn mérito [479].

— Tales amigos sigue [480] que non te [481] faga [482] vergüença [483] hauerlos [484] escogido.

230 — Ffaz [485] que los amigos a grand gloria reputen [486] tu vida.

— Dos cosas son muy [487] contrarias en los consejos [488] : yra e arrebatamiento [489]; la yra faze peresçer [490] el día e [491] el arrebatamiento [492] trespasarlo [493].

— La [494] presteza [495] más graçioso faze ser [496] el beneficio.

235 Preguntado [497] Bías qué cosa fuesse [498] en esta vida buena [499], dixo [500]: «Tener [501] la conçiencia abraçada con lo que fuesse derecho e ygualeza».

Preguntado [502] quién fuesse entre los hombres mal affortunado [503], rrespondió [504]: «El que non puede padesçer /o : e/ [505] sofrir

240 mala [506] fortuna».

Nauegando Bías en compañía de vnos malos [507] hombres e [508] corriendo fortuna e andando la naue para [509] se perder, aquéllos a grandes bozes llamauan a los dioses, porque los librassen [510]; a los quales él dixo: «Callad, porque los dioses non vos [511] sientan [512].

245 Preguntado [513] qué cosa fuesse [514] difícil [515] al hombre, rrespondió: «Sofrir graçiosamente [516] la mudança en las penas».

Rresplandesçió Bías en los tiempos [517] de Ezechias, rrey de Judá [518]; escriuió [519] estas e otras/cosas muchas : muchas cosas/ [520] en dos mill versos. A quien, después de muerto [521], los ypremenses [522] hedi-

250 ficaron [523] templo e fizieron estatua [524].

B. «BÍAS CONTRA FORTUNA»

I

B(ías)   ¿Qué es lo que piensas, Fortuna?
            ¿Tú me cuydas molestar
            o me piensas espantar,
            bien commo a niño de cuna?

F(ortuna)   ¡Cómmo!... Y ¿piensas tú que non?...   5
            Verlo has.

B.   Ffaz lo que fazer podrás,
            ca yo biuo por razón.

II

F.   ¿Cómmo entiendes en deffensa
            o puédeslo presumir,   10
            o me cuydas resistir?

B.   Sí, ca non te fago offensa.

F.   Subjudgados soys a mí
            los humanos.

B.   Non son los varones magnos,   15
            nin curan punto de ty.

III

F.   ¿Puedes tú ser eximido
de la mi juridición?

B.   Sí, que non he deuoçión
a ningund bien infingido.   20
Gloria nin triumpho mundano
non lo atiendo;
en sola virtud entiendo,
la qual es bien soberano.

IV

F.   Tu çibdad faré robar   25
e será puesta so mano
de mal prínçipe tyrano.

B.   Poco me puedes dañar:
mis bienes lleuo comigo;
non me curo,   30
assí que yo voy seguro
sin temor del enemigo.

V

F.   Tu casa será tomada,
non dubdes, de llano en llano,
e metida a sacomano.   35

B.   Tomen, que non me da nada.
Mas será de cobdiçioso
quien tomare
ropa do non la fallare;
pobredad es grand reposo.   40

VI

F.   Conuiénete de buscar
casa nueua, donde biuas.

B.   Tales cosas son esquiuas
a quien las quiere extimar
/o : e/ tener en mayor grado   45
que non son;
ca toda casa o mesón
presto lo hauremos dexado.

VII

Dezirm'as a quién fallesçe
o mengua morada pobre,   50
sea de nudoso robre
o de cañas, si acaesçe;

o sea la de Amiclate,
do arribó
el Çésar, quando loó   55
la su vida sin debate.

VIII

Y demás, naturalesza
nos dio las concauidades
de las peñas e oquedades,
do passemos la braueza   60
en *tiem*po/ del : de la/ inuernada,
de los fríos,
los soles de los estíos,
en esta breue jornada.

IX

F. Huéspeda muy enojosa   65
    es la continua pobreza.
B. Si yo no*n* busco riqueza,
    non me será trabajosa.
F. Ffáçil es de lo dezir.
B. Y aun de fazer   70
    a quien se q*ui*ere abstener
    y le plaze bien beuir.

X

F. Los ricos mucho bien fazen,
    e aq*ue*llos q*ue* mucho tienen
    a muchos pobres sostienen,   75
    dan y prestan y complazen;
    ca si juntas son riqueza
    e caridad,
    dan perfecçión a bondad
    e respla*n*dor a franqueza.   80

XI

Ca non se puede extimar
por razón ni*n* escreuir
qué dolor es resçebir,
e quánto plazer el dar.
Siempre son aco*m*pañados   85
los que tienen,
qu*an*do van o qua*n*do vienen,
e si non, solos, menguados.

XII

B.   ¿Cómmo non pueden beuir
      los hombres sin demandar?   90
      Esto es querer fablar
      e voluntad de encarir
      las cosas/en más que : más que no/ son,
      e altercar;
      ca non se puede negar   95
      nin contrastar mi razón.

XIII

      Pitágoras non pidió
      en público ni en oculto,
      nin avergoñó su vulto;
      antes es çierto que dio.   100
      Mas biue su auctoridad
      e buen enxiemplo
      commo glorïoso templo
      de clara moralidad.

XIV

F.   Todo hombre puede bien dar,   105
      si le plaze, su fazienda,
      sin debate sin contienda,
      sin reñir /sin : nin/ altercar.
      Pero de tales vi pocos
      e muy raros,   110
      liberales nin auaros,
      e si lo fazen, son locos.

XV

      Las riquezas son de amar,
      ca sin ellas grandes cosas
      magníficas nin famosas   115
      non se pueden acabar.
      Por ellas son ensalçados
      los señores,
      príncipes /e : Ø,/emperadores,
      e sus fechos memorados.   120

XVI

      E por ellas fabricados
      son los templos venerables
      e las moradas notables,
      e los pueblos son murados;

los sollempnes sacrifiçios   125
çessarían,
nin sin ellas se farían
larguezas nin benefiçios.

XVII

B.   ¿Essas hedificaçiones,
        ricos templos, torres, muros,   130
        serán o fueron seguros
        de las tus persecuçiones?
F.   Sy farán, y ¿quién lo dubda?...
B.   Yo que veo
        el contrario, e non lo creo,   135
        nin es sabio quien al cuda.

XVIII

¿Qu'es de Níniue, Fortuna?
¿Qu'es de Thebas? ¿Qu'es de Athenas?
¿/Dó : De/ sus murallas e menas,
que non paresçe ninguna?   140
¿Qu'es de Tyro e de Sydón
e Babilonia?
¿Qué fue de Laçedemonia?
Ca si fueron, ya non son.

XIX

Dime, ¿quál paraste a Rroma,   145
a Corinthio e a Cartago?
¡O golfo cruel e lago!
¡Sorda e viçeral carcoma!
¿Son imperios o regiones,
o çibdades,   150
coronas nin dignidades
que non fieras o baldones

XX

agora por enemigos
e combate e mano armada?
Y si dexas el espada,   155
desacuerdas los amigos.
E por tal modo lo fazes
que por c,
o si querremos por b,
quanto feziste, desfazes.   160

XXI

F.   Dexa ya los generales,
antigos e agenos daños
que pasaron a mill años,
e llora tus propios males.

B.   Lloren los que procuraron   165
los honores,
e sientan los sus dolores,
pues tienen lo que buscaron.

XXII

Ca yo non he sentimiento
de las cosas que tú piensas,   170
e las victorias e offensas
vnas son al que es contento
de lo que naturaleza
nos ha dado;
a éste non vio cuydado   175
nin lo cognosçe tristeza.

XXIII

Yo soy fecho bien andante,
ca de poco soy contento,
el qual he por fundamento,
çimiento firme, costante.   180
Pues sé ya que lo que basta
es assaz;
yo quiero comigo paz,
pues quien más tiene, más gasta.

XXIV

Yo soy amigo de todos   185
e todos son mis amigos,
e fuy de los enemigos
amado por tales modos,
faziendo commo querría
que me fagan;   190
ca los que d'esto se pagan,
siguen la derecha vía.

XXV

F.   Essos tus amigos tantos,
di, ¿non los puedes perder?
Todos son en mi poder   195
e puestos son los mis mantos.

Y non más te seguirán
que yo querré,
e quando los mandaré,
commo vinieron se yrán.   200

XXVI

B.   Si la máchina del mundo
peresçerá por Fetón,
o verá Deucalïón
otro diluuio segundo,
yo no dubdo pueda ser   205
por tales vías
de buenos amigos Bías
fallesçido e caresçer.

XXVII

F.   ¡O Bías, non me cognosçes/. : Ø /
/B. : F./   /Ciertamente : ciertamente/, assí lo creo.   210
F.(α)   ¿Non cuydas ser deuaneo
dar a las espuelas coçes?
¿Non miras cómmo se quema
tu çibdad?
B.   La segura pobredad   215
me assegura que non tema.

XXVIII

¿Qué pro me tienen a mí,
Fortuna, ricas moradas
con marmóreas portadas,
porque me sojudgue a ty?   220
Ardan essas demasías
que fizieron
nuestros padres, e creyeron
nunca fenesçer sus días.

XXIX

F.   ¡O bruta feroçidad!   225
¿Non has fijos o muger?
¿Cómmo puedes sostener
tan grand inhumanidad?
B.   Assayar de los guarir
es por demás,   230
la vida tiene compás
que non se puede füyr.

XXX

Nin todos los otros males,
si ellos son destinados,
non pueden ser restaurados   235
por recursos humanales.
Si ellos han de morir
o padesçer,
pensar de los guaresçer
es vn vano presumir.   240

XXXI

F.   Bías, ¿d'estas solas penas
      cuydas deuo ser contenta?
      Mayor mal se te acresçienta,
      ca por las tierras ajenas
      andarás, e desterrado.   245
B.   Toda tyerra
      es, si mi seso non yerra,
      de aquel que non ha cuydado.

XXXII

En todas partes se falla
lo poco con poca pena.   250
Yo soy fuera de cadena
e non temo de batalla
por ajeno nin por mío,
nin la espero;
yo me fallo cauallero   255
orgulloso con grand brío.

XXXIII

¿Dó me forçarás que vaya,
que yo non vaya de grado?:
con ánimo reposado
e non commo quien asaya   260
de nueuo tus amenazas;
ca prouadas
las he non pocas vegadas,
nin so yo de los que enlazas.

XXXIV

Tanto que de la razón,   265
Fortuna, tú non me tires,
nin me rebueluas nin gires
a non deuida oppinión,

non me banirás jamás
nin yo lo creo;   270
virtud raçional posseo.
Pues, veamos, ¿qué farás?

XXXV

Sea Asia, sea Europa
o Africa si quisieres,
donde tú por bien touieres,   275
ca todo me viene en popa.
¿Quieres do el Apolo nasçe?
Muy de grado
yré contento e pagado,
o si te plaze do taçe.   280

XXXVI

¿Quieres do la Siçia fría,
donde el viento boreal
faze del agua cristal?
¿O quieres al Mediodía,
do los inçendios solares   285
denegresçen
los hombres e los podresçen?
¿O más lexos, si mandares?

XXXVII

F.   Mis sequaçes son honrados
      e biuen a su plazer.   290
B.   Verdad es, si pueden ser
      fasta el fin assegurados.
F.   Muchos murieron en honra.
B.   Non lo dubdo;
      y non pocos, segund cudo,   295
      abatidos con desonra.

XXXVIII

Di, Fortuna, ¿quién son estos
tanto bienauenturados?
Comiença por los passados.
F.   ¡Cómmo assí los tengo prestos!   300
      Nunca fue tan llena pluma
      que bastasse,
      nin penso nin lo pensase
      ser narrable tan grand suma.

XXXIX

Pero por satisfacer   305
a tus oppiniones, Bías,
argumentos e porfías,
yo te quiero responder.
¿Qué dizes de Octauiano /, : ?/
/F. : B./   /muy aýna? : Muy aýna:/   310
/B.: B./   /Que : que/ es la sola golondrina,
la qual non faze verano.

XL

F.   Fablaré de los rromanos,
pues que d'éstos començé,
e primero contaré   315
al mayor de los hermanos,
Rómulo quiero dezir.
B.   Di de Remo,
ca con éstos yo non temo
que me puedas conclüyr.   320

XLI

Sean tiaras, coronas,
cónsules o senadores,
sean electos pretores,
pontífices o personas;
sean ediles, prefectos   325
o tribunos,
ca todos los fazes vnos
quantos son a ti subjectos.

XLII

Sean flámines, vestales,
saçerdotes o legados,   330
mensajeros, magistrados
profanos o diuinales,
procónsules, dittadores;
ca por todos
pasan tus crüeles modos,   335
offensas /o : e/ desonores.

XLIII

F.   D'éssos todos que narraste,
¡o quántos te mostraré
que prósperos aturé
todos tiempos sin contraste!   340

E d'éstos fue Numa rrey
docto doctor,
e muy vtil preçeptor
de la su romana grey.

XLIV

E com*m*o a Numa Pompilio   345
en reposo prosperé,
por batallas ensalçé
e lides a Tulio Hostilio.

B.   Verdad sea, lo triu*m*faste,
non lo niego;   350
más bien fue su gl*or*ia juego,
que en breue lo fulminaste.

XLV

F.   Anco Marco, poderoso
rrey, lo fize muchos años
ledo sin /algunos : ningunos/ daños,   355
dominante, victorioso;
fabla, pues, ¿d'éssos q*ué* sabes?
B.   Soy contento
e darte he por vno çiento,
porq*ue* d'ésta no*n* te alabes.   360

XLVI

¿Dirás de los sucçesores
d'esse Marco q*ue* fablaste,
e cóm*m*o los engañaste?
F.   Di, ¿caresçieron de honores?
B.   Çiertamente mejor fuera.   365
F.   Di las causas.
B.   Sus fines e tristes pausas
fazen mi conclusión vera.

XLVII

Non te digo yo que seas
tan solamente crüel   370
por Tarquino e Tanaquel,
ni*n* por Seruio, assí lo creas;
mas a todos inhumana
general,
enemiga capital   375
de la gente fabïana.

XLVIII

A vnos por cobdiçiosos
aparejada la caýda,
sea por enxiemplo Mida,
a otros por dadiuosos.   380
Prouarte quiero sin glosa
lo que digo;
Espurio /será : sea/ testigo
e su muerte dolorosa.

XLIX

A otros por non osados   385
abaxas e diminuyes,
e muchos otros destruyes
por grand sobra d'esforçados.
¡O Miçipsas!, ¿sosternedes
el contrario?   390
Marco Manlio, Gayo Mario,
negádmelo si querredes.

L

¡Quántas caras simuladas
fazes a los tristes hombres,
augmentándoles renombres   395
con fictas honras infladas!
¡Quántas redes! ¡Quántas minas!
Por sus daños
paresçieron tus engaños
quando las forcas gaudinas.   400

LI

Tú, de aquellas mismas glorias
que repartes, enbidiosa,
tornas en prompto sañosa
e reuocas las victorias.
Si te plazen otras prueuas   405
de tus fechos,
si son buenos o derechos,
Postumio diga las nueuas.

LII

Nin oluidas, segund creo,
ca non es fabla fingida,   410
la muerte con la caýda
del poderoso Ponpeo.

¿Quiero yo mayor testigo
de tus leyes?
Triumphos de veynte e dos rreyes   415
no le valieron contigo.

LIII

F.   Los Césares quién han sydo,
Bías, e lo que fizieron,
los que de Rroma escriuieron
non lo ponen en oluido.   420
Las zonas inhabitables
solas fueron
aquellas que non sintieron
las sus huestes espantables.

LIV

Estos assí fauoridos   425
de las mis claras esperas,
desplegaron sus vanderas,
e tanto fueron temidos
que, si los houiera Mares
engendrado,   430
non houieran subjugado
más presto tierras e mares.

LV

B.   Pues tanto loas sus vidas
quiero yo llorar sus muertes
dolorosas, tristes, fuertes,   435
sus desastres, sus caýdas;
ca jamás farás yguales
sus altezas
de sus tumbos e baxezas,
nin sus bienes de sus males.   440

LVI

D'esse Çésar, el mayor
e prinçipal en el mundo,
el qual non houo segundo
en sus tiempos nin mejor,
¿qué dizes de tanto mal?   445
Ca de luto
enfuscaron Casio e Bruto
el su trono imperial.

LVII

F.   Vno solo non son todos.
B.   Por muchos es vno hauido;   450
mas dexa lo proferido,
e dexa semblantes modos
de porfías e argumentos
logicales,
anzuelo de los mortales,   455
lazo de los más contentos.

LVIII

Los Claudios non los repito,
ca si fueron desastrados
más que bienauenturados,
a ty mesma lo remito.   460
F.   A Tyto e Vaspasiano,
¿dó los dexas?
B.   Non menos fueron sus quexas
que fue su gozo mundano.

LIX

De Vitelio, ¿qué diremos?   465
¿De Otho e Domiçiano
e de Galba? ¿Qué de [Yllano],
si verdad proseguiremos?
Todos murieron a fierro,
non dubdando   470
de tus fauores e vando;
redargúyeme si yerro.

LX

Si d'ésta bien has salido,
di de las otras nasçiones,
ca las sus tribulaçiones   475
non creas que las oluido;
assí para demostrar
tus engaños
commo por füyr tus daños,
fáçil es de contrastar.   480

LXI

F.   Muchos rreyes asïanos,
Bías, se loan de mí.
B.   E más se quexan de ty;
testigos son los troyanos.

F.   Non será Dardanio d'éssos.   485
B.   · Bien lo sé,
        mas otros que te diré,
        tristes, afflictos e opressos.

LXII

F.   ¿Serán Elïon o Tros
        d'essos prínçipes algunos?   490
B.   Mas dime, ¿fueron ningunos
        sinon solos essos dos
        de los frigios que passassen
        esta vida,
        si subieron, sin caýda,   495
        si riyeron, non llorassen?

LXIII

        Pues d'essos dos tus amigos
        fablaste por tu descargo.
        Por tus culpas e más cargo
        diré yo tus enemigos;   500
        mas non todos, que sería
        narraçión
        sin fin e sin conclusión,
        nin Dares los contaría.

LXIV

        Fortuna, si quexo e clamo   505
        o querello con razón
        los casos de Laumedón
        e de su fijo Prïamo,
        a los trágicos dexemos
        el jüyzio   510
        e non a ty, perjüyzio
        de quantos buenos leemos.

LXV

        Pues ya tal cauallería
        qual Héctor e sus hermanos,
        dolor es a los humanos   515
        en pensar la triste vía
        que feziste que fiziessen
        tan en prompto;
        bien lo saben Asia e Ponto
        si fablassen o podiessen.   520

LXVI

¡Ay, quántas causas buscaste
a Troya para sus daños!
Assí que en bien pocos años
subuertiendo la asolaste.
¿Quién oyó de tal offensa   525
que non tema
la tu cruelldad extrema,
e non menos la deffensa?

LXVII

¿Dónde todos los mayores
de griegos e de troyanos   530
por guerra de crúas manos
murieron e los mejores?
Tales ruydos e barajas
ençendiste
que aun a los diuos traýste   535
en fogueras e mortajas.

LXVIII

Non bastaron los clamores
de Casandra, prophetissa,
nin las querellas sin guisa
de /Héleno : Helena/, ya non menores,   540
nin el grand razonamiento
de Pentheo
a contrastar tu desseo
de tanto desfazimiento.

LXIX

Ya, pues tanto perseguiste   545
a los frigios e troyanos,
dexaras a los greçianos
en las honras que les diste.
Mas, Fortuna, las tus obras
non son tales,   550
mas angustias generales,
prestas e negras soçobras.

LXX

Ca dexo los que murieron
en las lides batallando,
del general non contando,   555
los sus nombres tantos fueron.

Los rreyes e los señores
éstos son.
¡Dioses, la tal narraçión
oýd e los sus clamores!   560

LXXI

F.   ¿Fue visto más general
honor, triumpho nin victoria,
nin de tan exçelsa gloria
rreal nin imperïal,
que yo fize a los Atridas   565
e a los suyos?
B.   Essos todos sean tuyos,
e sus muertes e sus vidas.

LXXII

Esse que tanto ensalçó
en su clara trompa Homero,   570
ardit, bellicoso e fiero,
ya sabes quánto duró;
ca si los cossos rreales
a las aues
dio, non tornaron sus naues   575
alegres nin festiuales.

LXXIII

/F. : B./   Pirro bien buscó su daño /. : ,/
/B. : B./   /Non : no/ lo niego, mas tú çiegas
a los hombres e los llegas
a la muerte con engaño,   580
o los fuerças a fazer
lo que quieres;
grandes son los tus poderes
contra quien non ha saber.

LXXIV

Ni avn contenta de la vida   585
de Vlixes, vexada e triste,
poco a poco lo trýste
en manos del parriçida
Thelágono, non culpado.
¿Quál dolor   590
fue senblante nin mayor,
nin rrey más infortunado?

LXXV

Por otro modo a Theseo
ordenaste la caýda,
prorrogándole la vida   595
por engañoso rodeo,
después que lo desçebiste
con grand daño.
Si Fedra fizo el engaño,
digno galardón le diste.   600

LXXVI

La nouedad herculina
que buscaste de su muerte,
¡quánto fue menguada suerte
e costellaçión maligna!
El que tantos bienes fizo,   605
yo non sé,
tú lo sabes, di, ¿por qué
tal inçendio lo desfizo?

LXXVII

Las culebras en la cuna
afogó, pues el león;   610
el camino del dragón
fizo, ¿sábeslo, Fortuna?
Los archadios lo llamaron,
los egipçios
por sus claros exerçiçios   615
es çierto que lo adoraron.

LXXVIII

Los Çentauros debelló
en fauor de Periteo;
las Arpýas que a Phineo
robauan assaetó.   620
Ya de la troyana prea
muchos son
que fazen la narraçión,
e de la sierpe lernea.

LXXIX

Bien me dexara de Greçia,   625
farto de sus muchos males,
cuytas, congoxas mortales;
mas quexárase Boeçia,

ca fue la peor tractada
de tus manos   630
que región de los humanos,
nin más desauenturada.

LXXX

Yo digo de los thebanos
e de /Cademo : Cadino/ primero,
Layo, Edipo terçero   635
e de los tristes hermanos.
F.   ¿Non te paresçe que basta
que rreynaron?
B.   Sí ; mas di cómmo acabaron,
e non dexes a Jocasta.   640

LXXXI

Pues si de cartagineses
o áffricos fablaremos,
ya tú sabes e sabemos
sus contrastes e reueses.
F.   ¿Querrás dezir de Anibal?   645
B.   ¿E cómmo non?
D'él e del príncipe Annón,
e de su hermano Asdrubal.

LXXXII

F.   Essos fize victoriosos
en jouen e nueua hedad.   650
B.   Sí; mas a la vejedad
¿quáles fueron sus reposos?
Ca si yo bien he sentido
de sus genos,
/a : ∅/ estos feniçes o penos   655
siempre /buscaste : les buscaste/ roýdo.

LXXXIII

A los fines de la tierra
avn llegaron tus enbidias
con todos los grandes lidias,
e les fazes mala guerra;   660
d'éstos fueron Artaxerses,
Çiro e Poro,
abundante rrey en oro,
Astiages, Darío e Xerxes.

LXXXIV

De Sardanápolo e Nero   665
¿qué quieres dezir, Fortuna?
F.   Que non he culpa ninguna
al segundo nin primero.
Obprobio de los humanos
es fablar,   670
conferir nin praticar
de tan malos dos tyranos.

LXXXV

Mas di de Tiestes e Atreo,
e clámate de sus daños,
honbres de tantos engaños,   675
e si quieres de Thereo.
Yo los fize generosos
e rreales;
ellos buscaron sus males
e sus casos lagrimosos.   680

LXXXVI

Essos que assí desçendieron
de los cúlmenes rreales
e tronos imperïales,
por verdad antes subieron.
Pues non es de humanidad   685
el posseer
todos tiempos en vn ser
eterna prosperidad.

LXXXVII

Nin por tanto las deuidas
graçias de las sus victorias,   690
loables famas e glorias,
a mí, di, ¿serán perdidas?
Ca la muerte natural
es a todos,
ni son conformes los modos   695
de vuestra vida humanal.

LXXXVIII

Nin sería yo Fortuna
nin prinçesa de planetas,
si las touiesse quïetas
e yo todos tiempos vna.   700

Mas de sus bienes e males
pratiquemos,
ca dubdo que los fallemos
en el peso ser yguales.

LXXXIX

Ca las cosas son judgadas   705
por más e mayores partes;
assí lo quieren las artes
e las sçiençias aprouadas.
Fago fin a mi sermón,
e sepas, Bías,   710
que yo quiero que tus días
se fenescan en prisión.

XC

B.   Bien quisiera me dexaras
       contrastar las tus escusas,
       mas veo que lo /recusas : refusas/,   715
       e del effecto desparas
       con menazas de prisiones
       que me fazes.
       Yo temo poco tus azes
       e tus huestes e legiones.   720

XCI

Ca sy tú me prenderás,
busca en otro la desferra.
Yo soy ya fuera de guerra
nin pido lo que tú das;
ca son bienes a uiçendas   725
e thesoros,
lutos, miserias e lloros,
dissensiones e contiendas.

XCII

Nin creas me robarás
las letras de mis pasados,   730
nin sus libros nin tractados,
por bien que fagas jamás;
e con tanto, maguer preso
en cadenas,
gloria me serán las penas   735
e comer el çibo a peso.

XCIII

Que a mí non plazen los premios
nin otros gozos mundanos,
sinon los[estoiçïanos],
en compaña de academios,   740
e los sus justos preçeptos
diuinales,
que son bienes inmortales
e por los dioses electos.

XCIV

Do se fallan los exemplos   745
de las quatro santas lumbres,
e todas nobles costumbres
e seruiçios de los templos;
e las sentençias de Tales
e Chillón,   750
de Pítaco e de Zenón,
e sus doctrinas morales.

XCV

E los dichos de Cleobolo,
comendando la justiçia,
e Theofrasto de amiçiçia,   755
e quánto blasmó d'él solo;
e quánto plogo verdad
a Periandro,
el fablar de Anaximandro
qu'es de gran actoridad.   760

XCVI

E los estudios e vidas
de Anaxágoras e Crates,
sueltos de todos debates,
de tus riquezas fingidas;
e las leyes que dexó   765
el Espartano,
ca non son decreto vano
quando fue do non tornó.

XCVII

E muchas de las sentençias
de Pitágoras, el qual   770
fue de todos prinçipal
inuentor de las sçïençias,

de los cantos e los cuentos;
e sus actos
e famosos enigmatos,   775
e fermosos documentos.

XCVIII

E la clara vejedad
del muy ançiano Gorgías,
e cómmo tan luengos días
passó con tanta honestad;   780
e las reglas d'Estilbón,
mi verdadero
fiel amigo e compañero,
e de mi mesma opinión.

XCIX

E las obras de Platón,
prínçipe del Academia,
que sin vexaçión nin premia
eligió tal baniçión;
e las leyes çelestiales
que trayó   790
aquel que las colocó
en las mentes humanales.

C

E muy muchas otras cosas,
después de las absolutas
prosas, que son commo frutas   795
de dulçe gusto e sabrosas,
de philósofos diuersos
e poetas;
fábulas sotiles, netas,
texidas en primos versos,   800

CI

donde se falla el proçesso
de la materia primera,
e cómmo e por quál manera,
por horden e mando expresso,
aquel globo de natura   805
o caós
fue diuidido por Dios
con tan diligente cura;

CII

que antes que se apartassen
las tierras del Oçeano,   810
ayre, fuego soberano,
e con forma se formassen,
vn bulto e ayuntamiento
era todo,
e congregaçión sin modo,   815
sin hordenança nin cuento.

CIII

E juntos e discordantes
todos los quatro elementos
en vno, mas descontentos
de sus obras non obrantes   820
eran, e sin arte alguna;
nin vn solo
rayo demostraua Apolo
nin su claridad la luna.

CIV

Mas natura naturante,   825
syn rumor e sin rebate,
desboluió tan grand debate
e mandó, commo imperante,
que los çielos sus lumbreras
demostrassen,   830
e por cursos hordenassen
las otras baxas esperas.

CV

E que la rueda del fuego
la del ayre reçeptasse,
la qual el agua abraçasse,   835
e aquélla la tierra luego.
¡O muy vtil conjunçión
e concordança,
donde resultó folgança
e mundana perfecçión!   840

CVI

E fizo los animales,
terrestes posseedores,
e los peçes, moradores
de las aguas generales;

e qu'el ayre rresçibiesen   845
las bolantes
aues, e assí concordantes,
toda espeçie produxiesen.

CVII

E soltó los quatro vientos,
que se dizen prinçipales,   850
de los lazos cauernales
e todos impedimentos.
Euro consiguió la vía
nabathea,
e la de Siçia Borea,   855
Austro la de Mediodía,

CVIII

Séffiro la de Oçeano.
E assí todos esparçidos
e por actos diuididos,
cruzan el çerco mundano;   860
ca vnos tiemplan la çera
de la pella,
por otros se pinta e sella,
e traen la primavera.

CIX

Capaz e santo animal   865
sobre todos conuenía
que touiesse mayoría
e poder vniuersal.
Quiso qu'éste fuesse el hombre
raçional,   870
a los çelestes egual,
al qual fizo e puso nombre.

CX

E la biblioteca mía
allí se desplegará;
allí me consolará   875
la moral maestra mía.
E muchos de mis amigos,
mal tu grado,
serán juntos al mi lado,
que fueron tus enemigos.   880

CXI

E assí seré yo atento
de todo en todo al estudio,
e fuera d'este tripudio
del vulgo, qu'es grand tormento.
Pues si tal captiuidad   885
contemplaçión
trae, non será prisión,
mas calma feliçidad.

CXII

F.   Si tu cárcel fuesse, Bías,
commo tú pides, por çierto   890
con mayor razón liberto
que preso te llamarías;
libros nin letras algunas
non esperes,
pues estudia, si quisieres,   895
las sus fojas e columpnas.

CXIII

E muchos otros enojos
te faré por te apartar
del gozo del estudiar.
Dime, ¿leerás sin ojos?   900
B.   Demócrito se çegó
deseoso
d'esta vida de reposo,
e Homero çiego cantó.

CXIV

Los bienes que te dezía   905
que yo leuaua comigo,
éstos son, verdad te digo,
e joyeles que traýa;
ca si mucho non me engaño,
todos estos   910
actores e los sus testos
entran comigo en el baño.

CXV

F.   Por todos otros dolores,
dolençias e enfermedades,
e de quantas calidades   915
escriuieron los actores

en toda la mediçina,
passarás.
B.   ¿Moriré? F. Non morirás...
B.   Ffazlo ya. F. Non tan aýna.   920

CXVI

B.   Pues luego non serán tantos,
si se podrán comportar,
que non den qualque logar,
sin temer los tus espantos,
a las mis contemplaçiones;   925
e las tales
me serán a todos males
süaues medicaçiones.

CXVII

Nin pienses tan mal armado
tú me falles de paçiencia   930
a toda graue dolençia
que venga en qualquier estado;
nin me fallaría digno
de mi nombre
si non me fallasses hombre   935
e batallador contino.

CXVIII

F.   Morir, morir te conuiene,
pues, ¡bía a las manos, Bías!
B.   Cuydaua que me dezías
tal cosa que tarde auiene,   940
/o : e/ contingente de raro;
ca la muerte
es vna general suerte,
sin deffensa /sin : nin/ reparo.

CXIX

¡O Fortuna! ¿Tú me quieres   945
con muerte fazer temor,
que es vn tan leue dolor
que ya vimos de mugeres,
fartas de ti, la quisieron
por partido?
Mira lo que fizo Dido,
e otras que la siguieron.

CXX

Non fue caso peregrino,
que ya Porçia patrizó,
e sin culpa se mató   955
la muger de Collatino.
Bien assí fizo Daymira
e Jocasta;
ca çertas quien la contrasta,
corta e débilmente mira.   960

CXXI

Pues si la tal eligieron
por mejor los feminiles
ánimos, di, los viriles
¿qué farán? Lo que fizieron
muchos otros: reçebirla   965
con paçiençia,
sin punto de resistencia,
e aun oso dezir, pedirla.

CXXII

Asý lo fizo Catón
assí lo fizo Anibal,   970
ca la ponçoña mortal
houo por singular don.
Sçéuola non fizo menos,
que a la pena
antevino de Porsena;   975
ca fin es loor de buenos.

CXXIII

E con este mesmo zelo
se dieron por sacrifiçio
el animoso Domiçio
e el continente Metello,   980
si Çésar lo resçibiera
al espada;
pues de mí non dubdes nada
más reffuse la carrera.

CXXIV

Ca si mal partido fuera,   985
yo non te lo demandara,
nin creas buelua la cara
porque digas: ¡Muera, muera!,

mas sea muy bienvenida
tal señora;   990
ca quien su venida llora,
poco sabe d'esta vida.

CXXV

Ya sea que los loores
en propria lengua ensordezcan
e por ventura me enpezcan   995
en ojos de los lectores,
muy lexos de vanagloria
nin estremo,
te diré por qué non temo
pena, mas espero gloria.   1000

CXXVI

Yo fuy bien prinçipïado
en las liberales artes,
e sentí todas sus partes;
e después de grado en grado
oý de philosophía   1005
natural,
e la ética moral,
qu'es duquesa que nos guía.

CXXVII

E vi la ymagen mundana
las sus regiones buscando,   1010
muy grand parte nauegando,
a vezes por tierra llana;
e llegué fasta Caucaso,
el qual çierra
tan grand parte de la tierra,   1015
qu'es admiratiuo caso.

CXXVIII

Adonde amuestra Hïarca
el su diuinal thesoro
en cadira o trono de oro;
donde resçibió mi archa   1020
útil e muy salda prea
contra ty.
E partíme desde allí
a la fuente tantalea.

CXXIX

E vi las alexandrinas   1025
colu*m*pnas q*u*e son a Orie*n*te,
e las Gades del Poniente,
que llamamos herculinas.
Las proui*n*çias boreales
vi del todo,   1030
e por esse mesmo modo
fize las t*i*erras australes.

CXXX

E q*u*ando yo retorné
en Ypremen, patria mía,
segu*n*d la genealogía   1035
donde yo prinçipïé,
a las armas me dispuse
guerreando;
e diré có*m*mo, abreuiando,
porque dilaçión se escuse.   1040

CXXXI

Debellé los megarenses,
muy feroçes enemigos,
e después los fize amigos
de los n*u*est*r*os ypremenses,
mescla*n*do con *e*l espada   1045
benefiçios,
que son loables offiçios
e obra muy come*n*dada.

CXXXII

En la guerra diligente
fuy q*u*anto se conuenía;   1050
çibo e sueño perdía
por fazerla sabiamente.
Bie*n* vsé maneras fictas
por vençer,
que, loando mi proueer,   1055
se leen e son escriptas.

CXXXIII

Pero solamente baste,
fuesse por mar o por t*i*erra,
que yo nu*n*ca fize guerra,
Fortuna, si bien miraste;   1060

nin las señas de mi haz
se mouieron,
nin batallas me ploguieron
sinon por obtener paz.

CXXXIV

Pues assí paçificada,   1065
plogo a la nuestra çibdad
en vna conformidad
fuesse por mí gouernada.
Príncipe de los togados
me fizieron,   1070
e total cura me dieron
de todos los tres estados.

CXXXV

Sin punto de resistençia
acepté la señoría.
Plógome la mayoría,   1075
plógome la preheminençia,
non creas por ambiçión
nin dominar,
mas por regir e judgar
paresçió por la razón.   1080

CXXXVI

Con amor e diligençia,
honor e solempnidades,
contraté las deidades
e deuida reuerençia;
e a los conscriptos padres   1085
acaté,
mantuue verdad y fe,
honré las antiguas madres.

CXXXVII

A mi ver, fize justiçia
a todos generalmente;   1090
non me curé del potente
nin fize d'él amiçiçia.
Fuý las sobornaçiones
commo fuego,
nunca fize mal por ruego   1095
nin dilaté las acçiones.

CXXXVIII

Non puse espaçio ninguno
entre mis fechos e ajenos,
nin los miré punto menos
que si fuessen de consuno.   1100
E quando los çibdadanos
debatieron,
digan si jamás me vieron
torçer nin por mis hermanos.

CXXXIX

A los huérfanos sostuue,   1105
a las biudas deffendí;
non me acuerdo que offendí
nin denegué lo que tuue.
E si sobre mío e tuyo
altercaron   1110
e delante mí llegaron,
a todo hombre di lo suyo.

CXL

Fuý los ayuntamientos
de las gentes que non saben;
non me curo que me alaben,   1115
e postpuse sentimientos.
De las cosas non bien fechas
que me fazen,
plázeme si las desfazen,
por non ser obras derechas.   1120

CXLI

Assí andando e leyendo
e por discurso de hedad,
vista la tu calidad
e tus obras cognosçiendo,
dexé las glorias mundanas   1125
e sus pompas,
que son commo son de trompas,
e las sus riquezas vanas.

CXLII

Assí recobré a mí,
que non fue poco recabdo,   1130
y lloro el tiempo pasado
que, por mi culpa, perdí.

Ca yo non sé tal ninguno
que mandando
biua sinon trabajando,   1135
nin de cuydados ayuno.

CXLIII

Después que me recobré,
obtuue generalmente
el amor de toda gente.
¡Mira quánto bien gané!   1140
Non quise grand alcauela
nin extremos;
en tiempo leuanté remos
e calé manso mi vela.

CXLIV

Nin te pienses que ya miro   1145
a los que me van delante,
nin les faga mal semblante;
antes, si querrás, me giro
porque passe quien· quisiere,
qu'el honor   1150
es prea del honrador;
errará quien al dixere.

CXLV

Ca tú nunca fazes mal
a los malos por sus males,
nin derribas más los tales,   1155
mas a todos por ygual.
Los que vees prosperados
o subidos,
aquéllos son impremidos,
destruydos e asolados   1160

CXLVI

F.   Bías, tú vsas de aquellas
prácticas que los culpados,
quando son condempnados
por apparentes querellas:
ca detienen el verdugo   1165
por füyr
el doloroso morir,
qu'es abhominable yugo.

CXLVII

B.   Gózasse la humanidad
     desque triumpha del triumphante;   1170
     e pues non eres bastante
     de exerçer tu crueldad,
     muestro por qué non lo fazes,
     nin jamás
     lo feziste nin farás;   1175
     pues non cale que amenazes.

CXLVIII

F.   Di, ¿non temes las obscuras
     grutas o bocas de Averno?
     ¿Non terresçes el infierno
     e sus lóbregas fonduras?   1180
     ¿Non terresçes los terrores
     terresçientes?
     ¿Non terresçes los temientes
     e temerosos temores?

CXLIX

     Di, ¿non temes los bramidos   1185
     de la entrada tenebrosa,
     nin de la selua espantosa
     los sus canes e ladridos?
B.   Temerse deuen las cosas
     que han poder   1190
     de nuzir o malfazer,
     otras non son pauorosas.

CL

F.   Ya las terresçió Theseo
     e dubdólas el Alçides,
     duques expertos en lides,   1195
     e temiólas Peritheo.
B.   ¿Dizes quando Proserpina
     fue robada?
     Non gozó d'essa vegada
     la congregaçión maligna.   1200

CLI

F.   De los dioses çelestiales
     las Estigias son temidas.
     ¿Non temes los Eumenidas
     nin los mostruos infernales,

nin los ojos inflamados   1205
de Carón?
B.   Non, nin toda la región
do se penan los culpados.

CLII

Ca si las fablas vigor
han, assí commo lo muestras,   1210
a las ánimas siniestras
es tal terror o temor,
non a mí, /ca : que/ yo non temo
sus tormentos,
mas passar con los esentos   1215
a vela tendida o remo.

CLIII

F.   En el proffundo del huerco
ado tú non cuydas, Bías,
assí commo bozerías
inpiden el passo al puerco,   1220
te faré penar çient años,
denegado
que non seas sepultado,
porque non queden tus daños.

CLIV

B.   ¡O quánto ligeramente   1225
con la buena confïança
passa qualquier tribulança
e quasi de continente!
Pues ya prueua, si podieres,
de nuzirme,   1230
e non creas reduzirme
a tus fríuolos quereres.

CLV

Sea la perturbaçión,
enpachos o detenençia,
contrastes o resistençia   1235
commo tú dizes, o non;
ca disuelto de las ligas
corporales,
non temo /algunos : ningunos/ males
contrarios nin enemigas.   1240

CLVI

Mas dexada la siniestra
carrera do los culpados
cruelmente son cruçïados,
e prosiguiendo la diestra,
miraré con ojo fixo   1245
el ardor
d'el que sin /algund : ningund/ temor
ha fecho mal o lo dixo.

CLVII

E la suelta mançebez
de los Titanos, gigantes   1250
impremidos o penantes
de la noxïa vejez,
porque soberuios temptaron
offender
al tronante Jupiter,   1255
lo qual de fecho assayaron.

CLVIII

E los Aloydas que fueron
de tan extrema grandeza
que por su grand fortaleza
se cuydaron e creyeron   1260
las çelestiales alturas
corromper,
muy dignos de posseer
las tartáreas fonduras.

CLIX

E punido Salamona   1265
de la mesma puniçión,
porque la veneraçión
deýfica se razona
vsurpar quiso, tronando
en el Yda,   1270
donde le tajó la vida
el Alto fulgureando.

CLX

E las entrañas de Tiçio,
que por el bueytre roýdas
son e nunca despendidas,   1275
pena de su malefiçio;

e los lafitas temientes
la grand peña
que en somo se les despeña,
al creer de todas gentes.   1280

CLXI

Nin serán a mí vedadas,
por mis deliçias nin males,
de las Furias infernales
las mesas muy abastadas,
nin assí mesmo los lechos   1285
bien ornados;
ca non fueron quebrantados
por mí los santos derechos.

CLXII

Nin las bozes de Flegías
me farán algund espanto,   1290
en aquel horrible llanto
que todas noches e días
fazen los que corronpieron
sus deodos,
e por otros tales modos   1295
a los dioses offendieron.

CLXIII

E, los Ciclopes dexados
en los sus ardientes fornos,
saliré por los adornos
verdes e fértiles prados,   1300
do son los Campos rosados
Eliseos,
do todos buenos desseos
dizen que son acabados.

CLXIV

Do cantando tañe Orpheo,   1305
el saçerdote de Traçia,
la lira con tanta graçia,
ca se cuenta su desseo.
Ya sé obtuuo de Çerbero,
libertando,   1310
Erúdiçe; cómmo e quándo
bien es cuento plazentero.

CLXV

D'esta tierra su apparençia,
segund que se çertifica
por muchos e testifica,   1315
es de muy grand exçellençia
e pintura tan fermosa
que bien muestra
ser fábrica de la diestra
sabia mano e poderosa.   1320

CLXVI

Allí las diuersidades
son tantas de las colores,
recontado por actores
de grandes auctoridades,
que éstas de nuestras pinturas   1325
çerca d'ellas
son commo lumbre de estrellas
ant'el sol en sus alturas.

CLXVII

En aquellas praderías
e planiçies purpuradas   1330
dizen que son colocadas
a perpetuales días
las personas que fuyeron
los delictos,
e los rectíssimos ritos   1335
guardaron e mantouieron.

CLXVIII

Estas gentes eximidas
son de las enfermedades,
han prorrogadas hedades
sobre las nuestras e vidas;   1340
son de más biuos sentidos
e saber,
más prestos en disçerner,
en sus fablas más polidos.

CLXIX

Seluas en esta región   1345
son e florestas fermosas,
de fructales habondosas,
frondesçen toda sazón.

Aguas de todas maneras,
perenales　　　　　　　　　　　　　　　1350
fuentes e ríos cabdales,
e muy fértiles riberas.

CLXX

Eridano mansamente
riega toda la montaña
sin riguridad nin saña,　　　　　　　　1355
mas con vn curso plaziente,
cuyas ondas muy süaues
fazen son
e dulçe modulaçión
con los cantos de las aues.　　　　　　1360

CLXXI

E aquellos mesmos offiçios
que en esta vida siguieron,
e quales más les ploguieron,
son allí sus exerçiçios;
los vnos con instrumentes　　　　　　　1365
e cantares
cantan loores solares,
otros se muestran sçïentes.

CLXXII

E todas las nobles artes
e por metropología　　　　　　　　　　1370
las rezan con alegría,
todas juntas e por partes.
E con largas vestiduras
grauedad
muestran, con grand honestad　　　　　1375
las sus comendables curas.

CLXXIII

Hanse allí piadosamente
todos los tiempos del año,
frío non les faze daño
nin calor por consiguiente;　　　　　　1380
de guisa que los frutales
que allí biuen,
segund cuentan e descriuen,
son por verdor inmortales.

CLXXIV

Otros siguen los venados   1385
passeando las veredas
so las frescas arboledas;
e por los altos collados
con diuersidad de canes
su querer   1390
satisfazen a plazer,
sin congoxas nin afanes.

CLXXV

E si fueron caçadores,
allí de todas maneras
fallan caças plazenteras,   1395
nobles falcones e açores.
Otros corren a tablados,
otros dançan,
e todas cosas alcançan,
sin astuçia nin cuydados.   1400

CLXXVI

Aun son allí fabricados
templos de mucha exçellençia,
e dioses con grand femençia
d'estas gentes adorados.
Vnos con otros confieren   1405
las respuestas
muy çiertas e manifiestas
de aquello que les requieren.

CLXXVII

Quales el Febo e Diana,
en la ínsola Delhós   1410
nasçieron ambos a dos,
e la su lumbre diafana,
dizen ser vistos allí
actualmente,
victoriosos del serpiente   1415
e de Actheón assí.

CLXXVIII

Mas a la nuestra morada,
do las ánimas benditas
tienen /sus : las/ sillas conscriptas,
más lexos es la jornada;   1420

que son los çelestes senos
glorïosos,
do triumphan los virtüosos
e buenos en todos genos.

CLXXIX

Este camino será 1425
aquel /que yo faré : que faré yo/, Bías,
en mis postrimeros días,
sy te plaze o pesará,
a las bienauenturanças;
do cantando 1430
beuiré, siempre gozando,
do çessan todas mudanças.

CLXXX

Yo me cuydo con razón,
mera justiçia e derecho,
hauerte pro satisfecho; 1435
e assí fago conclusión,
e sin vergüença ninguna
tornaré
al nuestro tema e diré:
¿Qu'es lo que piensas, Fortuna? 1440

III. ANOTACIONES

En cuanto a las diferencias entre mi edición y la de Amador de los Ríos, solamente discutiré aquellas que me han parecido interesantes. Por lo demás, remito al inventario de las discrepancias entre las dos ediciones.

A veces corrijo a Joan Corominas en lo referente a la fecha de primera aparición de un vocablo. Por supuesto, no voy a repetir las rectificaciones señaladas ya por los estudiosos que he mencionado en la nota 30 del capítulo I. F. Tampoco repetiré las observaciones que he hecho en ese capítulo acerca del lenguaje del Marqués en *Bías contra Fortuna*.

Los números delante de las notas del *Prohemio* remiten a la(s) línea(s).

Para los nombres de persona —históricos o mitológicos— y de lugar he acudido a las siguientes obras de consulta:

— *Diccionario Enciclopédico Hispano-Americano*, 28 vols., Barcelona, 1887-1910; citado como *DEHA*.
— *Enciclopaedia Britannica*, 23 vols., Chicago, etc., 1968.
— *Enciclopedia Vniversal Ilvstrada*, Evropeo-Americana, Espasa-Calpe, Barcelona.
— *Paulys Real Encyclopädie der classischen Altertumswissenschaft*, neue Bearbeitung begonnen von Georg Wissowa, Stuttgart.
— *Diccionario de la mitología clásica*, por Constantino Falcón-Martínez, Emilio Fernández-Galiano y Raquel López Melero, 2 vols., Alianza Editorial, Madrid, 1980.
— *The Greek Myths*, por Robert Graves, 2 vols., Penguin Books, 1980.

Algunas obras que se citan varias veces van indicadas con una abreviatura o simplemente con el apellido del autor:

— *Amador:* edición del texto por José Amador de los Ríos en *Obras de Don Íñigo López de Mendoza..., ed. cit.*
— *Aut: Diccionario de Autoridades*, reproducción facsímile, 3 vols., Gredos, Madrid, 1954.
— *DCELC:* J. Corominas, *Diccionario crítico etimológico de la lengua castellana, op. cit.*
— *DCRLC:* Rufino José Cuervo, *Diccionario de Construcción y Régimen de la Lengua Castellana*, 2 vols., Instituto Caro y Cuervo, Bogotá, 1954.

— *DEHA:* Véase arriba.

— *Durán:* edición del texto por Manuel Durán en *Marqués de Santillana, Poesías completas,* II, *ed. cit.*

— *Hanssen:* Federico Hanssen, *Gramática histórica de la lengua castellana,* París, 1966.

— *WB:* Walter Burley, *De vita et moribus philosophorum, op. cit.*

Prólogo

1 - 2. *demandar... de*
En el español medieval se construye *demandar* en el sentido de *preguntar por* con acusativo o con las preposiciones *de* o *por.* Véanse *DCRLC,* s.v.; Ramón Menéndez Pidal, *Cantar de Mío Cid,* Tercera parte: vocabulario, tercera edición, Espasa-Calpe, Madrid, 1954, p. 619; *Tentative Dictionary of Medieval Spanish,* compiled by R. S. Boggs, Lloyd Kasten, Hayward Keniston, H. B. Richardson, Chapel Hill, North Carolina, U.S.A., 1946; Louis F. Sas, *Vocabulario del 'Libro de Alexandre',* Anejo XXXIV del *Boletín de la Real Academia Española,* Madrid, 1976, s. v.; Joan Corominas observa en su edición del *Libro de Buen Amor* (Gredos, Madrid, 1973) que la construcción *demandar de* es poco usual (nota a la estr. 444-436 cd, p. 188).

7. *vexaçiones*
«El mal trato, que se le hace a alguno, u la persecución, con que se le obliga a padecer alguna pena, u trabajo» *(Aut.).*

10 y ss. *Homero...*
Alusión poco exacta. En la *Odisea,* cantos V - VIII (Homerus, *Ilias, Odyssee,* edición de J. C. Bruijn y C. Spoelder, segunda edición, Haarlem, 1940) se cuenta cómo una tempestad arroja a Ulises a la isla de los feacios, donde encuentra a Nausicaa. Ésta lo lleva al palacio de su padre, el rey Alcinoo, donde se le tributa una buena acogida.
Se sabe que el hijo de don Íñigo, el Gran Cardenal, tradujo la *Ilíada.* Sobre una traducción de la *Odisea* no hay noticias. Cf. Mario Schiff, *op. cit.,* p. LXXXIV.

11. *commo*
El *como* causal se construye con el indicativo o subjuntivo. Cf. *Hanssen,* párr. 656, p. 279.

fortuna de mar
Borrasca, tempestad. Cf. Howard R. Patch, *The Goddess Fortuna in Mediaeval Literature,* Cambridge, Harvard University Press, 1927, pp. 100 - 104.

11-12. *rrey de los çefalenos*
Sin embargo, Ulises era rey de Ítaca. Los cefalenos son los habitantes de la isla Cefalonia en el mar Jónico, la cual lleva el nombre de Céfalo, el bisabuelo de Ulises por línea paterna.

12. *desbaratado*
Habiéndose naufragado.

13.   *traýdo*
Sin razón cambió *Durán* esta lección en *ydo*.

16.   *e después*
La conjunción tiene aquí la función de anunciar la frase principal y equivale a un 'he allí'. Cf. Karl Pietsch, «Zur spanischen Grammatik», en *Homenaje a Menéndez Pidal*, tomo I, Madrid, 1925, p. 33; W. Meyer Lübke, *Grammaire des langues romanes*, II, *Syntaxe*, París, 1900, párr. 653, pp. 728-729; Michael Metzeltin, *Altspanisches Elementarbuch*, I, *Das Altkastilische*, Heidelberg, 1979, párr. 57, p. 93.
Para el uso de *et* en latín con el mismo sentido véase Raphael Kühner, *Ausführliche Grammatik der lateinischen Sprache*. Zweiter Band, Hannover, 1878, párr. 151, 7, p. 633.

16-17. (y vss. 44 y 81) *extimaron*
Por *estimaron* (del latín *aestimare*). Sobre la confusión de *es-* y *ex-* véase C. H. Grandgent, *Introducción al latín vulgar*, tercera edición, Madrid, 1963, párr. 255, p. 168.

17.   *estauan contenplando en él*
Cf.*Odisea*, VII, vs. 145.

24-25. *La virtud...*
No he conseguido localizar esta sentencia.

25.   *abrojo*
«El fruto que da la planta llamada Tribulo, por las tres puntas que produce en el abrojo. Este de qualquier suerte que caiga, levanta en alto una punta aguda» *(Aut.)*. Es decir, siempre cae de pie.

26-28. *a los amigos ... el dolor..., assí commo Lelyo dezía de Sçipión*
Cf. Cicerón, *De Amicitia*, VI, 22 (en *De Senectute, De Amicitia, De Divinatione*, with an English translation by William Amistead Falconer, The Loeb Classical Library, London-Cambridge, Massachusetts, 1959), donde dice Laelius: «Qui esset tantus fructus in prosperis rebus, nisi haberes qui illis aeque ac tu ipse gauderet? Adversas vero ferre difficile esset sine eo, qui illas gravius etiam quam tu ferret?». Santillana tuvo en su biblioteca una versión italiana de *De Amicitia* (Schiff, *op. cit.*, pp. 59-60).

27.   *el dolor, la mengua*
Preferimos la lectura de α a la de β.

28.   *o*
En castellano antiguo se usa *o* frecuentemente como cópula que une términos que no se excluyen, es decir, como conjunción copulativa. Cf. *Hanssen*, párr. 681, pp. 289-290.

33.   *por consolaçión tuya*
Santillana parece ser el primero en hacer revivir en romance la idea clásica de que la poesía es un consuelo en contratiempos. Cf. Miguel Garci-Gómez, «Otras huellas de Horacio en el Marqués de Santillana», *Bulletin of Hispanic Studies*, L (1973), p. 135.

41. *sinçero* (Sd, MHa, Ma y Mc: sin çejo)

Según *Amador* figura esta lectura en Ma. Sin embargo, ninguno de los códices lee así. La lectura de Sd, MHa, Ma y Mc tal vez signifique algo así como *sin expresión severa de la cara*. Proponemos *sinçero*, lección que Mi, Pg, R, Sa y H sugieren y que dentro del sintagma adverbial *con ojos leales... e amoroso acatamiento* es muy superior a *sin çejo*. Además es posible que *sin çejo* sea mala lectura de 'sinçero' con el trazo vertical de la *r* un poco prolongado.

46. *quien*

El plural de *quien* se creó en el siglo XVI. Cf. Ramón Menéndez Pidal, *Manual de gramática histórica española,* duodécima edición, Madrid, 1966, párr. 101, p. 263.

59-60. *trabajoso*

Que cuesta trabajo; duro, difícil.

62-63. *la mediana mancebía*

La madurez.

64-65. *virilidad*

Preferimos esta lectura de Ma, Sa y Sd a la de los demás manuscritos, que leen *virtud.*

67. *Majano*

No entiendo por qué *Durán* cambió *Majano* en *Majado.* Conforme a la tradición manuscrita hay que leer *Majano,* que es buena lectura. Cf. la *Crónica de don Juan Segundo,* B.A.E. 68, año 24 (1430), cap. XXI, p. 486[a]: «Despues que el Rey estuvo en el Real cerca de Garay, viniendo ende el Condestable Don Alvaro de Luna é todos los otros Grandes que en la hueste estaban, el Rey Don Juan mandó levantar dende su Real é mandólo asentar cerca un lugar que dicen el *Majano*».

69. *Xalançe e Theresa*

Amador ofrece las lecturas *Xalante* y *Toreça.* Sin embargo, se trata de *Xalançe* y *Theresa,* exactamente como la mayoría de los códices indica. Respecto al primer pueblo véase Fernando del Pulgar, *Claros varones de Castilla* (edición y notas de J. Domínguez Bordona, Clásicos Castellanos 49, Madrid, 1942, p. 49, título V, Don Fernand Aluares de Toledo, conde de Alua): «fizo tanta guerra a los del reino de Valençia, que ganó por fuerça de armas la villa e castillo de *Xalançe,* con otras tres fortalezas de las principales de aquel reino». El editor anota que las otras tres fortalezas fueron las de *Toreza,* Sahara y Jarafuel.

En la provincia de Valencia existen todavía los cuatro pueblos, Jalance, Teresa de Cofrentes, Zarra y Jarafuel, en el Valle de Cofrentes a orillas del Júcar.

71. *Granada*

Cf. Fernando del Pulgar, *op. cit.,* p. 49.

75. *Córdoba e Jaén*

Cf. la *Crónica de don Juan Segundo, op. cit.,* Año 25 (1431), cap. XV, p. 495[a] y Año 27 (1433), cap. III, p. 512[b].

78-79. *commo quiera que*
Tiene el mismo sentido que *como*. Se construye con el indicativo o el subjuntivo. Cf. Andrés Bello y Rufino J. Cuervo, *Gramática de la lengua castellana*, tercera edición, Buenos Aires, 1952, nota 131, p. 481.

80.   *después dé*
Amador, que lee *depende de*, tomó su lectura de la versión del prólogo tal como figura en el *Centón epistolario...* (1775), *op. cit.*, p. 227. Sin embargo, la lección de todos los manuscritos —menos Ma— no hace falta que sea enmendada.

81.   *a los affictos remedia, a los tristes alegra*
Amador pone: *e a los tristes alegra*. Pero la conjunción se omite a menudo cuando tiene una función acumulativa: cf. p. ej. los vss. 251-252 y 267-268 de la *Comedieta de Ponza (ed. cit.)*.

92.   *espero yo sea que*
Amador lee: *espero yo que*. Sin embargo, todos los códices que *Amador* consultó y la edición de 1775 dan *sea*. Entre *espero* y *sea* se ha omitido el *que* anunciativo de la proposición subordinada.

85-86. *los tus seruiçios..., e muchos otros a*
Amador: *los tus fechos..., e muchos otros serviços a*. Sin razón prefirió *Amador* la lectura de la edición de 1775 a la de los códices.

90.   *Assuero*
Nombre hebraico de Jerjes, marido de Ester.

91.   *de los príncipes*
Amador: *de los reyes*, que es la lección de la edición de 1775. La lectura que nosotros seguimos figura en todos los manuscritos y no solamente en Ma como anota *Amador* al pie de la página.

95.   *Mordocheo*
Por *Mardoqueo*, tío de Ester. En la glosa a la estr. IX del *Centiloquio* (1437) escribe don Iñigo: «Assuero tanto fue poderoso entre todos los gentiles, que quasi por monarcha universal fué avido. E asymesmo se cuenta en el libro de Esther, Aman, privado suyo, indinado contra los judíos que eran so su señoría deste Assuero, provocólo a grand saña contra ellos, en espeçial contra Mardocheo; en tal manera que lo mandara enforcar. E como Assuero oviesse por costumbre de façer leer ante sí algunas veçes un libro, en el qual se contenían los serviçios que sus naturales e otros de qualquier nasçión e regiones o tierras que fuessen le avían fecho, falló en este libro cómo aquel Mardocheo le oviesse servido mucho... Lo qual visto por el Rey, e asymesmo a suplicaçión de la reina Esther mandó que Aman fuesse enforcado en la misma forca quél avía mandado façer para Mardocheo» *(ed. Amador, p. 70)*.

97.   *regrácialos*
Regraciar (= mostrar agradecimiento) es un italianismo (cf. Rafael Lapesa, *La obra literaria...*, *op. cit.*, p. 168).

98-99. *yrasçible*
Amador: *nuçible.* Otra vez prefiere *Amador* la lectura de la edición de 1775 a la de todos los códices.

101. *Diomedes de Traçia*
Hijo de Ares y Cirene. Según la tradición alimentaba sus caballos con carne humana.

102-103. *Búseris de Egipto*
Búsiris, rey legendario de Egipto, que sacrificaba a los extranjeros que llegaban a su reino.

103. *Perilo siracusano*
Perilo, artista griego que hizo un toro de bronce para el tirano Fálaris de Agrigento. El toro estaba hecho de un modo tal que podían meter dentro a un condenado; luego aplicaban fuego al vientre del toro y los gritos del pobre infeliz que se encontraba dentro imitaban entonces los bramidos del animal.
Según *Durán* se trata quizás de «Petilio Cerealis (Quinto), general romano que luchó contra los batavos (s. I d.J.C.)». Me pregunto por qué *Durán* no puso entonces consecuentemente en su texto la lectura *Pethilo* de Mi, Pg y R.

105. *Dionisio*
Con toda probabilidad se trata de *Dionisio II* el Joven, tirano de Siracusa famoso por su crueldad.

105 - 106. *Atila*
Jefe de los hunos.

106. *flagelum Dei*
Epíteto de Atila en la Edad Media. Es una transformación de la calificación «virga furoris Dei» que por ejemplo San Isidoro —a imitación del profeta Isaías (14,5)— aplica en su *Historia Gothorum* a los hunos. Cf. Helmut de Boor, *Das Attilabild in Geschichte, Legende und heroischer Dichtung,* Darmstadt, 1963, p. 8.

111. *ante de*
Antes de. Cf. *DCRLC,* s.v. *antes.*

115 - 116. *me paresçe fface*
Construcción con un *que* suprimido.

118 - fin. En esta parte del prólogo sigue Santillana de cerca el capítulo V de *De vita et moribus philosophorum* de Walter Burley (1725-1337), una de las obras presentes en todas las bibliotecas de la época (Schiff, *op. cit.,* p. XC).
Aunque Mario Schiff no encontró ningún rastro de la presencia del repertorio de Burley en la Biblioteca del Marqués, nos muestra la segunda parte del prólogo de *Bías contra Fortuna* que don Íñigo lo conoció.
Disponemos de una traducción castellana de principios del siglo xv (Biblioteca de El Escorial, en una encuadernación con la signatura h - III - I), la cual fue editada juntamente con el original en latín por

Hermann Knust *(ed. cit.)*. Reproducimos la versión castellana del capítulo V en el Apéndice B.

Santillana no cita al compilador del repertorio, sino a los autores a los que Burley también se refiere en el capítulo V, los cuales son (Diógenes) Laercio y Valerio (Máximo). Así pues, el Marqués no confundió a Burley con Laercio como escribe Mario Penna en su docta introducción al catálogo de la *Exposición de la Biblioteca de los Mendoza del Infantado en el siglo* XV *(op. cit.,* p. 15), sino que tomó conocimiento del autor clásico de un modo indirecto, sin mencionar la fuente.

Del repertorio de Valerio Máximo tuvo el Mrqués dos traducciones en su biblioteca, una italiana y una castellana (cf. Schiff, *op. cit.,* pp. 132-134). Sin embargo, las informaciones sobre Bías se limitan en esta obra a:

— la renuncia de la «tabla o mesa de oro» (*Proemio,* línea 182; Valerius Maximus, *Valerii Maximi factorum et dictorum memorabilium libri novem,* Stuttgart, 1966, Lib. IIII, Cap. 1, Ext. párr. 7).

— la famosa frase «bona omnia mea mecum porto» (Lib. VII, Cap. II, Ext. párr. 3; *Prohemio, línea* 192).

— la sentencia: «...aiebat oportere homines in usu amicitiae uersari, ut meminissent eam ad grauissimas inimicitias posse conuerti» (Lib. VII, Cap. III, Ext. párr. 3; *Prohemio,* líneas 214-216).

120. *asiano*
Asiático.

120. *Ypremen*
Priena, ciudad en la Jonia (Asia Menor).

123. *vulto*
Rostro. No se trata de un italianismo como sugirió Terlingen *(Los italianismos en español, desde la formación del idioma hasta principios del siglo XVII,* Amsterdam, 1943). Cf. la nota 27 del capítulo I. F.

129-130. *terrestes*
Amador: terrestres (del latín *terrestres).* Sin embargo, mantengo la lectura de Mi, Sa, Sd, Pe, Pg, Ps, R y H porque la forma sin *r* se explica fácilmente por analogía con *agreste* y *celeste.* He encontrado la forma *terreste* también en *Le chansonier espagnol d'Herberay des Essarts* (edición de Charles V. Aubrun, Bordeaux, 1951, p. 6, 1.1.). También aparece en el Canto VII, VI, vss. 1-4 de *Os Lusíadas* de Luís de Camões:
«Guarda-lhe, por entanto, um falso rei
A cidade Hierosólima *terreste,*
Enquanto ele não guarda a santa lei
Da cidade Hierosólima celeste»
(en *Obras Completas,* com prefácio e notas do Prof. Hernâni Cidade, volume V, *Os Lusíadas* (II), Livraria Sá da Costa, 2.ª edição, Lisboa, 1956).
Por analogía con *terrestre* surgió la forma *celestre* (del latín *caelestis).* Cf. *DCELC,* s.v. *cielo.* En un texto portugués del siglo XIV o del XV

figura *celestrial* (apud José Leite de Vasconcelos, *Textos arcaicos,* quinta edição, Lisboa, 1970, p. 60).

130. *megarenses*
Es ésta la lectura de la traducción castellana de *WB* del ms. h — III — I, la cual corrigió Knust *(ed. cit.,* p. 33) conforme al texto en latín en *mesanenses* (= de la ciudad griega *Mesenia).*
Tenemos aquí una prueba de que Santillana bebió directamente en la traducción castellana de *WB.* Véanse las notas a las líneas 199 y ss. y a *enigmatos* (vs. 775).
Por lo tanto no tiene sentido la enmienda de Amador *(mengarenses).*

131. *a quien*
Es decir, a Bías.

136. *estrenuydad*
Energía, valerosidad. Lección preferible a *estremidad* (MHa, Ma, Mc, Mi, Pe, Pg y R; *Amador).* Los dos vocablos pudieron confundirse fácilmente porque la diferencia consiste en un solo trazo vertical: 4 trazos + y (nuy) en *estrenuydad* contra 3 trazos + i (mi) en *estremidad.* La combinación de *virtud* y *estrenuydad* figura también en el *Prohemio e carta... al condestable de Portugal:* «Miçer Otho de Grandson, cauallero estrenuo e muy virtuoso» *(ed. cit.,* pp. 31-32).
Corominas *(DCELC,* s. v. *estrena)* dice que el vocablo se documenta por primera vez en Alonso Fernández de Palencia (1490).

144. *guardas*
Pg y R leen *guardias.* Según Corominas *(DCELC,* s. v. *guardar)* es *guardia* en el sentido de *custodia* con toda probabilidad un italianismo militar del siglo XVI.
Es interesante ver que en Pg y R, manuscritos copiados en la Italia Meridional, fue cambiado *guardas* en *guardias.*

149. *a aquél*
En los representantes de la tradición β puede haberse producido la fusión de la preposición y la a- inicial. Cf. Ramón Menéndez Pidal, *Cantar de Mío Cid,* Primera parte: crítica del texto - gramática, *op. cit.,* párr. 44, 2, p. 199; *Coplas de don Jorge Manrique por la muerte de su padre,* IV, 7: «Aquél (= a aquél) sólo m'encomiendo (en *Jorge Manrique. Poesía.* Edición de Jesús-Manuel Alda Tesán, Cátedra, Madrid, 1976, p. 146); Diego de San Pedro, *Cárcel de amor:* «me ha obligado amarte (= a amarte)» (Edición de Keith Whinnom, Clásicos Castalia, núm. 39, Madrid, 1971, p. 93); etc.

152. *raro*
Según el *DCELC* (v. s.) aparece el vocablo por primera vez en Nebrija.

158. *durante el campo*
Durante el asedio.

159. *las guardas*
Los guardias. Como se ve, el artículo corresponde a la terminación del sustantivo. Cf. la glosa a la estr. LVI de los *Proverbios (ed. Amador,* p. 81). Es un uso todavía muy frecuente durante los siglos XVI y XVII;

véase p. ej.: Germán de Granda, «Personalidad histórica y perfil lingüístico de Ruy Díaz de Guzmán (1560?-1629)», *Thesaurus*, XXXIV (1979), p. 150: *las* centinelas.

161. *a Aliato*
Cf. la nota a la línea 149.

167. *pacçiones*
Del latín *pactiones* = convenios. Según Joan Corominas *(Breve diccionario etimológico de la lengua castellana*, tercera edición muy revisada y mejorada, Gredos, Madrid, 1973, s. v. *pacto)* aparece el vocablo por primera vez en el siglo XVIII.

168. */quales : que/ les ploguiesse*
Cf.: «todas aquellas prisyones que te pluguiere me pon» (Alfonso Martínez de Toledo, *Arcipreste de Talavera o Corbacho*. Edición de J. González Muela, Clásicos Castalia, núm. 24, Madrid, 1970, p. 263).

172. *hauían de passar*
Amador leyó *avian a passar*, lectura que no corresponde a la de los códices. Esta lectura pasó a varios estudios sobre el empleo de la construcción perifrástica *aver a + inf.*. Cf. Alicia Yllera, *Sintaxis histórica del verbo español: Las perífrasis medievales*, Departamento de filología francesa, Universidad de Zaragoza, 1980, párr. 2.2.1.2.4., p. 97.

176-177. *certinidades*
Garantías.

177-183. *Testifica ... Valerio ... la tabla o mesa de oro ... oráculo de Apolo*
Cf. la nota a las líneas 118-fin. Esta historia figura también en *De vita et moribus philosophorum* de Walter Burley *(op. cit.*, cap. I, pp. 5 y 7), sin que se haga referencia a Valerio Máximo: «Y como de unos pescadores mercase (= el filósofo Tales) un lance de los que fasian con sus rredes sacaron en ellas una tabla de oro la qual avia un grant peso, sobre lo qual nascio entre ellos question, ca los pescadores afirmavan que ellos non avian vendido synon los peces que tomasen. Tales desia que avia conprado lo que la fortuna traxiese. La qual question fue venida ante el pueblo por la novedad de la cosa y la grandesa del valor. Y plugo al pueblo que demandasen al ydolo de Apolo Delficon consejo, a quien seria adjudicada la mesa de oro. Apolo rrespondio que se devia dar a aquel que a todos los otros sobrepujava en sapiencia. Oyda aquella rrespuesta, la mesa fue dada a este Tales, filosofo, uno de los siete sabios. Tales rrenunciola a Bias, Bias diola a Pitaco y este Pitaco diola luego a otro, y dende andovo por todos los sabios, a la fin vino la mesa a Solon el qual tenia titulo de muy grande prudencia, y Solon traspaso la mesa al mesmo Apolo».
Así, con toda probabilidad, Santillana bebió tanto en la obra de Valerio Máximo como en la de Walter Burley.

189. *exidos*
Campos fuera de la ciudad. Cf. *DCELC*, s. v. *ejido*.

189. *fingiesse*

Amador sigue la lectura de Ma: *fíngese*. He pensado un momento en la posibilidad de interpretar *fingiesse* como imperfecto en —*ié* (se fingié = se fingía), puesto que se documentan todavía en los siglos xv y xvi formas verbales en —*ié:* cf. *Hanssen*, párr. 234, p. 106; Rafael Lapesa, *Historia de la lengua española,* octava edición refundida y muy aumentada, Gredos, Madrid, 1980, párrafos 70, 7 y 79, 2, pp. 272-273 y 317; Diego de San Pedro, en su *Cárcel de amor (ed. cit.,* p. 99, nota 82). Sin embargo, la total ausencia de otros ejemplos del imperfecto en —*ié* en la obra del Marqués de Santillana se opone a tal interpretación (cf. Vicente García de Diego, *Gramática histórica española,* segunda edición revisada y aumentada, Gredos, Madrid, 1961, p. 228). Otro problema que las lecturas *fíngese* y *fingiésse* (=se fingié) plantean es que de los dos verbos que entonces dependen de ellas aparece uno en indefinido (/fue : vino/) y el otro en imperfecto de subjuntivo *(preguntasse).*

Por lo tanto, la solución más plausible será a mi juicio considerar *fingiesse* como imperfecto de subjuntivo, siendo regidos los tres imperfectos de subjuntivo *(passeasse, fingiesse* y *preguntasse)* por *commo* (l. 188).

191-192. *e éste fue el que respondió*

Respecto a *e,* elemento anunciador de la frase principal, véase la nota a la línea 16 del *Prohemio. Amador* lo omite.

Durán pone *esto* en vez de *éste.* Pero su lectura no funciona en combinación con *el que;* esperaríamos entonces *lo que.* Con *éste* el poeta se refiere evidentemente a Bías.

193-195. *Dizen otros, de los quales Séneca es vno, que éste fuesse Estilbón*

Claramente se descubre aquí la huella de *De remediis utriusque fortunae,* II, cap. 55, de Petrarca: «Bonis meis omnibus amissis nudus ex incendio evasi. Ratio. Quando precor hoc diceret seu Bias ut omnes volunt: seu Stilbon: ut vult Seneca: quem incensa precaria admonitus sea increpitus quod nihil suorum bonorum ex incendio efferret ut caeteri. Bona inquit mea omnia mecum porto» (Francisci Petrarche, *Opera omnia,* Venetiis, 1503, p. 343; apud María Isabel López Bascuñana, «Algunos rasgos petrarquescos en la obra del Marqués de Santillana», *Cuadernos hispanoamericanos,* 331 (1978), p. 38, nota 49).

fuesse

El subjuntivo se explica si atribuimos al verbo *dezir* un sentido de *creer* o *requerir;* cf. Frede Jensen and Thomas A. Lathrop, *The Syntax of Old Spanish Subjuntive,* Mouton, The Hague-Paris, 1973, párr. 88, pp. 45-46.

199. y ss. De aquí en adelante reproduce Santillana casi literalmente las sentencias que en *WB* se atribuyen a Bías. Cf. el Apéndice B.

200. *pare empeçible lesión*

Amador: para. Pero no hay duda de que *pare* en el sentido de *produce* es mejor lección.

empeçible
Durán anota: evitable. Sin embargo, el significado es *dañosa, perjudicable (Aut).*
Corominas *(DCELC,* s. v. *impedir)* encuentra la voz por primera vez en Nebrija.

201-204. En *Amador* son tres sentencias. Sin embargo, en la fuente es una sentencia (cf. el Apéndice B). Ésta es también la versión de Sd, donde el comienzo de cada sentencia se indica con una mayúscula.

203. *congruas*
Convenientes, oportunas *(Aut).*

205. */ánimo : ánima/*
Cada lectura representa el valor $\frac{1}{2}\,\alpha + \frac{1}{2}\,\beta$. En *WB* leemos *ánima.*

210-211. */será fecho : se fará/ amigo*
En la traducción castellana del repertorio de *WB* se lee *se fará amigo.*

222-223. *... Dios entiende que la faze*
Hipérbaton: ...entiende que Dios la faze.

228. *faga vergüença*
La construcción requiere esta lectura, que es la de MHa, Mc, Mi, Pe y Ps. *Amador* no menciona que Ma y Sd tienen *fagan.*

241-242. *corriendo fortuna*
Véase la nota a la línea 11.

244. *porque los dioses non vos sientan*
Quiere decir: para que los dioses no os oigan.

247. *Resplandesçió Bías en los tiempos de Ezechias*
Ezequias, rey de Judá, nació el año 748 a. de J. C., mientras que Bías nació alrededor de 570 a. de J. C. La incorrección está en *WB.*

248. *otras /cosas muchas : muchas cosas/*
Ambas construcciones se admiten en el español medieval. Cf. Michael Metzeltin, *op. cit.,* párr. 48. 24, p. 50.

POEMA

16. *curan*
«Curar. Se toma también por Cuidar: y en este sentido se usó mucho esta voz en lo antiguo» *(Aut).*

17-24. Influencia de *De constantia sapientis,* V, de Séneca. «Ningún poema del siglo XV español ofrece una exposición tan rotunda y plena de la moral estoica. Santillana la bebe directamente en Séneca; es cierto que también consultó el *De remediis utriusque fortunae* de Petrarca, en cuyo segundo libro el Dolor, la Razón y el Miedo controvierten sobre las más variadas desdichas; entre ellas figuran todas o casi todas las que se mencionan en el poema de Santillana; pero asimismo aparecen en el *De constantia sapientis* de Séneca, tratado con el que el *Bías* tiene más estrechas coincidencias», escribe Rafael Lapesa en su magnífico libro sobre la obra del Marqués *(op. cit.,* pp. 217 - 218).

En relación con la influencia senequista en *Bías contra Fortuna,* véase la nota 10 del capítulo I. F.

20.   *infingido*
Enfingido, falso.

29.   *mis bienes lleuo comigo*
Véase la nota a las líneas 193-195 del *Prohemio.*

35.   *sacomano*
Saqueo. Se trata de un italianismo. Terlingen *(op. cit.,* p. 183) no menciona este ejemplo; sería el más temprano de su lista.

36.   *non me da nada*
No me importa nada.

43.   *esquivas*
Desagradables.

45.   */o : e/*
Véase la nota a la línea 28 del *Prohemio.*

49.   *Dezirm'as*
Futuro con valor de imperativo.

53-56. En la *Farsalia* se lee cómo César llega a la gruta donde vive Amiclas y le pide que lo lleve en su barco de Grecia a Italia (M. Annaeus Lucanus, *Pharsalia,* cum commentario Petri Burmanni, Leidae, 1740, Lib. V, vss. 519 - 560).

Durán ya anotó que en el poema de Lucano César no alaba la vida de Amiclas.

Don Íñigo poseyó una traducción italiana y española de la *Farsalia* (Schiff, *op. cit.,* pp. 138 - 139).

Cf. María Isabel López Bascuñana, «El mundo y la cultura grecorromana...», *art. cit.,* p. 309.

54.   *arribó*
Llegó.

57.   *Y demás*
Y además.

59.   *oquedades*
Según Corominas *(DCELC,* s. v. *hueco)* el vocablo se documenta por primera vez en Nebrija.

68.   *trabajosa*
Dura, difícil.

78.   *e caridad*
El verso tiene cinco sílabas. Cf. los vss. 102, 142, 198, 206, 230, 238, etc.

80.   *franqueza*
Generosidad.

90.   *demandar*
Pedir algo.

92. *encarir*
Ponderar. Es un catalanismo. Cf. el *Diccionari català - valencià - balear*, de Antoni M.ª Alcover y Francesc de B. Moll, tomo IV, Barcelona, 1968, s. v.

97. *Pitágoras*
Filósofo griego. *WB*, Cap. XVII: «Pregunto uno a Pitágoras sy cobdiciava ser rrico, al qual rrespondio: «Yo menosprecio aver las rriquesas las quales por liberalidad se pierden y por avaricia se podrecen»» (p. 79).

98. *ni en*
Esta lección de Ma, Mi y T da ocho sílabas al verso. *Nin en* daría nueve sílabas.

99. *vulto*
Véase la nota a la línea 123 del *Prohemio*.

105-112. En la edición de *Amador* habla Bías. Nosotros seguimos, sin embargo, los códices Ma, Mo, Sd y Ps, porque el contenido de la estrofa —sobre todo el último verso— revela claramente que no es Bías quien habla.

119. */e : Ø /*
Cf. la nota a la línea 81 del *Prohemio*.

133. *Sy farán*
Amador se apartó de la tradición manuscrita enmendando *Si serán*. En la versión de todos los códices Fortuna no puede acabar su respuesta porque Bías la interrumpe.

136. *al cuda*
Amador siguió la lectura de Mi. Nuestro criterio impone *al*. El sentido del verso es: no es sabio quien piensa otra cosa.

137. *Níniue*
Capital de los imperios asirios, a orillas del Tigris.

138. *Thebas*
Ciudad griega.

141. *Tyro, Sydón*
Ciudades fenicias.

143. *Laçedemonia*
Región de Grecia.

146. *Corinthio*
Corinto, ciudad griega. En *WB* se lee también *Corintio*, mientras que el original latino dice *Corinthum* (cf. Cap. XXXI, pp. 148 - 149).
Para más ejemplos, véase María Rosa Lida de Malkiel, *op. cit.*, p. 266.

148. *viçeral*
Perteneciente a las entrañas.

152. *baldones*
Infames.

153 - 154. *agora ... e*
Comparable con *ahora ... o*, usado para presentar varias suposiciones. Cf. *DCRLC*, s. v. *ahora*.

154. *e combate e mano armada*

Innecesariamente cambió *Amador* este verso en *combates a mano armada*. La interpretación de la versión de todos los manuscritos es: ¿hay imperio que no hieras a través de enemigos, combate y (a) mano armada?

157-160. Expresión popular. Véase María Isabel López Bascuñana, «Arcaísmos...», *art. cit.*, pp. 410-417. Cf. también el capítulo I. F.

160. *feziste*

Es la lectura de todos los códices menos Pe *(desfazistes)* y Ps *(fezistes)*. Por lo tanto, no hace falta cambiarla en *feçistes* como hizo *Amador*. Además, la forma con —s analógica en la segunda persona del singular del definido era de uso esporádico en el lenguaje literario en tiempos del Marqués. Menéndez Pidal encontró los primeros ejemplos de la forma con —s en el siglo XVIII, aunque barruntaba que debía ser «más antigua, pues también dicen *cogites* 'cogiste' los judíos de Oriente salidos de España a principios de la Edad Moderna» *(Manual..., op. cit.,* párr. 107, 3, p. 280). Ejemplos más tempranos son: *rescebistes* (Clemente Sánchez de Vercial, *Libro de los exenplos por a.b.c.* Edición por John Esten Keller, C.S.I.C., Madrid, 1961, línea 8325), *fezistes* (Ps, vs. 160) y *agradescistes* (en un romance de Diego de San Pedro; cf. Roberto de Souza, «Desinencias verbales correspondientes a la persona 'vos/vosotros' en el 'Cancionero General' (Valencia ,1511)», *Filología,* X (1964), p. 16, nota 30). Estas formas con —s pertenecieron y pertenecen todavía a la lengua vulgar.

169-170. *yo non...cosas que*

No me interesan las cosas que...

171. *offensas*

Ataques *(Aut).*

190. *se pagan*

Se contentan.

196. *so los mi mantos*

Bajo mi imperio.

201-202. *Faetón,* hijo de Helios y de Climena, obtuvo de su padre permiso de conducir el carro del Sol y cuando por faltarle fuerzas suficientes para contener a los caballos se acercó tanto a la tierra que el suelo se quemó y los ríos quedaron secos, lo hirió Júpiter con un rayo para evitar una catástrofe. Cf. las *Metamorfosis* de Ovidio, II, vss. 1-340 (Ovidius Naso, *Metamorphoseon libri XV,* ed. Hugo Magnus, Berolini, 1914).

203-204. Cuando Júpiter destruyó a la raza humana con un diluvio eran *Deucalión* y su esposa *Pirra* los únicos habitantes que se salvaron. Cf. Ovidio, *Metamorfosis,* I, vss. 244-415. También es posible que las alusiones a Faetón y Deucalión procedan de la *General Estoria* de Alfonso el Sabio *(Primera Parte,* edición de Antonio G. Solalinde, Madrid, 1930, p. 368). Mario Schiff *(op. cit.,* pp. 393 y 397-398) describe dos manuscritos que pertenecieron a la biblioteca del Marqués, el uno (incompleto) de la *Primera Parte* y el otro de la *Segunda Parte.*

En su artículo «La 'Comedieta de Ponza' e la 'General Estoria'» (*Medioevo Romanzo*, II (1975), pp. 154-164) ha probado Carla De Negris que unas alusiones mitológicas en la *Comedieta* remontan a la *General Estoria*.

Las alusiones de los vss. 201-204 no van mencionadas en «El mundo y la cultura grecorromana...», *art. cit.*, pp. 293-301, de María Isabel López Bascuñana.

201-208. El sentido es: si el mundo perece abrasado por el fuego y si hay otro diluvio, no dudo que Bías fallecerá y carecerá de buenos amigos.

209-214. En la tradición β habla Fortuna, mientras que en α dice Bías el vs. 210 y sigue Fortuna con el 211 (cf. el inventario de las menciones de los interlocutores). Ambas versiones son posibles.

211.   *deuaneo*
Locura.

212.   *dar a las espuelas coçes*
Dar coces contra el aguijón, obstinarse en resistirse a fuerza superior (*DEHA*).

229-230. *Assayar... demás*
Quiere decir: es inútil intentar protegerlos.

241-242. *d'estas...contenta*
El sentido es: crees que me contento solamente con estas penas.

257.   *Dó*
Adónde.

258.   *que*
Aunque.

260.   *asaya*
Experimenta.

265.   *Tanto que*
En tanto que, mientras.

277.   *do el Apolo nasçe*
Adonde sale el sol.

280.   *do taçe*
Adonde se calla, o sea, a la muerte. Cf. *Durán*.

295.   *cudo*
Creo.

303.   *penso*
Forma latinizante.

309.   *Octauiano*
El emperador Augusto.

Sobre los personajes históricos y legendarios en *Bías contra Fortuna* escribió Rafael Lapesa: «Todos o casi todos figuran en el *De casibus* de Boccaccio; pero Santillana los agrupa según naciones (romanos, «asianos» o troyanos, griegos, cartagineses, etc.), y al tratar de los romanos sigue, en general, el orden cronológico. Nada semejante ocurre en Boccaccio» (*La obra literaria...*, *op. cit.*, p. 221, nota 27).

En efecto, buena parte de los nombres de personajes históricos y legendarios se encuentran en *De casibus illustrium virorum*. Son: Actheón, Anibal, Annón, Artaxerses, Asdrubal, Assuero, Astiages, Atreo, Bruto, Cademo, Casandra, Çiro, Claudios, Darío, Dido, Diomedes, Dionisio, Domiçiano, Galba, Héctor, Helena, Yllano (Iulianus), Xerxes, Jocasta, Layo, Marco Manlio (Capitolino), Metello, Mida, Mordocheo, Nero, Octauiano, Otho, Pentheo, Pirro, Ponpeo, Príamo, Proserpina, Rómulo, Sardanápolo, Sçéuola, Sçipión, Seruio, Tarquino, Theseo, Tiestes, Tyto, Tulio Hostilio, Vaspasiano, Vitelio.

Otra fuente posible podrían ser los *Historiarum adversus paganos libri VII* de Paulo Orosio (cf. Schiff, *op. cit.*, pp. 166-173), obra muy popular en la Edad Media. Más de cincuenta personajes del *Bías contra Fortuna* figuran en esta obra: Anco Marco, Anibal, Annón, Artaxerses, Asdrubal, Astiages, Atreo, Bruto, Búseris, Cademo, Casio, Catón, Çésar, Çiro, Claudios, Dardanio, Darío, Deucalión, Diana, Dionisio, Domiçiano, Domiçio, Edipo, Fetón, Gayo Mario, Galba, Yllano, Xerxes, Laumedón, Lelyo, Marco Manlio, Metello, Miçipsas, Nero, Numa, Numa Pompilio, Octauiano, Otho, Perilo, Pirro, Ponpeo, Poro, Porsena, Postumio, Remo, Rómulo, Sardanápolo, Sçéuola, Sçipión, Seruio, Tarquino, Tereo, Tyto, Tulio Hostilio, Valerio, Vaspasiano, Vitelio.

Orosio sí trata de los reyes, emperadores y otros personajes romanos en orden cronológico (cf. *Seven Books of History against the Pagans. The Apology of Paulus Orosius*. Translated with Introduction and Notes by Irving Woodworth Raymond, New York, Columbia University Press, 1936).

La mayor parte de los personajes mencionados arriba figuran también en el repertorio de Valerio Máximo *(op. cit.)*.

310-312. En (Mi), Pe, Pg, Ps y R lo dice Bías, mientras que en Ma, Mo, Sa y Sd dice Bías los vss. 311-312. Conforme a mi criterio se impone la última lectura.

311-312. Cf. María Isabel López Bascuñana, «Arcaísmos...», *art. cit.*, pp. 410-417.

317-318. *Rómulo y Remo*
Hijos de Marte y Rea Silvia que fueron criados por una loba. Según la leyenda fue Rómulo el fundador de Roma.

320. *concluyr*
Convencer *(Aut).*

323. *pretores*
Magistrados romanos que ejercieron jurisdicción en Roma. Según el *DCELC* (s. v. *ir)* se documenta la voz por primera vez en 1580.

325. *ediles*
Magistrados romanos encargados de las obras públicas. Según el *DCELC* (s. v. *edificar)* aparece documentado por primera vez en 1545.

329. *flámines*
Sacerdotes romanos.

339. *aturé*
Toleré.

341. *Numa*
Numa Pompilio, segundo rey de Roma.

348. *Tulio Hostilio*
Tercer rey de Roma.

349. *lo triunfaste*
Le hiciste triunfar.

352. *lo fulminaste*
Te enojaste de él.

353. *Anco Marco*
Por *Anco Marcio*, el cuarto rey de Roma.

355. *sin /algunos : ningunos/ daños*
En español antiguo no siempre se pospone *alguno* en frase negativa.
Cf. Metzeltin, *op. cit.*, párr. 50.1, p. 62.

360. *d'ésta*
Se sobreentiende *gente* o *nación*. El poeta se refiere desde luego a
los romanos.

368. *vera*
Ya en tiempos de Santillana es un arcaísmo. Cf. *DCELC*, s. v.

371. *Tarquino*
Tarquinio Prisco, quinto rey de Roma.

Tanaquel
Tanaquil, la esposa de Tarquinio.

372. *Seruio*
Servio Tulio, sexto rey de Roma.

creas
Esta forma verbal tiene la función de imperativo. Cf. Metzeltin, *op. cit.*,
párr. 52.423, p. 78.

376. *gente fabiana*
La 'gens fabia', célebre familia romana.

379. *Mida*
Midas, rey de Frigia (Asia Menor). En cierta ocasión ayuda a Sileno,
un compañero de Dionisio, y éste le concede en agradecimiento un don
mágico: todo lo que toque se convertirá en oro. Al principio Midas
está muy contento, pero cuando la comida que toca se convierte también en oro, se arrepiente.
En el comentario a la estr. LXV de los *Proverbios o Centiloquio* (1437)
indica el Marqués como fuente las *Metamorfosis* de Ovidio (*ed. Amador*,
p. 83). Cf. los *Morales de Ovidio* de Pierre Bersuire (fol. 186, Libro XI;
apud Schiff, *op. cit.*, p. 86).
La historia de Midas figura también en la *General Estoria* de Alfonso
el Sabio (*Segunda Parte*, edición de Antonio G. Solalinde, Lloyd A. Kasten
y Víctor R. B. Oelschläger, II, Madrid, 1961, pp. 50 y ss.), obra que
nuestro poeta conoció (véase la nota a los vss. 203-204).

383. *Espurio*
Tal vez Espurio Melo, cónsul romano. Murió asesinado en 438.

389. *Miçipsas*
Micipsa, hijo de Masinisa, rey de Numidia.

sosternedes
El futuro de *tener* tuvo antiguamente las formas siguientes: *terré, tenré, terné* y *tendré*. Cf. *Hanssen,* párr. 261, pp. 118-119.

391. *Marco Manlio*
Marco Manlio Capitolino, cónsul en 392. Fue condenado por la Asamblea a ser precipitado desde la roca Tarpeya.

Gayo Mario
Cayo Mario, general romano. Murió en 82 a. de J.C. en un combate con un jefe samnita.
Prefiero esta lectura a la de *Amador,* quien lee *Gayo, Mario.*

398-399. *Por... engaños*
Quiere decir: sus daños hicieron visibles tus engaños.

399. *paresçieron*
Aparecieron *(Aut).* Por lo tanto, no hace falta enmendar el verso como hizo *Durán: padesçieron tus engaños.*

400. *las forcas gaudinas*
Las 'Caudinae furcae', desfiladero estrecho en Campania donde los romanos fueron vencidos por los samnitas en 321 a. de J.C.
No entiendo por qué pusieron *Amador* y *Durán* 'guadinas'.

408. *Postumio*
Postumio Albino Regilense, cónsul romano (siglo IV a. de J.C.). Tuvo que pasar por debajo del yugo en señal de rendición en el desfiladero de Caudium (véase la nota al vs. 400).

412. *Ponpeo*
Cneo Pompeyo Magno, célebre general romano (106 - 48 a. de J. C.). Fue derrotado por César en la batalla de Farsalia (48); huyó a Egipto donde fue asesinado por orden del rey Tolomeo XII. Cf. la glosa a la estr. LXXXVI de los *Proverbios* (ed. *Amador,* pp. 85 - 86).

417. *quién*
Véase la nota a la línea 46 del *Prohemio.*

426. *esperas*
Por *espheras* o *esferas.* En el *Diálogo de la lengua* de Juan de Valdés se lee: «Marcio — ...Pero, siendo *esfera* vocablo griego, ¿por qué vos lo escrivís con *f* y otros con *p,* escriviéndolo el griego con *ph?* Valdés —Los que lo escriven con *p,* darán cuenta de sí; yo escrívolo con *f* por confirmar mi escritura con la pronunciación» *(ed. cit.,* p. 48).
En la copla I, 10 y en su glosa de la *Coronación* de Juan de Mena figura también *spera* (edición facsímile sobre la de ¿Toulouse, 1489?, *Incunables poéticos castellanos,* X, 1964, fols. 2v y 5v).

441. *Çesar, el mayor*
Julio César.

447. *enfuscaron*

Oscurecieron. El verbo *enfuscar* es un semicultismo (del lat. *infuscare*). En el *DCELC* (s. v. *hosco*) no se menciona este vocablo para el siglo xv.

Casio e Bruto

Los asesinos de Julio César. Cf. también la glosa a la estr. III de los *Proverbios* (ed. Amador, p. 69).

450. *Por... hauido*

El sentido es: un solo caso puede ilustrar el de muchas personas.

457. *Los Claudios*

Célebre familia romana.

461. *Tyto*

Tito Flavio Vespasiano, emperador romano (79 - 81). Murió envenenado.

Vaspasiano

Tito Flavio Vespasiano, emperador romano (69 - 79), padre de Tito. La forma con asimilación de la *e* es bastante frecuente; cf. p. ej. Clemente Sánchez de Vercial, *Libro de los exenplos por a.b.c., op. cit.,* líneas 195 y 8685.

465. *Vitelio*

Aulo Vitelio, emperador romano (69). Murió arrojado al Tíber.

466. *Otho*

Marco Salvio Otón, emperador romano (69). Murió asesinado.

Domiçiano

Tito Flavio Domiciano, emperador romano (81 - 96), hijo de Vespasiano y hermano de Tito.

467. *Galba*

Servio Sulpicio Galba, emperador romano (68 - 69). Fue asesinado.

Yllano

Probablemente (Flavio Claudio) Juliano ('Apóstata'), emperador romano (360 - 363).

Amador enmendó *Yllano* argumentando: «En todos los códices se lee *Llano;* pero el marqués habla aquí de Juliano, el apóstata, pronunciando y escribiendo su nombre tal como se escribía y pronunciaba en su tiempo el de *Julian* y *Juliana*» (p. 174, nota).

Sigo la forma propuesta por *Amador*. Esta forma se explica por vocalización de la *j* (véase Ramón Menéndez Pidal, *Orígenes del español,* octava edición, Espasa-Calpe, Madrid, 1976, párr. 42,5, p. 238, nota 1: *Santillán* por *San(t) Julián* y *Santillana* por *Sant Juliana).* Cf. también *Yllán* por *Julián/Jullán (Primera Crónica General de España,* publicada por Ramón Menéndez Pidal, Gredos, Madrid, 1955, p. 4, b, 9) e *Yllana* por *Juliana* (Serranillas «Desque nací» y «De Vytoria me partía»; cf. Rafael Lapesa, «De nuevo sobre las serranillas de Santillana», en *Libro-Homenaje a Antonio Pérez Gómez,* tomo II, Cieza, 1978, pp. 49-50). En la *Atalaya de las corónicas* de Alfonso Martínez de Toledo, en un pasaje donde figura el conde Julián, lee el ms. L *Yllán,* mientras que los mss. de la transmisión palatina dicen *Julian* (cf. Raúl A. del Piero,

Dos escritores de la baja Edad Media castellana (Pedro de Veragüe y el Arcipreste de Talavera, cronista real), Anejo XXIII del *Boletín de la Real Academia Española,* Madrid, 1971, p. 95).

Ahora bien, la forma *llano,* lectura de todos los manuscritos y por lo tanto del arquetipo, surgió posiblemente por la mala interpretación de la *y* de *yllano* como conjunción.

473. *d'ésta*
Véase la nota al vs. 360.

481. *asianos*
Asiáticos.

485. *Dardanio*
Dárdano, hijo de Zeus y de Electra; construyó la ciudad de Troya.

489. *Elion*
Ilo, hijo de Dárdano y de Batiea.

Tros
Hijo de Erictonio y Astíoque y nieto de Dárdano.

504. *Dares*
Dares Frigio, sacerdote mencionado en la *Ilíada,* supuesto autor de una historia sobre el asedio de Troya.

507. *Laumedón*
Laomedonte, rey de Troya, nieto de Tros.

509. *los trágicos*
Los autores de tragedias.

513. *cauallería*
Grupo de caballeros.

514. *Héctor*
Hijo de Príamo y de Hécuba.

519. *Asia*
Sin razón pone *Amador* 'Argia'.

Ponto
Región de Asia.

538. *Casandra*
Hija de Príamo y de Hécuba. Vaticinó que la introducción del caballo de madera en Troya sería funesta, pero nadie le dio crédito.

540. */Héleno : Helena/*
Cada lectura representa ½ α + ½ β.
Héleno
Hermano gemelo de Casandra. Poseía también el don de profetizar.

Helena
Mujer de Menelao. Fue raptada por Paris.

542. *Pentheo*
Penteo, hijo de Equión y de Ágave. Fue destrozado por las Bacantes.

544. *desfazimiento*
Destrucción.

555. *del ... contando*
Significa: sin contar los soldados rasos *(Durán)*.

565. *Atridas*
Agamenón y Menelao, hijos de Atreo y Aérope.

569-572. *Esse ... duró*
Durán explica: «Esse ardid ensalzado por Homero en su clara trompeta (la guerra de Troya, y posiblemente el ardid del caballo de Troya) ya sabes cuántos años duró». Creo, sin embargo, que esta explicación no es correcta. A mi juicio el poeta se refiere a Aquiles.

571. *ardit*
Es adjetivo (tomado de la lengua de Oc o del catalán) y significa *audaz*.

573. *si*
Por *si bien*.

cossos
Cuerpos. Es un catalanismo. Cf. la *Defunsión de don Enrrique de Uillena*, ed. cit., estr. XIV, 2.
Durante los funerales de Patroclo *(Ilíada*, XXIII) son sacrificados por orden de Aquiles doce cautivos troyanos de sangre real.

574-575. *a las aues dio*
Sin embargo, en la *Ilíada*, XXIII, son sacrificados los cuerpos de los troyanos al pie de la hoguera de Patroclo para ser quemados después juntamente con él.

576. *festiuales*
Regocijadas (cf. *DCELC*, s. v. *fiesta*). Esta lectura me parece mejor que la de Amador *(festinales)*.

577. En la tradición α dice Fortuna el vs. 577, mientras que en β sigue hablando Bías. Ambas posibilidades funcionan bien.

Pirro
Neoptólemo, hijo de Aquiles. Fue asesinado por Orestes.

585. Sd dice *nin contenta*; pero se ve claramente que el copista raspó *aun*, sin duda para dar ocho sílabas al verso. Sin embargo, si leemos *ni avn*, lectura de MHa, Ma, Mc, Mi, T, Ps y H, queda resuelto el problema.

587. *lo traýste*
Amador prefirió la lectura de Mi a la de Ma y Sd. Nosotros leemos *lo* porque el pronombre está por Ulises.

589. *Thelágono*
Telégono, supuesto hijo de Ulises y Circe. Mató a su padre sin saber quién era.

593. *Theseo*
Teseo, hijo de Egeo; rey de Atenas.

597. *desçebiste*
Engañaste.

9

599. *si*
Si bien.

Fedra ... engaño
Fedra, muger de Teseo, se enamoró de su hijastro Hipólito, hijo de
Teseo y de Antíope. Al verse despreciada por él se suicida después de
haber escrito una carta en que acusaba a Hipólito falsamente. Teseo
encuentra la carta y suplica a Posidón que le provoque la muerte a
su hijo.

608. *tal inçendio lo desfizo*
Heracles murió en la hoguera en el monte Eta.

609 - 610. *Las culebras ... afogó*
Alusión al hecho de que el héroe con sólo ocho meses ahogó a las dos
serpientes que Hera había llevado a su cuna para que lo estrangulasen.

610. *pues*
Con valor adverbial *(después)*. Cae en desuso después del siglo XIII.
Cf. *DCELC,* s. v.

el león
El león de Nemea.
Los trabajos heraclianos se cuentan ampliamente en la *General Estoria*
de Alfonso el Sabio *(Segunda Parte, ed. cit.,* pp. 2-47).
También se podría pensar en los *Doce trabajos de Hércules* de Enrique
de Villena (obra escrita antes de 1417); pero en esta obra faltan las proe-
zas mencionadas en los vss. 609, 613-614 y 621. Cf. la edición hecha por
Margherita Morreale, Madrid, 1958. Cf. también *Favor de Hércules contra Fortuna (ed.* Amador, pp. 252-254).

611. *el camino del dragón*
El camino hacia el Infierno, cuya puerta era custodiada por Cérbero,
un monstruo con tres cabezas y una serpiente por cola.

613. *Los archadios*
Los habitantes de Arcadia, región del Peloponeso. Heracles expulsó
las aves del lago Estínfalo en Arcadia y dio muerte a muchas de ellas.

614. *los egipçios*
Heracles mató a Búsiris, rey egipcio que era conocido por su crueldad.
Véase la nota a las líneas 102-103 del *Prohemio.*

617-618. *Los Çentauros ... Periteo*
Heracles ayudó a Pirítoo y Teseo en su lucha contra los Centauros.

620. *las Arpýas ... assaetó*
Juntamente con los Boréades, Calais y Zetes, expulsó Heracles a las
Harpías que le ensuciaron a Fineo la comida.

621. *la troyana prea*
Alusión a Hesíone, hija de Laomedonte. Fue capturada por Heracles
durante la primera conquista de Troya.

624. *la sierpe lernea*
La Hidra de Lerna, una serpiente con muchas cabezas. Fue Heracles
quien la mató.

628. *Boeçia*
Región de Grecia.

634. */Cademo : Cadino/*
Cadmo, hijo de Agenor y fundador de Tebas, ciudad de Boecia. La forma *Cadino* por *Cadmo* es sin duda la más frecuente en la Edad Media: cf. la nota que puse al vs. 766 en mi edición de la *Comedieta de Ponza* (*ed. cit.,* pp. 397-398). Añádanse a los ejemplos dados allí: *Sumas de historia troyana,* de Leomarte. Edición, prólogo, notas y vocabulario por Agapito Rey, Anejo XV de la *Revista de Filología Española,* Madrid, 1932, pp. 269 y 295-297; Juan Fernández de Heredia, *La grant crónica de Espanya,* libros I-II. Edición según el manuscrito 10.133 de la Biblioteca Nacional de Madrid, con introducción crítica, estudio lingüístico y glosario por Regina Af Geyerstam, Uppsala, 1964, p. 370; y Juan de Mena, *Obra lírica, ed. cit.,* 21, 24 y 22, 35.

Juan del Encina vio en esta forma una licencia poética (*Arte de poesía castellana.* Edición de Juan Carlos Temprano, en *Boletín de la Real Academia Española,* LIII (1973), p. 340). María Rosa Lida de Malkiel la explicó por «la rima fácil o por la intención de hacer pronunciables nexos consonánticos difíciles» (*op. cit.,* pp. 271-272). Sin embargo, a mi juicio, la forma *Cadino* surgió simplemente a causa de una mala interpretación de los tres trazos verticales tras la *d (in* por *m);* comenzó a llevar una vida propia y desplazó casi por completo la forma correcta. El hispanista inglés J. W. Rees ha llamado la atención sobre los errores que puede provocar una secuencia de trazos verticales a través de un estudio de la transmisión del verbo *uviar* («Mediaeval Spanish UVIAR and its transmission», *Bulletin of Hispanic Studies,* XXXV (1958), pp. 125-137).

También cabe en lo posible que *Cadino* sea el resultado español de una forma incorrecta del nombre utilizada en fuentes latinas. Al comentar la forma *Cadino* de la estr. XXXVII del *Laberinto de Fortuna* de Juan de Mena observa Miguel Ángel Pérez Priego que Mena pudo tener en cuenta un pasaje del *Speculum naturale* de Vicente de Beauvais, en donde se lee: «Fenix Cathini frater de Thebis...» (Editora Nacional, Madrid, 1976, p. 65, nota al vs. 292). Sólo un estudio de las formas del nombre del fundador de Tebas en obras medievales en latín puede apoyar o rechazar esta hipótesis.

Cademo
Aunque no tengo más ejemplos de esta forma, la mantengo (α + MHa y Mc) porque es la forma correcta más una *e* epentética que facilita la pronunciación del grupo consonántico —*dm*— (cf. arriba María Rosa Lida), y/o porque da tres sílabas al vocablo favoreciendo así el ritmo del verso (cf. la licencia poética de que habló Juan del Encina).

635. *Layo*
Padre de Edipo.

Edipo
Hijo de Layo y de Yocasta. Sin saberlo mató a su padre y se casó después con su madre.

636. *los tristes hermanos*
Eteocles y Polinices, quienes se mataron mutuamente.

645. *Anibal*
Aníbal, famoso general cartaginés. Fue derrotado en 202 a. de J. C. por los romanos.

647. *Annón*
Por *Hano*, general cartaginés. Por tratarse en esta copla de generales cartagineses me parece más lógica mi interpretación que la de *Amador* y *Durán*. El último lo interpreta como una posible alusión al hijo de David o a Amón, rey de Judá.

648. *Asdrubal*
Asdrúbal, nombre de varios generales cartagineses. Así se llamaba también un hermano de Aníbal que fue decapitado por los romanos en 207.

655 - 656. */a ... buscaste : ∅ ... les buscaste/*
Estas dos lecturas son posibles, aunque no se trate de una clara oposición del tipo α contra β o ½ α + δ contra ½ α + γ (véanse las variantes).

estos feniçes ... les buscaste
El sustantivo está en forma absoluta y la construcción va indicada después por medio de un pronombre. Cf. *Hanssen*, párr. 500, p. 193.

655. *penos*
Cartagineses (del lat. *poeni).*

661. *Artaxerses*
Artajerjes, nombre de varios reyes persas. Artajerjes III fue asesinado en 338 o 337 a. de J. C.

662. *Çiro*
Ciro, nombre de varios reyes persas. Ciro II fue matado en 530 a. de J. C.
Poro
Rey indio (siglo IV a. de J. C.). Después de haberlo vencido Alejandro Magno lo nombró sátrapa de Macedonia. Murió asesinado entre 321 y 315 a. de J. C.

664. *Astiages*
Último rey de los medos (± 584 — ± 550 a. de J. C.). Murió en cautiverio.
Darío
Nombre de varios reyes persas. Darío III fue asesinado en 330 a. de J. C.
Xerxes
Jerjes, nombre de dos reyes persas (siglo V a. de J. C.). Ambos murieron asesinados.

665. *Sardanápolo*
Rey de Asiria (669 - 630 o 626 a. de J. C.). Acabó su vida suicidándose.
Nero
Nero Claudio César, emperador romano (54 - 68).

669. *Obprobio*
Oprobio, deshonor.

671. *nin*
Ni invade a veces el terreno de *y* u *o*. Cf. *Hanssen*, párr. 680, p. 289.

praticar
Tratar (de). Cf. *DCELC*, s. v. *práctica*.

673. *Tiestes e Atreo*
Hijos de Pélope y de Hipodamía. Cometieron los crímenes más atroces.

674. *clámate de*
Indígnate de, quéjate de. Es un cultismo (léxico y semántico). Cf. José Jesús de Bustos Tovar, *op. cit.*, p. 372, y *DCRLC*, s. v.

676. *Thereo*
Tereo, rey de Tracia, esposo de Procne. Violó a su cuñada Filomena.

677. *generosos*
De buen linaje. Es un cultismo semántico.

682. *cúlmenes*
Cumbres. *Culmen* es forma culta.

704. *en el peso*
Al pesarlos.

710. *sepas*
Cf. la nota al vs. 372.

712. *se fenescan*
Se acaben.

716. *del effecto desparas*
Quiere decir: te apartas del asunto que estamos discutiendo.

717. *menazas*
Amenazas. *Menaza* del lat. *mĭnacia*.

719. *azes*
Ejércitos.

722. *desferra*
Botín. Se trata de un catalanismo. Cf. *DCELC*, s. v. *hierro*. Figura ya en el *Laberinto de Fortuna* (1444), estr. 152h.

725. *a uiçendas*
Alternativamente. Procede del italiano. Cf. *Amador*, p. 533,b, y Carlo Battisti y Giovanni Alessio, *Dizionario Etimologico Italiano*, Firenze, 1950.

736. *çibo*
Comida.

739. *los estoiçianos*
Los filósofos estoicos. Los códices dicen *estoçianos* o *escoçianos*. Enmendamos *estoiçianos*; cf. la forma *stoiçiani* que figura en una biografía corta de Séneca, la cual precede a unas obras del estoico cordobés en italiano en un manuscrito que perteneció a la biblioteca del Marqués (apud Schiff, *op. cit.*, p. 104).

740. *academios*

Filósofos de la Academia, o sea, de la escuela filosófica platónica. En cuanto a la forma *academios:* donde hubiéramos esperado en el *Laberinto de Fortuna*, estr. 92b *çilenio* (del lat. *Cillenius)* aparece *çilénico.* En sentido inverso tenemos aquí *academios* en lugar de *académicos* (del lat. *academicos).* En el *Omero romançado* figuran tanto *omerio* como *homérico* (apud María Rosa Lida de Malkiel, *op. cit.*, p. 268).

746. *las quatro santas lumbres*

Las virtudes cardinales: prudencia, templanza, justicia y fortaleza.

749. *Tales*

Tales de Mileto, filósofo griego; el primero del grupo de los siete sabios *(WB,* Cap. I).

750. *Chillón*

Quilón de Lacedemonia, uno de los siete sabios de Grecia *(WB,* Cap. III).

751. *Pítaco*

Pítaco de Mileto, uno de los siete sabios *(WB,* Cap. IV).

Zenón

Filósofo griego, «ynventor de la seta de los estoycos» *(WB,* Cap. XXV).

753. *Cleobolo*

Cleóbolo, uno de los siete sabios *(WB,* Cap. VI).

754. *comendando la justiçia*

Una de las sentencias de Cleóbolo reza: «Fuyr la ynjusticia» *(WB,* p. 43).

755. *Theofrasto*

Teofrasto, discípulo de Aristóteles *(WB,* Cap. LXVII).

de amiçiçia

«Y cunple que las amistades sean ynmortales. Qual es el cuerpo syn anima, tal es el onbre syn amigos. Con los amigos conviene aver breves oraciones y luengas amistades» (Teofrasto, *WB,* pp. 283 y 285).

758. *Periandro*

Filósofo de Corinto, otro del grupo de los siete sabios *(WB,* Cap. VII).

759. *Anaximandro*

Discípulo de Tales *(WB,* Cap. IX).

762. *Anaxágoras*

Discípulo de Anaxímenes y maestro de Arquelao *(WB,* Cap. XVIII).

Crates

Discípulo de Estilpo y maestro de Zenón *(WB,* Cap. XIX).

763 - 764. *sueltos ... riquezas fingidas*

En el Cap. XIX de *WB* leemos entre otras cosas: «Aqueste (=Crates) segunt dise Geronimo en la epistola tercera, tomo un grant peso de oro y lançolo en la mar, disiendo: 'Ydvos de mi, pessymas rriquezas. Y antes yo somire a vos que sea de vosotros somido'. Ca non penso que junta mente podian estar virtudes y rriquesas» (p. 85).

766. *el Espartano*
Se refiere Santillana a Licurgo quien «conpuso derechos a los de Lacedemonia» *(WB,* Cap. XVI, p. 63).

767 - 968. *ca ... tornó*
«E por dar eternidad y perpetuacion a sus leyes obligo (=Licurgo) a la cibdad por sacramento, y fisoles jurar que non mudarian alguna cosa de aquellas leyes fasta que el bolviese, y finjo (sic) que tornava al oraculo de Apolo delfico a le demandar que estava de annadir o de menguar en aquellas leyes. Y fuese a Creta y fiso en ella destierro voluntario. E quando murio mando que lançasen los sus huesos en la mar porque por ventura los de Lacedemonia non llevasen su cuerpo y asy pensasen ser delibrados del sacramento que les avia fecho jurar *(WB,* p. 65).

770. *Pitágoras*
Filósofo griego *(WB,* Cap. XVII).

772 - 773. *inuentor... de los cantos*
«fue (=Pitágoras) el ynventor de la musica arte» *(WB,* p. 69).

775. *enigmatos*
«Ensenno Pitagoras aquestos enigmas y figuras...» *(WB,* p. 75).
La forma *enigmas* es una enmienda de Knust porque el códice h-III-I de El Escorial dice *enigmatos.* Por tanto, esta forma antietimológica —en latín era *aenigma*— procedió de la traducción castellana de *WB.* Figura *enigmato* también en una 'respuesta' del Marqués a Juan de Mena *(ed. Amador,* p. 323).

776. *fermosos*
Sin razón prefirió *Amador* la lección de Mi *(fraudosos)* a la de Ma y Sd. *Durán* corrigió el error.

777 - 779. *vejedad ... Gorgías*
De Gorgias, filósofo griego, leemos en *WB:* «Aqueste, segunt dise Tullio en el libro de senectute, cunplio ciento y siete annos» (p. 99).

781. *Estilbón*
Estilpo, filósofo griego, maestro de Crates *(WB,* Cap. XX). Cf. la nota a las líneas 193-195 del *Prohemio.*

785. *Platón*
WB, Cap. LI.

786. *del Academia*
Esta lectura es preferible a la de *Amador (de l'Academia)* porque en español antiguo la forma del artículo determinado ante sustantivo femenino singular con vocal inicial es generalmente *el.* Cf. *el espada* (vss. 982 y 1045); *Comedieta de Ponza (ed. cit.):* el açada (vs. 121), el agua (vs. 418), el alua (vs. 451), el armeria (vs. 609), el anima (vs. 659), el hermana (vs. 809), etc.

787. *premia*
Coacción, apremio.

788. *baniçión*
Destierro. Sustantivo derivado de un verbo *banir*, del francés *bannir*.

790. *trayó*
Al lado de las formas fuertes del perfecto de *traer (traxo, trajo, trasco, trexo, troxo, truxo)* existe la débil *trayó*. Cf. Adolf Zauner, *Altspanisches Elementarbuch*, 2.ª edición, Heidelberg, 1921, párr. 133, p. 87, y *A Medieval Spanish Word-List*, by Víctor R. B. Oelschläger, Madison, 1940, s. v. *traer*.

791. *aquel*
Moisés.

799 - 800. *fábulas ... versos*
En las estrofas CI-CIX imita el Marqués a Ovidio, *Metamorfosis*, I, vss. 5 y ss. Cf. María Rosa Lida de Malkiel, «Un nuevo estudio sobre el Marqués de Santillana», *Romance Philology*, XIII (1960), pp. 295-296, y María Isabel López Bascuñana, «El mundo y la cultura grecorromana...», *art. cit.*, pp. 299-301. Esta autora repite los ejemplos dados por María Rosa Lida. Seguramente pensó el Marqués también en el relato bíblico de la creación *(Génesis)* al escribir estas estrofas.

805 - 807. Es interesante ver cómo en este pasaje Dios no es el creador de la 'materia prima', sino el que ordena el 'caos' separando los distintos elementos. Santillana sigue aquí de cerca los vss. 21-25 de las *Metamorfosis:* «Hanc deus et melior litem natura diremit», etc...

825. *natura naturante*
Con este concepto se designaba en la Escolástica a Dios o a la fuerza creadora subordinada a Dios. Cf. Otis H. Green, *Spain and the Western Tradition*, Volume II, Madison, Milwaukee, and London, 1968, pp. 76 y ss.

827. *desboluió*
Alteró.

833 - 836. Este pasaje es una reminiscencia de las *Metamorfosis* ovidianas, I, vss. 26-31. No figura entre los ejemplos proporcionados por María Rosa Lida *(art. cit.. p. 296)*.

842. *terrestes*
Cf. la nota a las líneas 129-130 del *Prohemío*.

845 - 848. *rresçibiesen ... produxiesen*
La mayoría de los códices lee *reçibiese* y *produxesse*. Yo pongo el plural porque a mi juicio es el sujeto del verbo en el vs. 848 la tierra, el agua y el aire. Entonces la rima exige la tercera persona del plural para el verbo del vs. 845, de modo que el sujeto de *rresçibiesen* tiene que ser las *bolantes aues*.

851. *lazos cauernales*
Éolo fue considerado como dios de los vientos, a los que tenía encerrados en una gruta.

853. *Euro*
Viento que sopla del Oriente.

853 - 854. *vía nabathea*
En lugar de *el oriente.* Los nabateos eran un pueblo nómada de la Arabia Petrea.

855. *Siçia*
Escitia, región del Asia Antigua en el nordeste de Europa.

Borea
Bóreas, viento norte.

856. *Austro*
Viento sur.

Mediodía
El sur.

857. *Séffiro*
Céfiro, viento que sopla del oeste.

862. *pella*
Creo que está metafóricamente en lugar de la *tierra* o el *mundo.* En la glosa a la primera copla de la *Coronación* (1438) escribe Juan de Mena: «Spera puede ser dicha qual quiera *cosa redonda* como *pella* et el griego a qual quiera cosa rredonda spera la llama perq*u*e spera esta agua por todo el mundo cuyo çentro es la tierra ca sperico siquier rredondo es la rredondeza del qual es çenida del zodiaco el çentro del qual es la tierra... El spera por todo el mundo» (*(ed. cit.,* fol. 5v).

863 - 864. *se pinta ... primavera*
Quiere decir: otros vientos traen la primavera en que el mundo se cubre de hierbas y flores. En la *Coronación* llama Juan de Mena al verano «el pintor del mundo, ca le guarnesçe de yeruas y de flores» *(ed. cit.,* fol. 3r). Santillana hace de la primavera «el pintor del mundo». En la *Rima* CCCX de Petrarca encontramos una imagen idéntica:
«Zefiro torna, e'l bel tempo rimena,
E i fiori e l'erbe, sua dolce famiglia,
E garrir Progne e pianger Filomena,
E primavera candida e vermiglia»
(Francesco Petrarca, *Le Rime,* a cura di Giosue Carducci e Severino Ferrari, Sansoni, Firenze, 1965, p. 424).

876. *maestra mía*
Mantengo esta lección que es la de todos los manuscritos. *Amador* enmendó *philosophía.*

878. *mal tu grado*
Mal de tu grado, contra tu voluntad.

883. *tripudio*
Danza (del lat. *tripudium).* Aquí significa más bien *bullicio.* Es un cultismo, aunque sea posible también que fuese tomado del italiano (Dante, *Divina Commedia,* Par. XII, 22 y XXVIII, 124; apud Carlo Battisti y Giovanni Alessio, *Dizionario..., op. cit.,* s. v.).

888. *calma*
Calmo se documenta según el *DCELC* por primera vez en 1570.

895. *estudia ... las sus fojas e columpnas*

Es un juego de palabras. En la cárcel Bías no tendrá libros a su disposición, de modo que no podrá estudiar allí las hojas y columnas de los libros, sino las hojas de las puertas y los pilares de las paredes.

901. *Demócrito se çegó*

Demócrito, filósofo griego, «sacose los ojos por aver mas sotiles y agudas cogitaciones» *(WB*, Cap. XLIII, pp. 177 y 179).

908. *joyeles*

Joyas pequeñas. Es la primera vez que aparece este vocablo en castellano. Puede ser un galicismo o un italianismo. Cf. *DCELC*, s. v. *joya*, y Terlingen, *op. cit.,* p. 336.

912. *baño*

Prisión. Cf. Miguel Garci-Gómez, *est. cit.*, p. 129, nota 1.

916. *escriuieron*

Por la construcción con la preposición *de* prefiero esta lección a la de *Amador,* quien leyó *descrivieron.* Cf. el vs. 419.

919. *Non morirás...*

Amador siguió la versión de Mi *(sí morirás).* Yo mantengo la lectura de casi todos los códices, en los cuales tras *morirás* Bías ataja a la Fortuna diciendo: «Ffazlo ya». Iba a decir Fortuna algo así como «non morirás (todavía/tan a prisa)».

921. *non serán tantos*

A saber: mis dolores.

922. *comportar*

Sufrir.

929 - 930. *nin pienses ... falles*

Está suprimido el *que.*

938. *bía a las manos*

Amador optó por la versión de Mi y Pe *(o bías a manos mías).* Nuestro criterio impone: *pues bía a las manos bías. Bía* se usaba como elemento exhortativo con elipsis del verbo; cf. *DCELC, s. v. vía.* Una posible interpretación del verso sería : ¡ea, ven a las manos conmigo, Bías!, teniendo *venir a las manos* el significado de *disputar, argüir (Aut).*

941. *contingente de raro*

Algo que sucede raras veces. Corominas documenta la primera ocurrencia de *contingente* en 1615 *(DCELC,* s. v. *acontecer).*

947. *leve*

MHa, Mc, Mi, Mo, T, Sa, Pe, Pg, R y H leen *lieve* (Mo: *llieue).* Corominas escribe sobre esta forma: «Suele citarse un castellano antiguo 'lieve', que sería representante popular del mismo vocablo; sin embargo, sólo se halla en ciertas combinaciones; en Berceo el adverbio compuesto 'bien lieve' 'quizá'...; 'de lieve' 'fácilmente' Alex., 842;... en APal. 513[b] el sentido del adjetivo 'lieve' no es claro, parece haber errata» *(DCELC,* s. v. *leve).* Sin embargo, creo que los ejemplos aducidos arriba demuestran que la interpretación de Corominas no es totalmente correcta.

951. *Dido*

Después de la muerte de su marido Dido hizo voto de castidad. Salió de Fenicia y fundó Cartago, donde fue forzada por el rey Hiarba a que se casara con él. Pero «quiso antes morir casta que non vivir violada; e asy se lançó en viva flama, donde fenesçió sus dias» (glosa a la estr. LIV de los *Proverbios, ed. Amador*, pp. 79 - 80).

La vida de Dido se cuenta extensamente en *De mulieribus claris* de Bocacio, Cap. XLII (véase el vol. X de *Tutte le opere di Giovanni Boccaccio*, a cura di Vittorio Zaccaria, Arnaldo Mondadori Editore, Verona, 1970, pp. 168 - 183), obra que el Marqués conoció probablemente en traducción castellana, puesto que en la glosa a la estr. III de los *Proverbios* habla del *Libro de las Dueñas (ed. Amador*, p. 69). Cf. Schiff, *op. cit.*, pp. 346 - 347.

954. *Porçia*

Porcia, hija de Catón de Útica, se suicidó después de haberse enterado de la muerte de Bruto, su marido. La fuente es el *Libro de las Dueñas* de Bocacio como don Íñigo escribe en la glosa a la estr. III de los *Proverbios (ed. Amador*, p. 69).

patrizó

Es la lectura de MHa, Ma, Mc, Mo, T, Sa, Sd, Ps y H. La subtradición δ tiene *platicó. Amador* enmendó Mi proponiendo *praticó*. Yo mantengo *patrizó*, del latín *patrizare* con el significado de *imitar al padre*. Y, en efecto, al suicidarse imitó Porcia a su padre Catón de Útica, el cual «con su mesma espada se fiço tal llaga, de que murió» (glosa a la estr. LVI de los *Proverbios, ed. Amador*, pp. 80 - 81). La interpretación del verso 954 será, pues: porque Porcia ya imitó a su padre.

Que yo sepa, es éste el único lugar donde aparece en español el verbo *patrizar*. En Italia está documentado el verbo a partir del siglo XIV (*Dizionario Enciclopedico Italiano*, Roma, 1958, s. v.). Por lo tanto, me inclino a pensar que Santillana tomó el verbo del italiano.

956. *la muger de Collantino*

Lucrecia, mujer de Colatino, se suicidó después de haber sido violada por Tarquino Sexto. En el comentario a la estr. XL de los *Proverbios (ed. Amador*, p. 73), atribuido en la edición de 1494 a Pero Días de Toledo (cf. Jules Piccus en su reseña de Santillana, Marqués de, *Poesías completas*. Edición de Manuel Durán, etc., *Hispania*, 65 (1982), p. 140), se lee que la historia de Lucrecia procedió de una versión italiana de las *Quatro virtudes cardinales* del «Maestre Johan Galense» (= John Wallensis o Waleys, franciscano, que enseñó en Oxford y París; se murió en 1283), o sea, del *Breuiloquium de virtutibis antiquorum principum et philosophorum*, editum a fratre Joanne Valensi, ordinis fratrum minorum (en *Summa Joannis Vallensis de regimine vite humane*, etc., Argentinae, 1518, fol. CCᵇv), titulado también *Breviloquium de Quatuor Virtutibus Cardinalibus*. Cf. el *Dictionary of National Biography*, edited by Sidney Lee, Vol. LIX, London, 1899, pp. 119 - 120.

Sin embargo, la detallada descripción del triste fin de la vida de Lucrecia en el comentario a la estr. XL no corresponde a la muy breve mención del asunto en la obrita de John Waleys *(ed. cit.,* fol. CCXVIª), quien se basa en *De civitate Dei,* Lib. I, Cap. XIX de San Agustín. El Santo Padre de la Iglesia tampoco escribe extensamente sobre la violación y muerte de Lucrecia (véase *Sancti Aurelii Augustini episcopi 'De Civitate Dei',* Libri XXII, iterum recognovit B. Dombart, Vol. I, Lipsiae, 1877, Lib. I, Cap. XIX, pp. 31-33). Otras fuentes que se mencionan son Tito Livio y Valerio Máximo, y en el comentario a la estr. LIV de los *Proverbios* cita también a «Johan Bocaçio en los sus libros *De Casibus,* e en el *Praeclaris mulieribus*» *(ed. Amador,* p. 79). Ahora bien, buena parte de la glosa a la estr. XL corresponde a lo que se cuenta sobre Lucrecia en el capítulo XLVIII de *De mulieribus claris* de Bocacio *(ed. cit.,* pp. 194-197). Tal vez manejara Santillana una versión con comentario en el que iban mencionados otros 'auctores' que también habían tratado del tema, como Livio, Valerio Máximo, San Agustín y John Waleys. Un procedimiento igual hemos visto al discutir la utilización de *De vita et moribus philosophorum* de Walter Burley (véase la nota a las líneas 118 y ss. del *Prohemio),* fuente en que el Marqués bebió directamente, aunque dice haber tomado la materia de Diógenes Laercio y Valerio Máximo, autoridades mencionadas también por Walter Burley.

957. Daymira
Deyanira, esposa de Heracles, se suicidó al darse cuenta de que había causado la muerte de su marido con la túnica que Neso le había entregado por si Heracles un día le fuese infiel. Lo que Deyanira no sabía era que la túnica estaba impregnada con el veneno de la Hidra de Lerna.
Posibles fuentes son: Ovidio, *Metamorfosis,* IX, vss. 98 y ss., *De mulieribus claris* de Bocacio, Cap. XXIV *(ed. cit.,* pp. 106-107) y la *General Estoria (Segunda Parte, ed. cit.,* II, pp. 39 y ss.). La forma *Daymira* era muy frecuente; cf. mi edición de la *Comedieta de Ponza,* nota al vs. 827, p. 403. Añádase a los ejemplos dados allí: la *General Estoria (Segunda Parte, ed. cit.,* II, pp. 39 y ss.).

958. Yocasta
Madre y mujer de Edipo. Acabó su vida suicidándose. Cf. *De mulieribus claris,* Cap. XXV, *ed. cit.,* pp. 108-109.

959. çertas
Ciertamente. La forma *çertas* procede del francés o catalán antiguo *certes,* o del occitano antiguo *certas (DCELC,* s. v. *cierto).*

la
La muerte.

969. Catón
Véase la nota al vs. 954.

970. Anibal
Este 'emperador' cartaginés acabó su vida envenenándose.

973. Sçéuola
En el comentario a la estr. LVI de los *Proverbios* se lee: «Porsena...

mandó quemar a Muçio Çévola: el qual verilmente metió el braço en el fuego, e alegremente lo tovo fasta tanto que la blancura de los huessos fue patente a todos. E como le fuesse preguntado qual era el motivo de tormentar a su mesma carne, respondió, que pues su braço e mano avian fallido a su virtuoso propóssito, que raçonable cosa era que padesçiessen pena por tal culpa» *(ed. Amador,* p. 81). En el séptimo verso de la estr. LVI menciona Santillana como fuentes a Livio y Lucio (= Lucio Anneo Séneca).

979. *Domiçio*
Probablemente Lucio Domicio Enobardo, cónsul en 54 a. de J.C. Murió en la batalla de Farsalia en 48 (cf. la *Farsalia* de Lucano, VII, vss. 599-616).

980. *continente*
Tal vez signifique aquí *firme.*

Metello
Se trata indudablemente del tribuno Metelo que aparece en la *Farsalia* de Lucano (III, vss. 112-153). Reichenberger *(art. cit.,* p. 31) resume este pasaje de la manera siguiente: «Metellus, *tribunus plebis,* was ready to sacrifice his life when he defended the Roman treasury with his body against the plundering soldiers of Caesar's army and *was threatened by Caesar's sword.* Since tribunes were sacrosanct, he was pushed aside but not killed.»

981. *lo*
No hay por qué enmendar *lo* en *los* como hizo *Amador.* Con *lo* se refiere a Metelo (véase la nota anterior).

983 - 984. *pues ... carrera*
Bías dice: pues no dudes más que me niegue a seguir este camino, o sea, que me niegue a suicidarme. *Nada* refuerza la negación. Ningún códice tiene la lectura de *Amador (me reffuse).*

933. *loores*
La lección de *Amador (errores)* sólo se encuentra en Ma. Pero *loores* es sin duda mejor lectura.

995. *enpezcan*
Perjudiquen.

1001. *prinçipiado*
Iniciado.

1008. *duquesa*
Guía.

1017 - 1024. Este pasaje no procede de *WB* —como se esperaría—, sino de *La vida de Apolonio de Tiana* de Filóstrato (ver *The life of Apollonius of Tyana,* The Loeb Classical Library, vol. I, Cambridge, Massachusetts, 1960, Lib. III, Cap. XVI, p. 261) a través de la *Epístola* LIII de San Jerónimo: «Apollonius... transiuit Caucasum (cf. el vs. 1013) ...et... peruenit ad Bragmanas, ut Hiarcam, in throno sedentem aureo et de Tantali fonte potantem, inter paucos discipulos de natura, de moribus ac de siderum cursu audiret docentem; inde per Elamitas... Alexandriam (cf. el vs. 1025) perexit» *(Sancti Hieronymi Epistulae LIII-LXX,* en *Saint Jérôme, Lettres,* tome III, Texte établi et traduit par Jérôme Labourt, Paris, 1953, p. 9). Cf. María Rosa Lida de Malkiel, *art. cit.,* p. 296, nota 10. Volveremos sobre el tema en la nota a los vss. 1027 - 1028.

1019. *cadira*
Es un catalanismo. Cf. el *Diccionari català-valencià-balear, op. cit.,* s. v.; véase también la nota al vs. 556 en mi edición de la *Comedieta de Ponza, ed. cit.,* pp. 387-388.

1020 - 1021. *donde ... prea*
Metafóricamente por: donde yo recibí lecciones muy útiles y profundas.

1021. *salda*
Firme, sólida. Sin duda se trata de un italianismo; cf. *DCELC,* s v. *saldar.*

1024. *fuente tantalea*
A causa de una serie de delitos fue castigado Tántalo por los dioses de la manera siguiente: no podía beber del agua que le llegaba hasta el cuello, ni comer de los frutales que se hallaban a su alcance.

1027 - 1028. *Gades ... herculinas*
En la *Cosmographia Aethici Istrici ab Hieronymo ex graeco in latinum breviarium redacta,* obrita redactada en el siglo VII (véase Max Manitius, *Geschichte der lateinischen Literatur des Mittelalters,* Erster Teil: von Justianian bis zur Mitte des zehnten Jahrhunderts, München, 1911, p. 230) y muy difundida en la Edad Media, leemos cómo Ético de Istria tuvo una discusión con el brahmán Hiarca («... Hiarcam sablo cathedram sedentem auream») para ir después «usque ultra Gades et Hercoleas columnas» (edición de Henricus Wuttke, Lipsiae, 1853, I, 17, pp. 9 - 10 y II, 23, p. 14).
En el prólogo a su edición del tratado menciona Wuttke un manuscrito español del siglo XI *(ed cit.,* p. CXXXVII).

1042. *feroçes*
Puede que tenga aquí el sentido positivo de *valerosos, esforzados.*

1053. *maneras fictas*
Véase el *Prohemio,* líneas 156 y ss.

1058. *fuesse*
Es la lectura de todos los manuscritos. No hay por qué sustituirla por *fuera* como hizo *Amador.*

1061. *las señas de mi haz*
Los estandartes de mi ejército.

1072. *tres estados*
Los tres brazos del reino, a saber, el clero, la nobleza y el pueblo.

1080. *paresçió*
En la edición de *Amador* leemos *parejo.* Sin embargo, todos los manuscritos dicen *paresçió,* que es buena lectura.

1085. *e a los*
Aunque la lectura sin *e* representa el valor ½ α + ½ β, sigo la de Ma y Sa (= ½ α + Sa; falta el verso en Mi, Pe, Pg y R) por dar esta lección ocho sílabas al verso.

1093. *sobornaçiones*
Corominas *(DCELC,* s. v. *ornar)* señala como fechas de primera aparición 1493 o 1495.

1100. *de consuno*
En unión, juntamente.

1113 - 1114. *Fuý ... saben*
Huí del contacto con los ignorantes.

1136. *de cuydados ayuno*
Privado de cuidados.

1141. *alcauela*
Alcabala. Es un préstamo porque no cambió la *a* en *e* como en *almoneda* (del ár. al-munáda) o *alcahuete* (del ár. al--qawwád) (véase F. Corriente, *A grammatical sketch of the Spanish Arabic dialect bundle,* Madrid, 1977, pp. 22-23). Por lo tanto, el árabe *al-qabála* podría haber dado *alcabela.* Pero, por no estar documentada esta forma, parece más prudente atribuir a la rima la *e* de *alcauela* en nuestro texto.

1143 - 1144. *leuanté ... vela*
Dejé de remar y recogí la vela, es decir, dejé los cargos públicos.

1152. *al*
Otra cosa.

1162. *que*
Amador optó por *de,* lectura de Mi. De acuerdo con nuestro criterio ponemos nosotros *que,* interpretando: que los culpados *usan* (zeugma).

1163. *quando ya son*
Innecesariamente enmendó *Amador: que quando son.*

1164. *por*
En contra de lo que dicen los códices cambió *Amador* 'por' en 'con'.

1106. *a las*
Opto aquí por la lección de la mayoría de los representantes de β.

1165. *ca detienen*
La lectura de la edición de *Amador (entretienen)* no figura en ningún manuscrito.

1171 - 1172. *e pues ... crueldad*
Y puesto que no puedes ejercer suficientemente tu crueldad.

1176. *non cale que*
No hace falta que. Cf. Hans Helmut Christmann, *Lateinisch 'calere' in den romanischen Sprachen,* mit besonderer Berücksichtigung des Französischen, Wiesbaden, 1958, pp. 28 y 73 - 75.

1178. *Auerno*
El infierno.
De aquí en adelante (hasta la estr. CLXXVI) sigue el Marqués de cerca a la *Eneida* de Virgilio, Libro VI. Poseyó don Íñigo una traducción

de esta obra virgiliana hecha por Enrique de Villena (cf. Schiff, *op. cit.*, pp. 89 - 90). Reichenberger y María Isabel López Bascuñana (respectivamente *art. cit.*, pp. 30 - 31 y «El mundo y la cultura grecorromana...», *art. cit.*, pp. 277 - 278 y 280 - 281) han señalado ya la mayoría de las coincidencias.

1179. *terresçes*
Temes. Del latín *terrere* más la terminación incoativa.

1193 - 1194, 1196 - 1197. *Theseo... Alçides... Peritheo... Proserpina*
Figuran en los vss. 392 - 393 y 402 del Libro VI de la *Eneida* (*The Aeneid of Virgil*, edited with Introduction and Notes by T. E. Page, M. A., New York, 1967). Teseo, Alcides y Prosérpina se mencionan también en los vss. 122 - 123 y 142.

1193. *Theseo*
Héroe de Ática (Grecia), hijo de Egeo. Bajó al infierno.

1194. *Alçides*
Heracles, descendiente de Alceo. Rescató a Teseo del infierno.

1196. *Peritheo*
Pirítoo, héroe lapita, amigo de Teseo con quien entró en el infierno.

1197 - 1198. *Proserpina... robada*
Teseo y Pirítoo bajaron al infierno para intentar raptar a Prosérpina, una divinidad infernal. Hades descubrió el motivo de su visita y los encadenó. Más tarde fue libertado Teseo por Heracles. Al intento de raptar a Prosérpina se hace alusión en el vs. 397 de la *Eneida*, VI.

1202 - 1203. Compárense los vss. 374 - 375 de la *Eneida*, VI:
«tu (=Palinuro) *Stygias* inhumatus aquas amnemque severum
Eumenidum adspicies ripamve iniussus adibis?»

1202. *las Estigias*
Las diosas infernales del Estigia (cf. la *Eneida*, VI, vs. 374).

1203. *las Eumenidas*
Las Furias (cf. la *Eneida*, VI, vs. 375).

1204. *mostruos*
Monstruos. Para las formas *mostruo, mostro*, véase *DCELC*, s. v. *mostrar*.

mostruos infernales
Véanse los vss. 285 - 289 de la *Eneida*, VI:
«Multaque praeterea variarum monstra ferarum
Centauri in foribus stabulant Scyllaeque biformes
et centumgeminus Briareus ac belua Lernae
horrendum stridens flammisque armata Chimaera,
Gorgones Harpyiaeque et forma tricorporis umbrae».

1205 - 1206. *los ojos inflamados/de Carón:*
Carón o Caronte es el barquero del río Estigia o del Aqueronte. En la descripción que Virgilio hace de él se lee entre otras cosas: «stant lumina flamma» (*Eneida*, VI, vs. 300).

1211. *las ánimas siniestras*
Con toda probabilidad son las ánimas de los culpados que se encuentran al lado de «la siniestra carrera» (cf. los vss. 1241 - 1242).

1215. *esentos*
Exentos, libres de temor.

1217. *huerco*
El infierno.

1222 - 1223. *denegado que non*
Para el uso de la negación expletiva después de un verbo de impedimento, véase K. Wagenaar, *Étude sur la négation en ancien espagnol jusqu'au XVᵉ siècle*, Groningen-Den Haag, 1930, pp. 158-175.

1223. *no ... sepultado*
En este caso el alma no puede pasar el río Estigia y no encuentra descanso. Compárense los vss. 325 - 328 de la *Eneida*, VI:
«haec omnis, quam cernis, inops inhumataque turba est:
portitor ille Charon; hi, quos vehit unda, sepulti.
nec ripas datur horrendas et rauca fluenta
transportare prius, quam sedibus ossa quierunt».

1224. *queden*
Cesen.

1227. tribulança
Congoja, tormento.

1228. *de continente*
En continente, sin dilación.

1231. *reduzirme*
Volver a llevarme.

1239. */algunos : ningunos/*
Cf. Metzeltin, *op. cit.*, párr. 50.1, p. 62.

1240. *enemigas*
Nuestro criterio impone esta lectura, que también es exigida por la rima. Por lo tanto no es necesario enmendarla como hizo *Amador*.

1241 - 1242. *la siniestra/carrera*
Después de haber cruzado el río Estigia, Eneas y la sibila llegan en cierto momento a una bifurcación:
«hic locus est, partis ubi se via findit in ambas:
dextera quae Ditis magni sub moenia tendit,
hac iter Elysium nobis; at laeva malorum
exercet poenas et ad inpia Tartara mittit» (*Eneida*, VI, vss. 540 - 543).

1243. *cruçiados*
Cruciar es un cultismo, del latín *cruciare* (por vía popular *cruzar*).

1250. *Titanos*
Los Titanes, hijos de Urano y Gea (cf. la *Eneida*, VI, vs. 580).

1252. *noxia*
Perjudicable. Es un latinismo. La solución de *Amador (non sana)* surgió de una mala lectura de Sd.

1255. *tronante Jupiter*
Júpiter, lanzador de relámpagos y truenos.

1257. *Aloydas*
Los Alóadas son Oto y Efialtes, hijos de Posidón (cf. la *Eneida*, VI, vs. 582).

1264. *tartáreas fonduras*
Las profundidades del Tártaro, o sea, del infierno (cf. la *Eneida*, VI, vss. 577 - 578).

1265. *Salamona*
Salmoneo, hijo de Éolo. *Talamona*, la lectura de *Amador*, no figura en ningún códice. Cf. la *Eneida*, VI, vs. 585: «vidi et crudelis dantem Salmonea poenas». Salmoneo pretendió imitar el trueno de Júpiter arrastrando unos calderos de bronce atados a su carro y arrojó antorchas encendidas simulando el rayo (cf. la *Eneida*, VI, vss. 585 - 591).

1270. *Yda*
El monte Ida cerca de Troya, residencia de los dioses.

1272. *el Alto fulgureando*
Júpiter lo castigó fulminándolo con su rayo (cf. la *Eneida*, VI, vss. 592 - 594).

fulgureando
Según Corominas *(DCELC*, s. v. *fulgor)* se documenta el verbo por primera vez en Alonso de Palencia.

1273. *Tiçio*
Ticio, hijo de Zeus. Como se ve (vss. 1274 - 1275) sufrió un castigo igual al de Prometeo (cf. la *Eneida*, VI, vss. 595 - 600).

1274. *bueytre*
Para esta variante fonética de *buitre*, véase *DCELC*, s. v.

1279. *lafitas*
Los lapitas, un pueblo mítico que vivió en las montañas de Tesalia (cf. la *Eneida*, VI, vs. 601).

1277 - 1279. *temientes...despeña*
Compárense los vss. 602 - 603 de la *Eneida*, VI:
«quos super atra silex iam lapsura cadentique /
inminet adsimilis; ...»

1289. *Flegías*
Rey de los lapitas. Incendió el templo de Apolo cuando se enteró del hecho de que éste había seducido a su hija. Apolo lo castigó arrojándolo al Tártaro (cf. la *Eneida*, VI, vs. 618).

1291. *llanto*
Esta lección la impone nuestro criterio. Además es preferible a *canto* (Ma y Sa) del texto de *Amador*.

1293 - 1294. *corronpieron/ sus deodos*
Imitación libre del verso virgiliano:
«hic thalamum invasit natae vetitosque hymenaeos» *(Eneida*, VI, vs. 623).

deodos
Parientes.

1297. *Çiclopes*
Los Ciclopes son seres gigantescos con un solo ojo en la frente. Fueron arrojados al Tártaro por Úrano (cf. la *Eneida,* VI, vs. 630).

1301 - 1302. *Campos...Eliseos*
El paraíso del mundo clásico (cf. la *Eneida,* VI, vs. 542).

1305. *Orpheo*
Rey de Tracia, poeta y músico; esposo de Eurídice.

1306. *saçerdote de Traçia*
En la *Eneida,* VI, vs. 645 se lee: «Threicius...sacerdos».

1309 - 1311. *obtuuo... Erúdiçe*
Cuando Eurídice se murió, Orfeo decidió bajar al infierno con la intención de llevársela de allí. Con su lira encantó a Cérbero, el perro monstruoso que guardaba la entrada.

1312. *cuento plazentero*
Esta historia la cuenta entre otros Ovidio en sus *Metamorfosis,* X, vss. 1 - 7.

1313. *D'esta tierra*
A saber, de los Campos Elíseos.

1320. *sabia mano*
La mano de Dios.

1323. *recontado*
Es la lectura de todos los manuscritos menos MHa, Mc, T, Sa y Ps; éstos leen *rrecontando.* Se trata de una cláusula absoluta con elipsis: siendo esto recontado por los autores.

1325. Otra vez da *Amador* preferencia a una lección única (Ma: *ca estas nuestras pinturas).* Sin embargo, el texto de los demás manuscritos (—T y H) es mejor: tantas (vs. 1322)... que éstas (=las diversidades de los colores, vss. 1321 - 1322) de nuestras pinturas, cerca de ellas, etc.

1348. *frondesçen*
También aquí prefirió *Amador* la lectura de Ma *(floresçen).* El verbo *frondecer* (= ponerse verde) fue tomado del latín *frondēscere.* No lo encuentro documentado en ningún diccionario.

1353. *Eridano*
Río que corre por los Campos Elíseos (cf. la *Eneida,* VI, vs. 659).

1355. *riguridad*
Rigurosidad. Cf. *DCELC,* s. v. *recio.*

1366 - 1367. Cf la *Eneida,* VI, vss. 644 y 657.

1370. *metropología*
Por *metrología,* ciencia métrica.

13.73. *con largas vestiduras*
En la *Eneida*, VI, vs. 645, leemos: «Threicius longa cum veste sacerdos».
Ninguno de los códices tiene *luengas*, lectura de *Amador*.

1375. *con gran honestad*
Sin razón enmendó *Amador: con grave honestad*.

1398. Cf. la *Eneida*, VI, vs. 644.

1401 - 1404. Encuentro discutible el paralelo que establece María Isabel López Bascuñana («El mundo y la cultura grecorromana...», *art. cit.*, pp. 277-278) entre estos versos y los vss. 539 - 543 del libro VI de la *Eneida*.

1403. *e dioses con grand femençia*
Mi criterio impone la conjunción (Sd + β = ½ α + β). En cuanto al final del verso se oponen α y β (α: eminençia; β: femençia). Esta vez opto por la lección de β, que, a mi juicio, da mejor sentido al verso. Cf. el *Soneto* núm. III, vss. 3 - 4:
«quando solempnizauan a Heritina
las gentes d'ella *con toda femençia*»
(versión de Sd, Ma, Mi, Pe y Ph (= París, Bibliothèque Nationale, 313));
y la *Cançión a la señora Reyna*, estr. III, 1: *«Pues loen con grant femençia» (ed. Amador*, p. 450).
Con femençia significa: *con empeño, ahínco*.
Posiblemente surgió *eminençia* por una mala lectura de *hemençia*, variante de *femençia* (ver *DCELC*, s.v. *mente*).

14.10. *ínsola Delhós*
En Delos Latona dio a luz a Diana y Apolo. «Delius vates» llama Virgilio a Apolo *(Eneida*, VI, vs. 12). Cf. también Ovidio, *Metamorfosis*, I, vs. 454.

1415 - 1416. Alusión a la matanza de la serpiente Pitón por Apolo y a la transformación de Acteón en ciervo por Diana (cf. las *Metamorfosis*, I, vss. 438 - 451, y III, vss. 173 y ss.).

1417 - 1432. Véase el capítulo I. F.

1419. */sus : las/*
Estas lecturas representan respectivamente los valores ½α y ½β (véase el cuerpo de variantes).

1420. *lexos*
No entiendo por qué *Amador* prefirió la lectura de Mi *(de lueñe)* a la de Ma y Sd.

1435. *pro*
Por. La forma *pro* puede explicarse como latinización o como arcaísmo. Cf. *DCELC*, s.v. *por*. Véase también el vs. 244 de la *Comedieta de Ponza (ed. cit.)*.

IV. INVENTARIO DE LAS DISCREPANCIAS ENTRE LA EDICIÓN DE AMADOR Y LA NUESTRA

PRÓLOGO

líneas	Amador	nuestra edición
3	la tu vida	tu vida
3	e diçes	o dizes
15	le	lo
16	después	e después
27	e la falta	o la falta
33	e desde	Desde
43	las nuestras personas	las personas
53	a la raçon	a razón
62	la tu virtut	la virtud
67	del Garay	de Garray
69	Xalante	Xalançe
	Toreça	Theresa
75	de Jahen	Jaén
80	depende de	después dé
81	e a los	a los
82	espero yo que	espero yo sea que
85	fechos	seruiçios
86	otros serviçios	otros
91	reyes	príncipes
98-99	nuçible	yrasçible
102	a los sus cavallos	a sus cauallos
110	dende	desde
112	de mi thema	del mi thema
114-115	nobles e loables actos	nobles actos loables
116	a nuestro fecho	al nuestro fecho
121	e linaje	o linaje
	e instruydo	o instruydo
126	turasse	durasse
135	de los enemigos	de enemigos
136	extremidat	estrenuydad
137	de la su humanidat	de humanidad
137-138	del exérçito	del su exérçito
139	otras mugeres	otras cosas
140-141	ayuntadas	puestas
142	valerosas	valiosas
144-145	blasfemando	blasmando

líneas	*Amador*	*nuestra edición*
157	su defettuosa nesçessidat	la su deffectuosa neçessidad
163	fuese movida fabla	fuesse mouida e demandada fabla
164	fué açeptada	açeptada
165	de la su çibdat	de su çibdad
166	fablar o tractar de	fablar de
167	e de	o de
168	lo qual	lo tal
172	avían a passar	hauían de passar
	aquellas	aquellos
179	a esta sçiençia	a la sçiençia moral
	todas otras cosas	todas las otras cosas
189	exidos de la çibdat	exidos fuera de la çibdad
	fíngese	fingiesse
190	e como le preguntasse	e le preguntasse
191	este fué	e éste fue
193	todos los bienes mios	todos mis bienes
194	fue	fuesse
199	estudiat	estudia
	plaçer	complazer
200	para	pare
201	fuerte e fermoso	fuerte, fermoso
209	dos amigos	los amigos
210	dos enemigos	los enemigos
212	meditada	medida
213	mucho o poco tiempo	mucho tiempo o poco
214-215	del amistat	de la amistad
230	la tu vida	tu vida
231	contrarias	muy contrarias
232-233	el arrebatamiento	e el arrebatamiento
241-242	corriendo	e corriendo

Poema

vss.	*Amador*	*nuestra edición*
2	pienssas	cuydas
21	o	nin
27	del mal, prínçipe	de mal prínçipe
57	E más, que	Y demás
70	E de	Y aun de
79	e bondat	a bondad
87	e	o
98	nin	ni en
101	E vive	Mas biue
105	(sigue hablando Bías)	(habla Fortuna)
107	debates	debate
133	Si serán	Sy farán
136	lo cuda	al cuda
139	almenas	menas
153	combates a mano armada	e combate e mano armada

vss.	Amador	nuestra edición
159	queremos	querremos
160	feçistes	feziste
171	ca	e
181	E pues sé que	Pues sé ya que
202	peresçiera	peresçerá
203	viera	verá
216	segura	assegura
256	orgulloso e con	orgulloso con
263	yo muchas vegadas	non pocas vegadas
270	nin lo	nin yo lo
303	que lo	nin lo
311	una sola	Que es la sola
348	Tullo	Tulio
391	Gayo, Mario	Gayo Mario
395	augmentando los	augmentándoles
400	guadinas	gaudinas
461	e a	e
466	e de	e
467	Que de	e de
486	se ve	lo sé
488	cabtivos	afflictos
	pressos	opressos
505	o	e
519	Argia	Asia
563	nin de mas	nin de tan
567	séanse	sean
572	turó	duró
573	casos	cossos
576	festinales	festiuales
585	Nin	Ni avn
587	la traxiste	lo traýste
619	arpinas	Arpýas
620	le robavan	robauan
633	Ya	Yo
635	e Edipo	Edipo
647	Amnon	Annón
656	buscastes	buscaste
708	provadas	aprouadas
731	e treslados	nin tractados
732	jamás farás	fagas jamás
737	Ca	Que
745	fallen	fallan
776	fraudosos	fermosos
786	de l'Academia	del Academia
796	gusto sabrosas	gusto e sabrosas
797	e philósophos	de philósofos
799	fablas sotiles e netas	fábulas sotiles, netas
809	Ca	Que
811	ayre, e fuego	ayre, fuego
831	s'ordenassen	hordenassen
836	aquella	e aquella

líneas	Amador	nuestra edición
844	en las	de las
876	philosophia	maestra mía
888	calma e feliçidat	calma feliçidad
896	las tus fojas	las sus fojas
916	descrivieron	escriuieron
919	Sí, morirás	Non morirás...
937	Morir te	Morir, morir te
938	¡O Bías! a manos mías	pues, bía a las manos, Bías
954	praticó	patrizó
968	e oso	e aun oso
976	ca el fin	ca fin
981	los	lo
984	me reffuse	más reffuse
993	los errores	los loores
1012	e a veçes	a vezes
1018	natural	diuinal
1033	ya	yo
1058	fuera	fuesse
1080	parejo	paresçió
1129	recobré yo a	recobré a
1162	de los	que los
1163	Que quando son	quando ya son
1164	con apparentes	por apparentes
1165	entretienen	ca detienen
1191	e	o
1239	temo ya	temo
1240	enemigos	enemigas
1252	non sana	noxia
1255	tonante	tronante
1265	Talamona	Salamona
1291	canto	llanto
1323	recontadas	recontado
1325	ca	que
	estas nuestras	éstas de nuestras
1340	demás de las	sobre las
	nuestras vidas	nuestras e vidas
1348	floresçen	frondesçen
1355	reguridat	riguridad
1363	quales e más	e quales más
1368	e otros	otros
1373	luengas	largas
1375	grave	grand
1398	e otros	otros
1403	dioses	e dioses
	eminençia	femençia
1410	Delphós	Delhós
1420	de lueñe	lexos

V. VARIANTES TEXTUALES

A. Prólogo

1. MHa, Mc; Tratado del marques de santillana llamada (Mc: llamado) byas contra fortuna fecho al conde de alua; Mi, Pg, R: Epistola que enbio el señor marques al conde de alua quando estava en presion; Sa: Aquí comienca otro tratado que fizo el dicho señor marques de santillana al muy noble cauallero el conde d'alua quando estava preso el qual tractado se llama de bias contra fortuna e siguese el prologo o carta adelante e es esta que se sigue; H: carta consolatoria con el tratado siguiente qu'el señor marques de santillana enbio al señor conde de alua su primo estando preso por mandado del señor rrey don juan en poder del señor prinçipe su ffijo.
2. Sd: falta la *q* de *quando;* es que el copista dejó espacio para la reproducción caligráfica de la *q.*
3. ferreras *om.* Sa.
4. MHa, Mc, H: otros muchos.
5. de *om.* Ma.
6. MHa, Mc, Mi, Sa, Pg, R, H: es agora; Ma, Sd: agora es.
7. Sa: e.
8. me *om.* Sa.
9. Sa: e.
10. Sa: e consientes.
11. Sa: e con.
12. Sa: e molestias.
13. Mi: vaxaçiones.
14. Mi, Pg, R: e rreferiendo; Sa: rrefiendo.
15. Sa: e me rrecuerdo.
16. Mi, Pg, R: escriuio.
17. a *om.* MHa.
18. por *om.* Sa.
19. Mi, Pg, R: neufragio.
20. Mi: selfalenos; Pg, R: selfaneos.
21. Mi: desbaratado.
22. Mc: de la.
23. Sa: maltraydo.
24. Mi: fue.
25. Pg, R: delante.
26. MHa: e de los grandes e de los grandes.

27. MHa, Mc: festual; Mi: festinal.
28. MHa, R: grande; H: gran.
29. MHa, Mc: e.
30. Sa: e lo
31. Ma: catase.
32. e *om.* Sa.
33. MHa, Mc: grande.
34. MHa, Mc, Mi, Sa, Pg, R, H: estimaron.
35. Mi, Pg, R: apena.
36. que pudiesse *om.* H.
37. Mi: ancançar; Pg: algançar.
38. R: onde; H: donde.
39. o *om.* Sa.
40. Mi, Pg, R: amad con grand cura.
41. Mi, Pg, R: neufragio.
42. Ma: deshechado; Pg: desechando.
43. Mi, Pg, R: lectos.
44. Mi, Pg, R: cae.
45. MHa, Mc, H: e commo; Sa: o commo.
46. el *om.* H.
47. e *om.* MHa, Mc, R, H.
48. a *om.* MHa, Mc, Mi, Sa, Pg, R, H.
49. MHa, Mc, Mi, Pg, R: o la; Sa: de la; H: y la.
50. mengua *om.* Mi.
51. H: e.
52. la *om.* MHa, Mc, Mi, Sa, Pg, R, H.
53. Mi, Pg, R: libio.
54. MHa, Mc, H: la tu virtud.
55. Mi: amado o sin amar.
56. Mi: etenidad.
57. Sa: e.
58. Sa, H: para.
59. Ma, Sa, H: e desde.
60. MHa: acteçion; Ma, Mc, Mi, Sd: actençion; Sa: entençion.
61. Ma, Sa: fartar; R: furtal.
62. nueua *om.* H; Sa: buena.
63. Sa: meditaçiones.
64. Mi: parentes.
65. Sa: o.
66. e las *om.* Sa.
67. Ma: causas.
68. MHa, Mc: ynterrucçion; Mi, Pg, R: ynteruençion; H: ynteruçion.
69. alguna *om.* Ma, Sd.
70. MHa, Ma, Mc, Sd: syn çejo; Mi, Pg, R: senzero; Sa: de çincer; H: sinçeros.
71. MHa, Mc, H: e con.
72. e *om.* Ma, Sd.
73. del tiempo *om.* Mi, Pg, R.
74. Ma: con nuestras las.
75. Pg, R: e sienpre.
76. Sa: plugieron las cosas que a ty fueron gratas.
77. Pg, R: aquellos que las.
78. Mi: plase.

79. Mi, Pg, R: trae.
80. Pg, R: continua.
81. Sa: las otras cosas.
82. Pg, R: o.
83. Ma: o.
84. H: puede.
85. yo *om*. Ma.
86. Mi: suplieses.
87. Mi, Pg, R: denegaste; Sa: demandases.
88. MHa, Mc: buenos e doctores varones; Ma: buenos varones e doctos.
89. Ma: plegan.
90. Sa: las buenas.
91. Ma: o sea.
92. Mi, Sa, Pg, R: ynformaçion.
93. todos *om*. R.
94. Pg, R: de nuestros reynos.
95. Sa: e.
96. que de *om*. Mi, Pg, R.
97. MHa, Ma, Mc, Sd: pocos; Mi, Sa, Pg, R, H: poco.
98. Pg: encomençe.
99. Sa: conosçimiento de alguna compañia.
100. Sa: aquel.
101. Sa: muy mucho.
102. Sa: dezir que de moço.
103. MHa, Mc, Mi, Pg, R, H: la tu virtut.
104. las *om*. Sa.
105. H: los rreyes.
106. de *om*. Sa, Pg, R.
107. H: del garray.
108. Mi: manjano.
109. Mi, Pg, R: çerradas; Sa: e çesadas.
110. te *om*. Sa.
111. MHa, Mc, H: expunables.
112. H: las fuerças.
113. Mi, Pg, R: xaranço.
114. Mi, Pg, R: toreça; Sd: theresi.
115. Ma: zacra.
116. Mi, Pg, R: e en.
117. Mi, Pg, R: gandia (Pg: gaudia).
118. MHa, Mc, Mi, Pg, R, H: enprendiste; Ma, Sa, Sd: enprendiesse.
119. H: estado y mayor.
120. Sa: çiertamente por mandado de nuestro rrey e en mayor.
121. la *om*. Sa.
122. H: por mando.
123. Mi: nuestro señor de; Sa: nuestro señor el rrey de.
124. Mi, Pg, R, H: e de jahen.
125. Sa: e auiendo.
126. Sd: xeriz.
127. vençido la batalla de guadix e la pelea de xerez e *om*. MHa, Mc, Mi, Sa, Pg, R, H.
128. Ma: ganando; Mi, Pg, R: ganadas.
129. Sa: tantos e maravillosos castillos e villas.
130. Mi: guerreandolos.

131. MHa, Mc: o; e *om*. Mi, Pg, R.
132. Sa: ningund.
133. Pg, R: ningunt otro non basto e.
134. Sa: quier.
135. Sa: rremedio que liberta a.
136. Mi, Pg, R: ynfortunos.
137. Ma: despues que.
138. Sa: vlxados.
139. H: y a.
140. Mi, Pg, R: e a.
141. Sa: e espero.
142. Sa: yo que sea; Pg, R: yo ser que; Mc: *que* fue cambiado en *quien*.
143. MHa, Mc, Mi, Pg, R, H: algunos dias; Ma, Sa, Sd: algunos tiempos.
144. Mi, Pg, R: traere en memoria.
145. H: suya sean los coraçones de los rreyes; Mi, Pg, R: rreys estan; Ma: sea.
146. Sa: todas tas cosas que yo ya.
147. yo *om*. R.
148. Pg, R: e.
149. Pg, H: llegar.
150. dexo *om*. MHa, Mc, Mi, Pg, R, H.
151. Sa: e rrecuerdome.
152. se *om*. Mi, Pg, R.
153. que de ester se llama *om*. Mi, Pg, R.
154. Sa: mirar.
155. Mi, Pg: abtos.
156. que los *om*. Mi, Pg, R.
157. Sa: los caualleros naturales.
158. Sa: e.
159. o forasteros *om*. H.
160. Pg, R: reys.
161. Sa: en su patria e.
162. Pg, R, H: e.
163. Ma, Mi, Pg, R: mordacheo; Mc: mardocheo; Sa: moderando.
164. Mi, Pg, R: con (con *om*. R) prosperamiento.
165. Sa: fuera.
166. e *om*. H.
167. Sa: e rregraçialos; MHa, Mc: rregraçiales.
168. e *om*. H.
169. Sa: nin tanto larga.
170. Mi, Pg, R: avera.
171. Sa: nozible; Pg: ysrrasçible.
172. Mi, Pg, R: tantas.
173. MHa: nin.
174. Mi: o bozes.
175. e bozes *om*. Mc.
176. Sa: fazian.
177. MHa: mangar.
178. Pg, R: caualleros.
179. H: nin busires.
180. Ma: perilos; Mi, Pg, R: pethilo.
181. Sa: si era sano; Pg, R: siracasuno.
182. Ma: menos modos.

183. Sa: peñas buscauan.
184. Sa: por.
185. Mi, Pg, R: syracusar.
186. non *om.* Sa.
187. Pg, R: archila.
188. Ma: flagelluz dei; Mi: flagelum dei; Sa: filagelun dey; Pg, R: fla-
gelandi.
189. MHa, Mc, Mi, Pg, R, H: nin de otros muchos; Sa: nin de muchos
otros.
190. MHa: mas mas.
191. MHa, Mc: begnilos; Mi, Pg, R: beniuoles; Sa: beninos
192. e *om.* MHa, Mc, Mi, Sa, Pg, R, H.
193. Sa: los quales.
194. Sa: todos; todo *om.* Pg, R.
195. Sa: de la tu noble.
196. de tus *om.* Pg, R.
197. Sa: señor acresçiente.
198. assi *om.* MHa, Mc, Mi, Pg, R, H.
199. MHa, Ma, Mc, Mi: antes.
200. Mi, Pg, R: esta.
201. Sa: prinçipialidad.
202. MHa, Mc: de mi tema segunt mas adelante.
203. Ma, Mi, Pg, H: delibre.
204. R, H: seydo.
205. de *om.* Sa.
206. R: e de algunos.
207. Mi, Sa: abtos.
208. Ma: nobles e loables actos; Sa: abtos nobles loables; R: nobles
actos e loables.
209. Mi, Pg: comandables.
210. MHa, Mc, Mi, Sa, Pg, R, H: fazer; Ma, Sd: faze.
211. Ma, Mc, Sd: a.
212. e caso *om.* Sa.
213. falta en MHa, Ma, Mc, Sa; Mi, Pe: carta que enbio el señor marques
(Pe: el Marques) de santillana al conde de alua quando estaua en
presion (Pe: en la prision) en la qual rrelata quien fue vias e de
(de *om.* Pe) donde e algunos de sus fechos; Pg, R: Aqui descriue
el señor marques quien fue bias e de donde e algunos (R: de algunos)
de sus fechos; Ps: Comiença la consolatoria de yñigo lopes de
mendoça marques de santilla *(sic)* e conde del rreal al conde de
alua; H: yntroduçion.
214. falta la ƒ en H. El copista dejó espacio para la reproducción caligráfica de esta letra.
215. Mi, Pe, Pg, R: segund que.
216. MHa, Mc: lecreçio; Sa: larençio; Pe: lercio.
217. Mi: rrelata; Ps: alta; lata *om.* Pe.
218. e *om.* Mi, Pe, Pg, R.
219. Pg: dellos.
220. Pe: philoffos.
221. Mi, Pg: ançiano; Pe, R: ancianos.
222. MHa, Mc, Ps, H: yprimen; Mi, Pe, Pg, R: ypreme.
223. MHa, Mc: presapia; Mi: prosopia; Pe: presopia; Ps: prosarpia.
224. Mi, Pe, Pg, R: e.

225. Sa: formado.
226. Mi, Pe, Pg, R: ynformado e.
227. Mi: ynistrado.
228. R: las artes liberales.
229. e *om.* Mi, Pe, Pg, R.
230. e *om.* Sa.
231. de *om.* MHa, Mc, Mi, Sa, Pg, Ps, R, H.
232. Ma, Sa: e grave.
233. Mi, Pg, R, H: grande.
234. H: fechos y de.
235. Ps: subtil.
236. MHa, Mc, H: por las tierras; Ps: por la tierra.
237. Mc: todo; toda *om.* Pe.
238. Pe: e quanto.
239. Pe: este noble exerçio; Ps: aqueste leable exerçiçio.
240. Sa: escriuio.
241. Sd: tornado.
242. Pe: a.
243. Sa: baste en tornado a la çibdat; Ps: basta en tornando en la çibdat.
244. MHa, Mc, Ps, H: yprimen; Mi, Pg, R: ypreme; Pe: eprime.
245. Pe: aquellas.
246. Mi, Pe, Pg, R: naturales.
247. MHa, Ma, Mc: terrestres.
248. Mi: mengatensis; Pe: magatensis; Pg, R: mengarenses.
249. Mi, Pe, Pg, R: poderosos.
250. MHa: es espertos; Sa: espertas; H: aspectos.
251. Mi, Pe, Pg, R, H: grande.
252. Ma, Sd: actençion; Sa: entençion.
253. Pe: deposicion.
254. Mi: tura.
255. Sa: tierra.
256. assi commo capitan *om.* Ma, Sd.
257. Pe: inprendiesse.
258. Pe: affincamientos acçeptasse la.
259. Mi, Pe: de los.
260. MHa, Ma, Mc, Mi, Pe, Pg, R: estremidad.
261. Pe: otros.
262. muchas *om.* H.
263. MHa: otras cosas muchas cosas; cosas *om.* Ma.
264. Mi, Pe, Pg, R: de la.
265. Mi, Pe: de su.
266. Mi, Pe, Ps: exerçiçio.
267. Ma, H: gran; Mi: grande.
268. las *om.* Ps.
269. Mi, Pe: e mando.
270. H: que con.
271. Mc: grande; Mi, H: gran.
272. Mi, Pe, Pg, R: juntadas (Pe: juntados).
273. Pe: depositados.
274. Mi: fasiendolas.
275. Pe: gracias de dones e de.
276. Mi, Pe, Pg, R: valerosas.
277. MHa, Mc, Mi, Pe, Pg, Ps, R, H: los; Ma, Sd: sus.

278. Ma, Pg, R: e maridos.
279. MHa, Mc, Mi, Pe, Pg, Ps, R, H: parientes suyos; Ma, Sd: parientes.
280. Ma: los.
281. Ps: las rrestituyo las rrestituyo.
282. Pg, R: guardias.
283. R: blasfemando.
284. Mi, Pe: demostrando.
285. H: todo el.
286. MHa, Mc: que aun a los; Mi, Pe, Pg, R: que a los.
287. Mi, Pe: megarensis; Pg, R: mengarensis; Ps: magarenses.
288. Mi: abto; Pe: apto.
289. H: ysstensamente.
290. MHa, Pe: rrecontando.
291. a *om*. MHa, Mc, Mi, Pe, Pg, Ps, R, H.
292. Ps: embiandole.
293. Pe: enuiaron los sus llegados.
294. Mi, Pe: rreferiendoles.
295. MHa: rricos onbres dones.
296. Ma: demandandoles; Pg: demandole.
297. muy ricos dones demandandole paz con *om*. Pe.
298. Mi: claro.
299. MHa, Mc: en mi algunas.
300. H: largo tienpo.
301. Pe: reposa.
302. Mi: e al alto.
303. MHa, Mc: setiase; Pe: situasse.
304. MHa, Mc, Ps: yprimenses; Mi: ynpremesis; Pe, Pg, R: inprimensis.
305. R: como cierto fuese.
306. Pe: de las victualles.
307. e *om*. Mi, Pg, R.
308. M: del.
309. Ps, H: caresçiesen.
310. Pe: e vias.
311. MHa, Mc: asayon.
312. Mi, Pe, Pg, Ps, R: asayo (Pe: ensayo) de encobrir (Pe: cobrir).
313. la *om*. Ma, Sd.
314. Mi: defentuosa.
315. en *om*. H.
316. MHa: en engrosar; Mi, Pg, R: engordar; Pe: enguardar.
317. Mi: gamellos.
318. Mc: los guardas; Mi, R: las guardias.
319. de la çibdad *om*. Pe.
320. Mi: en.
321. Pe: fossen tomados e prizo.
322. Pg, R, H: grande.
323. a *om*. MHa, Mi, H.
324. MHa, Mc: aliate.
325. a *om*. Pe.
326. MHa, Mc, H: yprimenses; Mi: ynpremensis; Pe: imprimenses; Pg, R: ynprimensis; Ps: yprimeses.
327. Pe: conciejo.
328. Mi, Pe, Pg, R: e a los suyos.
329. mouida e *om*. Ma, Sd.

330. Mi, Pe: fuese mouida fabla e demandada; Ps: fuese demandada e mouida fabla.
331. H: açebtado.
332. Mi: de fuera.
333. Mi: e mas.
334. Mi: aliacto.
335. Ps: e.
336. Ma, H: qualesquier.
337. suyos *om.* Pg, R.
338. MHa, Mc, Mi, Pg, R, H: podrian; Ma, Sd, Ps: podian; Pe: podiessen.
339. MHa, Mc: e fablar.
340. Mi, Pe: fablar o tratar.
341. Mi: pasyones; Pg, R: pasciones; Ps: pactiones.
342. MHa, Mc, Pg, Ps, R: o tractos (MHa: trabtos); e tractos *om.* Mi, H.
343. MHa, Mc: e.
344. de *om.* MHa, Mi, Pg, Ps, R, H.
345. Pe: tractar otras qualesquier cosas.
346. MHa, Mc, Mi, Pe, Pg, Ps, R, H: que; Ma, Sd: quales.
347. Pg, R: plaziese.
348. Pe: e lo tal acceptado; Sd: açeptado lo lo tal.
349. Mc: segund esto; Pg, R: segunt aqueste; Ps: segunt esse; H: segund que este.
350. MHa, Mc, Mi, Pe, Pg, Ps, R, H: descrive; Ma, Sd: escrive.
351. Ma: cautela vtil.
352. Mi, Pe, Pg, R: que.
353. muy *om.* MHa, Mc, Mi, Pe, Pg, Ps, R, H.
354. Pe: montorias.
355. Pe: e.
356. Ma, Sd, Ps: o.
357. o plaças *om.* Mi, Pe, Pg, R.
358. Mi, Pe: mesageros.
359. H: y esparsiendo.
360. Mi, Pg, R, H: aquellas.
361. de *om.* Mi; Pe: o cobriendo aquel arena de.
362. Pe: verdaderamente los messageros creyeron.
363. Mc, Ps, H: yprimenses; Mi: ynpetrasen.
364. Pg, R: errada ca los ynprimensis eser en grant.
365. MHa, Mc, Ps: mantenimiento.
366. habundados *om.* Mi; e los ypremenses en grand copia de mantenimientos habundados *om.* Pe.
367. a tiempo *om.* Pe.
368. Ma: seguridades.
369. H: y jurada.
370. e *om.* MHa.
371. Pe, Pg, R: certiffica.
372. assi mesmo *om.* Pe.
373. Mi: çertificada valerio asy mesmo que.
374. las *om.* Ma, Sd.
375. Pe: otros.
376. R: todas las cosas otras.
377. las *om.* MHa, Mc, Mi, Pe, Pg, Ps, R, H.
378. Ps: asy mismo commo.
379. Mi: commo ero (sic) dio.

380. Pe: vnos.
381. Pg, R, H: grande.
382. Pe: e de.
383. Pe: e deste.
384. mesma *om.* Pe.
385. R: ciubat.
386. Mi, Pe, Pg, R: megarensis; Ps: magarenses.
387. Mi: pero los otros.
388. Pe: e se posiesse.
389. Pg, R: escanpar.
390. Mi, Pe: vtiles; Pg, R: estiles.
391. suyas *om.* Pe.
392. MHa, Mc: preçio fueron fuyeron.
393. Mi, Pe, Pg, R: pasase.
394. los *om.* Mi, Pe.
395. Mi: de fuera; fuera *om.* Ma.
396. de *om.* Pe.
397. Ma: fingese; Mi: fugese.
398. MHa, Mc, Mi, Pe, Pg, Ps, R: vino; Ma, Sd: fue; H: viniese.
399. Pe: encontro.
400. Mi: lo.
401. Mi, pe: syguio.
402. Pg: dellos.
403. MHa, Mc, Ps, H: yprimen; Mi, Pe, Pg, R: ypreme.
404. H: esto.
405. Ps: rrespondia; Pe: yprime e vias respondio.
406. mea *om.* Pg, R, H.
407. MHa, Mc, Mi, Pe, Ps: omnia (Ps: omia) bona mea; Ma, Sd: omnia mea bona.
408. que *om.* Ps.
409. Ma: todos los bienes mios; Mi: todos los bienes buenos; Pe: todos los mios bienes.
410. Sd: leuo; Pe: lieue.
411. Mi: quales dise seneca.
412. Pe: vno e este; este *om.* Ps.
413. Ma, Pe, Ps: fue.
414. Mi, Pe: estil bueno.
415. MHa: qualquier; Mc: qualquiere; Pe: plazera esta qualquiera.
416. tanto que sea *om.* Pe.
417. Pe, Pg, R: hombres; el copista de Mi corrigió *onbres* en *nonbres.*
418. Mi, Pe: esta.
419. Pe: sea.
420. el *om.* MHa, Mc, Mi, Pe, Pg, Ps, R, H.
421. Mi, Pe: nuestra.
422. Pe: e escriuio.
423. Pe: e estudio.
424. H: honestos varones.
425. e a los viejos *om.* H.
426. Mi: vsada.
427. muchas vezes *om.* R.
428. Mc: paro; Mi, Pe: paresçe.
429. Mi, Pe, Pg, R: ynposible.
430. ser *om.* Pe.

431. Mi, Pe, Pg, R: fuerte e.
432. Mi, Pe: fermosa.
433. Pe: e obra.
434. Pg, R: e fablar.
435. Pe: inuenibles.
436. Pe: este; esto *om.* R.
437. Ma: del alma; Mi: de la mina.
438. Mi, Pe: e enfermedad.
439. Pe: de la.
440. MHa, Mc, Sd, Ps, H: animo; Ma: alma; Mi, Pe, Pg, R: anima.
441. Ps: enfermedat del animo es cobdiçiar.
442. Pe: coses.
443. de *om.* MHa, Mc.
444. H: cosa de judgar es; Pe: judicar.
445. Ma, Sd, Pe: dos.
446. Pe: te sera.
447. fecho *om.* Pe.
448. Ma: dos.
449. MHa, Mc, Mi, Pg, Ps: se fara; Ma, Sd, R: sera fecho; Pe: te sera;
     H: sera.
450. assi *om.* Mi, Pe, Pg, R.
451. hauia *om.* Pe.
452. MHa, Mc: su.
453. Mi: omes.
454. o poco *om.* Pe, H.
455. Pe: vinir.
456. esta sentencia *om.* Pe.
457. Mi: aver asy.
458. la *om.* MHa, Mc, Mi, Pg, R, H.
459. H: nenbrasen.
460. Mi, Ps: podria; Pg, R: podiese.
461. Mi, Pg, Ps, R: grand(e).
462. Pg, Ps, R: qualquiera.
463. Pe: prometieres; Ps: supieres.
464. Mi: lo.
465. esta sentencia *om.* Pe.
466. Pe: el.
467. MHa: omne; Mc: ome.
468. esta sentencia *om.* Pe.
469. Mi, Pe, Pg, R: tomaras.
470. Mi: e qualquiera; Pe: e qualquier; Ps: qualquiera.
471. H: cosa que fisieres buena.
472. Pe: entiende que dios la.
473. e mas segura *om.* Pg, R.
474. Pe: la sabiduria es cosa mas cierta que.
475. MHa, Mc: otras cosas e posesiones.
476. Pe: el amigo; los amigos *om.* R.
477. Mi, Pg, Ps, R, H: delibra.
478. Pe: en lo elegir e gardalo con affection.
479. mas non en vn merito *om.* Pe.
480. Pe: tal amigo escoge que non.
481. Mi: se te.
482. Ma, Sd, Pg, R, H: fagan.

483. Pg, R: verguéña.
484. Pe: averlo.
485. esta sentencia *om.* Pe.
486. Mi: se puten.
487. muy *om.* Ma.
488. Pe: en el conceio.
489. Pe: arebatimiento.
490. H: faze mas pereçer.
491. e *om.* Ma, Sd.
492. la yra faze peresçer el dia e el arrebatamiento *om.* Mi.
493. la yra faze peresçer el dia e el arrebatamiento trespasarlo *om.* Pe,
     Pg, R; Ps: traspasarlo.
494. Pe: e la.
495. H: las prestesas.
496. ser *om.* R.
497. Pe, Ps, R: preguntando.
498. R: fue.
499. Ma, Pe: fuesse buena en esta vida.
500. MHa, Mc, Mi, Pg, R: e dixo.
501. Pe: tenir.
502. Pe: preguntando.
503. Ma: mala fortuna.
504. MHa: rrespondio rrespondio.
505. MHa, Mc, Mi, Pe, Pg, R, H: e; Ma, Sd: o; Ps: nin.
506. Pe: mas fortuna.
507. Pe: males.
508. e *om.* Ma, Sd.
509. Mi, Pe, Pg, R: por se.
510. Ps: porque les valiesen e lybrasen; MHa, Mc: librase.
511. MHa, Mc, Ps, H: nos.
512. Mi: syetan.
513. Pe, H: preguntando.
514. MHa, Mc: fue.
515. Mi, Pe, Pg, R: difiçile.
516. Ps: generosamente.
517. R: en el tiempo.
518. Mi, Pe: judea.
519. Mi, Pe, Pg, Ps, R: e escriuio.
520. MHa, Mc, Mi, Pe, Pg, Ps, R, H: muchas cosas; Ma, Sd: cosas muchas.
521. Mi: muerte.
522. MHa, Mc, Ps: yprimenses; Mi: inpremensis; Pe: inprimenses; Pg,
     R: ynprymensis; H: yprimensos.
523. Pe: le hedifficaron.
524. MHa, Mc: estatua etc.

B. POEMA

Epígrafe: MHa, Mc: Comiença el debate o litigio de bias contra
fortuna (MHa añade: bias contra fortuna); Mi, Pe, Pg, R: Nota que
donde esta vna b (Pe: vna letra b; Mi: vna b asy b) dize bias e donde
esta vna efe (Pe: vna letra f; Pg, R: vna f) dize fortuna.

Continúa el epígrafe de la manera siguiente: Mi: desde que comien-
çan los metros etc. e disese esta meditacion contra fortuna; Pe: E assy
comencen los versos de vias ,como responde a fortuna; Pg, R: D'esta
otra parte en los metros llamase meditaçion contra fortuna.

Sigue: Mi, Pe, Pg, R: Aqui finge bias que la fortuna le vyno al
encuentro (Pe: al contrario) e le (Pe: lo) demando commo non leuaua
de los bienes mundanos commo los otros ynpremensys (Pe: inprimenses;
Pg, R: ynprimensis) a quien (Pe: a la qual) el rrespondio omnia bona
mea mecum porto (Pe: porto mecum) e al rreplicato de (Pe: E repli-
cando a) la fortuna dize bias (Pg, R: bias dize) asy (Pe: en esta manera)
que es lo que piensas etc... (esta parte se omite en Pe).

 1. Pe: piences.
 2. Mi, Sa, Pe, Pg, R: piensas.
 3. Sa, Pg, R: cuydas.
 5. Mi, Pe, Pg, R: commo tu piensas que; y *om*. T; Sa: piensas que tu non.
 7. Pe: faze.
 8. Sa, Mo, comienzan: que yo; Ps: por rra (sic).
10. R: paedes; Ps: lo.
11. Mo: como cuydas; Sa: rregistir; H: rrogistir.
12. Sa, comienza: se que non; Mi, Mo, Pe, Pg, R: sy que non.
13. Pe: sosingados; T: son; Pg, R: soes.
15. H: varones manos.
16. Mo: ny fasen cuenta de; Ps: curan poco de.
19. T: sy ca no.
20. Mc: e ningund.
21. Mi: gloria o triunfo; Pe, Pg, R: gloria e triunfo; nin *om*. MHa, Mc,
    Mo, H; Sa: vmano.
22. lo *om*. Mo.
23. Mo: sola verdat.
24. Mi, comienza: lo qual; Sa: el qual.
27. Mi, Pe, Pg, R: del mal.
29. Sa: me lleuo.
31. T: yo soy; Pe, Pg, R: yo vo.
33. Ma: sera robada; Mo: sera quemada.
36. Mi, Pe, Pg, R, comienzan: commo que non; Ps: me do.
37. Mi, Pe, Pg, R, dice el verso: que mas sera que cobdiçioso.
38. falta en Pg, R.
39. R, comienza: robar do; Sa: rropa ado; Pe: lo; la *om*. Pg, R.
44. Pe: les quiere esquiuar; MHa, Mc, Mi, Mo, T, Sa, Pe, Pg, Ps, R, H:
    estimar.
45. MHa, Mc, Mi, Sa, Pe, Pg, R, H, comienzan: e tener; Ma, Mo, T, Sd, Ps:
    o tener.
47. Sa, comienza: que toda.
48. Sa: avemos a dexar; MHa, Mc: auemos; Pe: averemos.
50. Sa: posada pobre.
51. Pe, dice el verso: sea my dosso robre; Sa: rroble.
53. MHa, Mc: miclate; Pe, Pg, R: alicate.
55. Mi: quando rrobo (en el margen se lee *loo).*
57. Mi, Pe, Pg, R, dice el verso: e mas que naturaleza.
59. Sa, Pe: penas.
61. MHa, Mc, Mo, Sa, Pe, Pg, Ps, R, H: de la; Ma, Sd: del; T: de.

64. Pe: este.
66. T: contina.
69. Sa: dificil es.
70. aun *om.* Mi, Mo, Sa.
71. MHa: quisiere; Pe: quere; Mi: ostener; Mo: abfectar (en el margen escribió otra mano *abstener).*
74. e *om.* Mi, Pe, Pg, R.
77. Sa, comienza: y sy; T: junta.
78. en Ma fue intercalado el verso más tarde.
79. Mi, Pe, Pg, R: e bondad.
80. Mi, Pe, Pg, R, dice el verso: y grand parte de franqueza.
81. Sa, comienza: que non; MHa, Ma, Mc, Mi, Mo, T, Sa, Pe, Pg, Ps, R, H: estimar.
84. Mi: plaze; Mo, Sa: plaser es dar.
87. Mi, Pe, Pg, R, H: e quando.
88. MHa, Mc, H, dice el verso: asy non son los menguados; T: no son los menguados; Sa: non salen menguados.
89. Pe, dice el verso: bien pueden veuir.
90. Mo, Sa: los omes.
92. Sa: o voluntad; Mi, Pe, Pg, R: enquerir; Mo, Sa: ynquerir; H: yncarir.
93. MHa, Mc: cosas que mas non son; Ma, Sd: cosas en mas que son; Mi, Mo, T, Sa, Pe, Pg, Ps, R, H: cosas mas que non son.
96. Sa: contrastrastar.
97. Pe: pictagores.
98. MHa, Mc, Mo, Sa, Sd, Pe, Pg, Ps, R, H: nin; en *om.* Pg, R, H.
99. Mo, T, H: avergonço.
100. Pe, comienza: mas es.
101. Mi, comienza: e biue.
105. Mo, Sa: todo ome; bien *om.* Mo.
107. Mo: ny contyenda; Sa, Ps, H: e syn contienda.
108. MHa, Ma, Mc, T, Sd, Ps: syn altercar; Mi, Mo, Sa, Pe, Pg, R, H: nin altercar.
110. Sa: rralos.
115. Ma: e famosas.
116. H: pueden alcançar.
117. T: enxalçados; Pe: exalsados; R, H: exalçados.
119. e *om.* MHa, Mc, Mi, Mo, Sa, Pe, Pg, Ps, R, H.
120. MHa, Mc, comienzan: en sus.
124. Pe: muntados.
126. Sa: çesaran.
127. Mo, Sa: syn ellas no se; Sa: faran.
129. Mi, Mo, Ps: estas; Sa, dice el verso: estados e edificaçiones.
135. Sa, comienza: lo contrario; e *om.* Ps.
136. MHa, Mc, Pe, Pg, Ps, R, H: quien tal cuyda (Mc, H: cuda); Mi, Sa: quien lo cuyda; Mo: al cuyda.
138. Sa: de athenas que es de tenas.
139. MHa, Mc, Mo, T, Sa, Sd, H: do sus; Ma, Mi, Pe, Pg, Ps, R: de sus; e menas *om.* MHa; Sa: murallas menas (entre estas palabras se han borrado unas letras); Mc: murallas almenas; Mi, Pe, Pg, R: e almenas.
141. e *om.* MHa, Mc; de^2 *om.* T; Pe: e assidon.
143. T: ques de; MHa, Mc, H: de la maçedonia; T: de la gran cedemonia; Mi, Pe: de la çirimonia; Pg, R: de la cidymonia.

144. Mi, Pe, Pg, R, comienzan: que fueron e ya; Sa, comienza: que sy.
145. Ps: di qual; Mi, Sa, Pe, Pg, R: paresçe; a *om.* Mi, Pe, Pg, R.
146. Sa, Pe, comienzan: e corinthio; Pg, R, comienzan: o corintio; Mi, dice el verso: o corintio o cartago; H: conrintio; a[2] *om.* Pe, Pg, R.
147. Mi, Pg, R, comienzan: a golfo; Sa: e golfo; Pe: al golfo; Sa: y largo.
148. Mi, Pe, Pg, R: gorda; Sa, dice el verso: solida e viçial carcoma; T: sorda vinceral.
149. Sa, comienza: ynperios (el primer vocablo del verso fue borrado y en el margen se escribió *sean;* Mc, Sa, Pe, Pg, Ps, R: e regiones.
151. MHa: dignidas.
152. Mo, Sa, H: fieres; Mo, Sa, Ps, H: baldonas.
154. Mi, Pe, Pg, R, comienzan; por conbate o mano.
155. Pe: dexes.
158. Sa: ce.
159. MHa, Mc, Mo, T, H: queremos; Mi, Pe, Pg, R: diremos; Sa: quieres; Sa: be.
160. Pe, dice el verso: quanto desfazistes desfazes; Ps: fezistes.
162. e *om.* Mi, Pe, Pg, R.
165. Mi, Pe: lloran.
168. Mi, comienza; que tienen; Pe: tenen.
171. Mi, Pe, Pg, R, comienzan: ca las; Mo, H: que las; Sa: vytoriosas.
175. Sa: vy.
176. Mo: conoscio.
177. Mo: fecho viandante; Pe: ben andante.
178. Mi, Pe, Pg, R, comienzan: que de.
179. Mo, Sa, comienzan: lo qual.
180. Mi, comienza: viendome fyrme; Pg, R: aviendo firme; Pe, dice el verso: aviendome fuerte costante; Ps, H: firme e costante.
181. Mi, Pe, Pg, comienzan: e pues se que; R, dice el verso: e pues se que lo basta; Mo: pues sea que; T: pues que se ya lo; que[1] *om.* MHa, Mc.
183. Pe: con my pas.
185. Pe: yo son.
187. Mo, comienza: que fuy; T: yo fuy; Mi: fue.
188. Sa: amando; Pe: amados.
189. Ma: querrian; T, Pg, R: queria.
190. Pg, R: me fiziesen.
191. Pg, R, dice el verso: e los que a esto consentiesen.
193. Mo, Sa, Pe, Pg, Ps, R, H: estos; tus *om.* Mi.
194. Mo, Sa, comienzan: tu non; Pe: puedes fazer.
196. Pe: puestos sots los.
199. Mi, Pe, Pg, R, dice el verso: e commo les (Pe: los) mandare; Sa, H: les.
201. Sa: la monarchia.
202. Se, dice el verso: peresçiera soy contento; Mi, Mo, Sa, Pe, Pg, R: peresçiera; Mo: por fiction.
203. Mi, Pg, R, dice el verso: averan deucalion; Mo, Sa, dice el verso: o viniera decalion (Sa: daquilon); Pe: viera; H: verna; MHa, Mc: don calion; H: de calydon.
205. Mi, Pe, Pg, R, dice el verso: yo dubdo (Pe: dubda) que pueda ser; H: yo me dudo.
208. Sa, dice el verso: fallesçido ha caesçer.
209. Sa, comienza: e vias; Pe, Pg, R, comienzan: vias tu non.
211. T: cuydes.
212. Pe: das a.

213. T: non mras.
216. Ma, Mo, Ps: me segura.
217. Mc: que pero me; Mi, T, Sa, Pe, Pg, Ps, R: tiene.
219. Mi, Pe: marmores; Sa: marmoles; Pe: pintadas.
220. MHa, Mc: sojuzguen.
221. Mi, Mo, H: estas.
223. Pe, dice el verso: nuestros que creyeron; Mi, Pg, R: padres que creyeron.
226. T, comienza: que mo hijos; Pg, R: e muger.
228. MHa, Mc, Pg, R: grande.
230. Pe, comienza: e por.
234. Mo: predistinados; Sa: tistinados.
236. falta en Ps; en el margen se lee *por rrecursos humales*.
238. Mi, Pe, Pg, R: peresçer.
239. Pe: pencar.
241. H, comienza: commo destas.
242. Mi, Pe, Pg, R: cuydas deues ser; Sa: cuydas de yo ser.
243. Pe: mal si te.
244. Mi, Pe, Pg, R, comienzan: que por.
247. Pe: ceso; T: hierra.
248. Mo: da quel.
249. Pe, Pg, R: toda parte.
252. Pg, R, dice el verso: e no he miedo de batalla.
253. Mi: por miedo.
254. Mc, Mo: non la; Mi, Pe, Pg, R: lo.
255. MHa, Mc: yo non me; Mc: de caballo.
256. Ma: orgulloso y con.
260. Mi: commo el que el asaya.
267. Mi, Pg, R: rrebueluas e gires.
269. Mi, Pe, Pg, R: mudaras; T: bañirias; Sa: dañaras; Ps: bauiras.
270. yo *om.* MHa, Mc, Mi, Pe, Pg, R, H.
271. Mi, dice el verso: vitoria e gloria poseo; Pe, Pg, R: victoria gloria posseo.
273. Sa, Pe: asia o sea; T: ouropa; Sa, Ps: uropa.
276. Mi, Pe, Pg, R, comienzan: que todo; R: en ponpa.
277. Mo, Sa, H: quieres donde apolo; el *om.* Mi; Pe, dice el verso: quieres de apollo nascido.
281. Pe: quieres de la.
282. Mo, Sa, comienzan: con el.
283. Mo: del agual.
284. Mi, Pe: o quier al.
287. Pe, comienza: los honorables e.
288. Mi, Pe, Pg, R, comienzan: e mas.
289. Sa, comienza: soys secaçes; Mi, Pe, Pg, R: sagaçes; Ps: sacaçes.
291. T, Sa, H: puede
293. T: mucho; Mi, Pe: vinieron; Pg, R: biuieron.
295. Mo, Sa: cuydo.
296. Sa: abatidos en desonrra.
300. Mi, Pe, Pg, comienzan: avn asy los; R: a un si los; Pe: tengo presos.
301. Mi, Pe, Pg, R: llana pluma.
303. MHa, Mc, Mi, Mo, Sa, Pe, Pg, R: pienso; Mi, Mo, Sa, Pe, Pg, R: pienso que lo.
304. Sa: ynumerable.

306. Mi: a mis; Pe, dice el verso: a tuos argumentos vias.
307. Pe, comienza: oppiniones e.
309. Sa: diras.
311. Mi, comienza: vna sola; es *om.* Pe; Mo, Sa, H: es vna golondrina.
312. Pe: quale.
313. R: fablar.
314. Mi, Pe: desto.
315. Pg, R: contare al (R: el) mayor.
316. Mo, Sa, comienzan: el mayor; Pg, R, dice el verso: de los hermanos.
319. Mi, Pe, Pg, R, comienzan: que con; T: yo me temo.
320. Mo: me puedes.
321. H: seran; Mc, Ps, H: triaras; Mo: chriaras; Sa: triarcas; Pg, R: tiaras
     e coronas.
322. Mo: consulos; MHa, Mc, Sa, Ps, H: e senadores; Pe: cenadores.
323. Sa: lectos; T: perectores; Pe, R: protectores; Pg: prectetores.
324. Mi: e personas; Mo: presonas.
325. Mi, Pe: euiles; MHa, Mc, Mi, Mo, T, Sa, Pe, H: perfectos.
326. Mi, Pe, Pg, R: e tribunos.
327. Mo, Sa, comienzan: a todos; Pg, R: que todos; los *om.* R.
328. Mi: sogestos; Ps: sojebtos.
329. Mi: filamines; Pe, Pg, R: flamina; R: uastales.
330. Pe: o legales.
331. MHa, Mc, Mo, T, Ps, H: mensarios o magistrados; Sa: mensarios o
     magestados; Mi, Pe, Pg, R: maestrados.
333. T, Pe: preconsules; Sa: o ditadores.
336. MHa, Mc, Mo, T, Sa, Pe, Pg, Ps, R, H: e desonores; Ma, Mi, Sd: o
     desonores.
337. Mc, Sa: destos todos; Mo: estas todos; Pe: desseos todos.
339. T, dice el verso: que por prosperos acture.
340. MHa: si contraste; Mc: tiempos e contraste.
341. Mo, Sa, comienzan: que destos.
342. Pe: dote doctor.
343. Mi, comienza: que muy; Mc, Mo: viril; Mo: preçentor.
344. Mo: su rramana.
345. Mo, T, Sa, Pg, R: ponpilo.
347. Mi, Pe, Pg, R: batallar.
348. Sa, comienza: eclides e tulio; Pg, R, comienzan: en lides; a *om.* Mi,
     Pe; Mo, Sa: ostilo; Mi, Pe: ostidio; Pg, R: estidio.
349. Sa: verdad es los; Mi, Pe, Pg, R: verdad fue lo.
351. R: gloria luego.
352. Sa: los.
353. Sa: caton marçio; Pe: anthon marcho; Pg, R: anton marco; Mc: anco
     manco; Mo: anco marçio.
354. Pe: fizo.
355. MHa, Mc, Mi, Mo, T, Sa, Pe, Pg, Ps, R, H: ningunos; Ma, Sd: algunos.
356. Mo: e victorioso.
359. he *om.* MHa, T, Pe, Pg, R, H; Pe: hun ciento.
361. Sa, dice el verso: dire de los saçerdotes.
362. Mo, Sa: deste marcio; T: que narraste.
363. Mi: lo; Mo: las.
366. Sa, dice el verso: ca syn cabsas.
367. T: sus fines tristes e pausas.
368. T: haz mi; Pg, R: faze; T: conclusion non vera; vera *om.* R.

369. yo *om*. T.
371. T, comienza: porque tarquino; Mi, Pg, R, dice el verso: porque no ni taña (Pg, R: tana) aquel; Pe: porque non ny tanan aquell; T, Sa: tanquel.
372. Mo, comienza: nin porque syruio; Mi, T, Pe, Pg, R: seruiçio.
375. Mo: enemigo.
380. T: y a otros; Pg, R, comienzan: e otros.
383. MHa, Mc, Mi, Mo, T, Pe, Pg, R, H: sea; Ma, Sa, Sd: sera; Mc: sea te digo.
386. Mi: abaxadas; Pe: abaixes; Mo: dimunuyes.
387. Sa, dice el verso: e a otros muchos destryes.
388. Pe: sobre.
389. Mo: miçispas; Sa: mifispas; Pe: mipcisas; Sa: sotenedes.
391. MHa, Mc, Mo, T, Sa, Sd, Pe, Pg, R: marco malio; H: marco galio; Mi, T, Pe, Pg, R: galio mario.
392. Pg, R, comienzan: e negadmelo; T: quisieredes; Sa, Pe, Pg, R: queredes; H: podedes.
394. a *om*. Sd.
395. Ma, Mo, T, Pe: avgmentando los renonbres.
396. Mi, Pe, Pg, R: con fintas.
399. T, R: pereçieron; Pe: preciaron; tus *om*. Sa.
400. Sa, Pe: las fuerças; MHa: gandiuas; Mi, T, Sa, Pe, Pg, R, H: gandinas.
401. de *om*. Sa; Mi, Pe, Pg, R: mismas (Pe: mis mals) cobras.
402. Mi: ynbiosa.
403. MHa, Mc, Mo, Sa: en punto sañosa; Mi, Pe, Pg: dañosa; R: dañosas.
404. Mi, Pe, Pg, R: las sus obras; Mo: las vitorios.
405. Pe: prouas.
407. Mo, Pe: buenos y derechos.
408. T: postumo; Pe: postrumo.
409. Mi, T, Pg, R: oluides; Mo: oluido.
410. Mi, Pe, Pg, R, dice el verso: que non es fabla ni oyda; H: que non.
411. Mi, Pe, Pg, R: muerte ni la.
415. Mi, Sa, Pg, R: triunfo; de *om*. Pe; e dos *om*. Mi, Mo, Pe, Pg, R; Sa: rreys.
417. MHa, Mc, Mi, Mo, Sa, Pe, Pg, Ps, R: seydo; Mc, Sa, Ps: que han; Pe: ha.
420. H: los.
423. T: aquellas que q non.
424. Mi, Pe, Pg, R, comienzan: de sus.
425. MHa, Mc: esos; Ps: fauorables.
429. M: oviera asy mares.
430. Mo: engrendrado.
431. Mi, T: ouiera; Pe: ouieron.
432. Mi, Pe, Pg, R, comienzan: tanto presto; Mo, Sa: tan presto; Mc: preso; e *om*. Mi, Pe, Pg, R.
433. Mo: pues que tanto; Sa: pues canto las sus.
434. Mi, Pe, Pg, R: loar.
435. Pe: tristas.
436. Mo, T, Sa: desastres y caydas; Ps: deslastes.
437. Mo, Sa, comienzan: que jamas; Mi: faran.
439. T, comienza: y sus.
440. Sa: bienes nin sus.
441. Mo: dy de çesar; Sa, Pe, Ps: de çesar.

444. Pe: ny maior.
445. T, dice el verso: dize de ti tanto.
447. Ma, Mo: enfustaron; Mc: ensuciaron; Mi: enfestaron; Pe: enfescaren; Pg, R: enfescaron; H: caso.
448. Pe, comienza: e su.
450. Sa: creydo.
451. Mo, Sa: mas prueua (Sa: preua) lo; T: preferido.
452. T: y toma senblantes.
455. Pe, comienza: avn suelo de.
456. Pe, dice el verso: lassa de los mal contentos.
457. los om. Sa; Mo: clandios; Ps: claudius; H: non te rrepito; R: reputo.
458. H: que; Mc: desairados.
460. Ma: mesmo; Mc: los remito.
461. e om. Mi, Sa, Pe, Pg, R; MHa, Mc: e a vaspasiano.
462. Mi, Sa, Pe, Pg: lo.
465. MHa, comienza: diueçilio que; Mo: de vitolio; Sa: de uillo que; Sd: victelio; Pg, Ps, R: de vtelio; T: de dictilio; Pe, dice el verso: tutilio que dexemos.
466. Sa: e de micaçio; MHa: damiçiano; Pe: domaciono.
467. Mi, Pe, Pg, R, comienzan: que de; Mo: galiba; MHa, Mc: e de llano; todos los códices: llano.
471. e om. Mi, Pe; H: mando.
472. MHa, Mc: syn; T: hierro.
473. MHa, Mc: desta as bien sabido.
474. di om. Sa.
475. Mo, Sa, comienzan: que las; en T está el verso en el margen.
477. Sd: demostar.
480. Sa: faziales de; Mi, Pe: feçil.
481. Sa, dice el verso: muchos yerros asianos; Mi: rreys e syanos; Pg, R: rreys; Pe: ancianos.
485. Mo: dardano; T, termina: dardaniesos.
487. te om. H.
488. Mi, Pe, Pg, R: tristes cabtiuos e; e om. Ma, T; Mi, Sa, Pe, Pg, Ps, R: presos.
489. Ps: ylio; H: lelio; MHa, Mc, Mi, Mo, Sa: elion e otros; T: chelion e otros; Pe: elyon e cros; H: lelio y atross; Pg, R: cros.
490. Sa: prinçipales; H: prinçipes e algunos.
491. Mi, Pe: mas de mi.
492. Ps: estos.
493. H, dice el verso: de los frigios desta vida; T: friguos; Mi, Mo, Pe, Pg, R: pasaron.
494. MHa, Mc: desta vida; H, dice el verso: que pasasen.
495. MHa, Mc: se subieron.
496. T: si reynaron non; Pe: si renyeron non; Mi, Mo, Pe, Pg, R: lloraron.
497. Mo, Sa: destos; dos om. MHa, Mc.
499. Pe: tu culpa; Mo, Sa: culpas mas amargo.
501. MHa: seria.
504. Ma, Sa, Ps, H: dayres; T: daries; MHa, Mc, T, Ps, H: lo; Mo, Sa, Pg, Ps, R: contraria.
505. Mi, Sa, Pe, Pg, R: o clamo.
507. Mi, Pe, Pg, R: las cosas; MHa, H: laomedon.
508. Ma, comienza: o de; H: periamo.
509. Sa, comienza: e los; Pe: targicos; Mo: dexamos.

511. Mc, Pg, R: por juyzio; Mi, Pe: por judiçio.
513. ya *om.* Mo.
514. H, comienza: de ector; Mo: e sus hiso.
515. Sa: a los troyanos.
516. Mo, T: triste vida.
517. Pe: que mandaste que; Mc: que fezieron.
518. Mi, Pe, Pg, R, comienzan: tanto en.
519. Mo: la saben; MHa, Mc, T, H: sabe; Mi: asy; T: ansya; Mo: poton; en Sa el verso fue intercalado más tarde.
521. Mo, comienza: o quantos; Sa: e quantas.
522. Pe: troya por a sus.
523. Pe, dice el verso: por guerra de cendas manos; en *om.* Mi, T; Mo, Sa: en muy pocos; R: daños.
527. Ps: tu cruel estrema.
531. MHa: guerra; Mc: por graçia; Mi, Pe: guerras; MHa, Mc, Mi, Pe, R, H: crudas; T: de cendas manos.
532. e *om.* T.
533. Mi, Pe, Pg, R, comienzan: tal rruydo; H: tales bregas y.
535. auñ *om.* Mi, Pe, Pg, R; H, comienza: cavn; Mi: diños; T, Pg, R, H: dignos; Pe: dinos.
538. Sa: casandria.
540. MHa, Mc, Mo, T, Sa, Sd, Ps: eleno; Ma, Mi, Pe, Pg, R, H: elena; ya *om.* Mi, Mo, Sa, Pe; Pe: nyn menores.
542. MHa, Mc, T, Pe, Pg, Ps, R: petheo; Mi: pecheo; Mo: percheo.
545. Pe: tanta; Mo: perseguimiento; H: proseguiste.
546. a *om.* Sa.
548. Mi, Pe, Pg, R: en las guerras; Pe: que los diste.
551. Mi, Pe, Pg, R: mas antiguas.
555. Sa: general continuando.
556. Mo, Sa: nonbres quantos fueron.
557. Pe, comienza: de los; Mi, Pg, R: rreys.
558. Mc: esos.
559. Pe: tal relacion.
560. Sa: oyd vos los; Pe: las.
562. Mi: honor e triunfo; MHa, Mc, Mi, Mo, Sa, Pe, Pg, R: triunfo e vitoria; H: nin gloria.
563. H, dice el verso: nin tan exçelsa vitoria; MHa, Ma, Mc: tal eçelsa; Mi, Pe, Pg, R: mas exçelsa.
565. Sa: a las airiadas; Mi: otridas.
567. MHa, Mc, Sa: estos; Mi, Pg, R: seanse.
569. Mi, Ps: este; que *om.* Mo.
570. Mi, Pg, R: en su grand tronpa; Pe: en su grand triumpho a omero.
571. e *om.* Mi, Pe.
573. Mi, T, Ps, H: los casos; Mo, Pe: las cosas; Sa, Pg, R: las casas.
574. MHa, dice el verso: alad aves; Mi, Pe, Pg, R, dice el verso: tan suaues; Ps: a las vezes.
575. Sa, comienza: dy non.
576. Sa: alegres y festiuales; MHa, Mi, Pe, Pg: festinales; Mo: fasenales.
577. Pe: busca.
578. Mc: tu cegas; Pe: tu cregas.
580. Mc: engaños.
581. MHa, Mc, comienzan: et los; Pe: las.
584. MHa, Mc: han; Mi, Pe, Pg, R: ha poder.

585. Mo, Sa, Sd (el copista raspó *avn*), Pe, Pg, R: nin contenta; Mo: contento; de *om.* Mc.
586. e *om.* Mi, Pe, Pg, R.
587. Mi, Pe, Pg, R: la.
588. Mi, Pe, dice el verso: a menos del paresçida; Pg, R: a manos del
paresçida; Sa: patruçider; Ps: patriçida.
589. Sa, dice el verso: talgeon yndinado; Mi, Pe, Pg, R: galagono; Mo:
thelogano.
590. Mc, Mo: quel dolor.
591. Mo: fue semejante.
592. Sa: fortunado; H: afortunado.
593. Sa, comienza: dotro.
595. Pe: via.
597. Ma: resçibiste; Sa: deçendiste.
601. Mi: heralina.
603. Mo: quando fue; Pe, Ps: quanta fue.
604. Mi, Pe, Pg, R, dice el verso: que consolacion le diste.
605. Mi, Mo, Pe, Pg, R: al que.
608. Pe: desfize.
611. Mi: del diagon.
612. Pe: la.
613. Sa: los curiades.
614. Sa: los egipçianos.
615. R: por los claros.
616. Mo, Sa, dice el verso: como adino (Sa: cuydo) lo adoraron.
617. Ta, Sa: debelleo; Pe, Pg, R: de veto.
618. Mi: del pericheo; MHa: paritheo; Mc: pariteon; T: piriteo; Pe: pericheo.
619. Mo, Sa, comienzan: y las arpas (Sa: arpies) que; MHa, Mi, Pe, Pg, Ps,
R: arpinas.
620. Sa, dice el verso: rrobauan el saçieo; Mi: rroboan a secreto; Pe, Pg,
R: robauan a secreto; MHa, Mo: asaeteo.
621. Mi, Pe, Pg, R, dice el verso: de la troyana pelea; T, comienza: y de.
624. Mi, Pe, Pg, R: larnea; T: pernea.
625. Mi: de graçia.
626. MHa: faro; Ma: fartos; Mi, Pe, Pg, R: farta.
627. MHa, Ps: angoxas.
628. Pe: quexarese; Mi: borçia.
629. Mi, Pe, Pg, R, comienzan: que fue.
631. Ps: que rreyno.
632. Mi, Pe, Pg, R, comienzan: e mas.
633. Ma: ya digo; Sa, comienza: digote de; Mc: yo diego de.
634. MHa, Ma, Mc, Sd: cademo; Mi, Mo, Sa, Pe, Pg, Ps, R, H: cadino.
635. Mo: laya; H: dice le verso: layo y edipo el terçero.
637. Sa: paresçe bastar; Mo: que abasta.
642. Sa: o dafricos; MHa, Mc, H: o afectos; Ma: o africas.
643. Mi, Sa: sàbes que sabemos.
645. Pe: quieras.
646. e *om.* Mi, Pe, Pg, R.
647. d'él *om.* Pe; MHa: prinçipe aunnon; Ma: principe amnon; Mi, Mo, T,
Sa, Pe, Pg, R, H: amon.
648. Pe: del su; MHa: asdrual; Pe: adrubal.
649. Mo, Sa, Pe: estos; Ps: faze; Mi, Pe, Pg, R: virtuosos.

650. Mi, Pe: en juuentud e.
651. Mc: la verdad.
652. Mo: que les fueron.
654. Mi, Pe: geno.
655. a om. Ma, Mi, Mo, T, Sa, Pe, Pg, Ps, R; MHa, Mc, Sd, H: a estos; Mo, dice el verso: estas forniçes e penos; Sa: estos rreniçes e penos; o om. MHa, H; MHa: penes; Mi, Pe: penos.
656. les om. MHa, Ma, Mc, Sd, H; Mi, T: syenpre les buscaste rruydo; Mo, Sa: syenpre les diste rroydo; Pe: siempre les buscasse roydo; Pg, Ps, R: sienpre les buscas rroydo.
657. Pe, Pg, R: a las fines.
659. Pe: todas las grades; H: todas las gentes.
660. Mo, Sa: fazes cruel guerra.
661. MHa: artagençes; Mi, Pe: artuxeses; T, H: arcaxerçes; Sa: cartajeneses; Pg, R: artuxezes.
662. MHa, Mc: çero e; Mi, Pg, R: caro e; Mo: çito e; T: cirio e; Pe: carro e; e om. Sa; Sa: pirro.
664. Mi, comienza: a astiago; Pe: astario; Pg, R: astiago; Ps: astiario; Sa: çeres.
665. Pe: sandanapollo; R: sardanapalo; H: sardanopolo.
668. Pe, comienza: a segund; Mi: segundo mal primero; Pe: segund mal primero; Pg, R: ni al primero.
671. MHa, Mc, Mi, T, Pg, Ps, R, H: platicar.
673. di om. Ps; de om. MHa, H; Ma: nestes; Mi: tistes; Pe: tristes; Ps: tiestis; T: acreo; Ps: acteo.
674. Ps: e el amoto de; MHa, Mc, H: clamare; Pe: clamense.
675. MHa, Mc: de tales engaños.
676. Mi, Pe, Pg, R, comienzan: o sy; Pe: quisieres.
680. Mc: lastimosos.
681. Mi, Mo, Sa, Pe, Pg, R: estos.
682. Pe: las culminas; MHa, Mc, Mi, Mo, Sa, Pg, R, H: culmines; T: clumenes.
683. Mo: quenperiales.
684. Mi, Pe, Pg, R, comienzan: en verdad; MHa, Mc: por virtud; Mo, T, Sa, Ps: ante.
685. de om. MHa, Mc.
686. Pe: posser.
687. Sa: tienpos avn ser; MHa, Mc, terminan: en vsar.
688. T, dice el verso: y tierna prosperidad; H: y eterna; MHa: eterno.
689. Mi: tanto les da vida.
690. las om. MHa, Mc, T, H; sus om. Mi, Pe, Pg, R; Mo: sus vidorias.
692. Mc: seran pedidas.
693. Mi, T, comienzan: e la.
695. Mo, T, Sa, comienzan: non son.
696. Pe: vostra.
699. Mi, Pe, Pg, R: si asy las; T: touieses.
700. T: tienpos a vna.
703. Mo: fallaremos.
705. Mo: las casas; Sa: cosas conjudgadas.
706. Mi: por las mayores; mas e om. Pe; Sa: e por mayores.
707. Pg, comienza: e si lo; R: e asi.
708. las om. MHa, Ma, T, Sd, H; Mc: e esciencias.
710. Pe: cepas.

712. MHa, Mc, Mi, Sa, Pg, R, H: presion.
715. Mo: los; MHa, Ma, Mc, Sd, Ps: rrecusas; Mi, Mo, Sa, Pe, Pg, R: rrefusas; T: rehusas; H: rruffussas.
716. Mi: defecto.
717. Mc, Mo: con amenazas; MHa, Mc, Mi, Sa, Pg, R, H: presiones.
719. Mo, comienza: y temo; T: tu; H: tus façes.
720. e¹ *om.* T; Mo: guestes e ligones; Mi: e rrigiones; Pe, Pg, R: e regiones.
721. Sa, Pe: prendieras.
723. Sa: yo ya so fuera; Ma: soi fuera ya de.
724. Mo, Sa, comienzan: non pido.
725. MHa, Mc, comienzan: que son; Mi, Pe: a miçenas; Sa: a uidendas; Pg, R: a miçendas; Ps: e viçendas.
728. T: discriçiones; Pe: decenciones.
730. Mo: mis pasadas.
731. Ma, T, Sd, Ps, comienzan: non sus; Mi: libros e treslados; Pe, Pg, R, H: libros e tractados.
732. Mi, Pe: que jamas faras.
736. T: el çielo a; Pe: cibo epeso.
737. que *om.* Mo, Sa; Mi, Pe, Pg, R, comienzan: ca a; H, comienza: ca mi; T: plaze.
738. Sa: otro gozo mundano.
739. MHa, Ma, Mo, Sd, Pe, H: estoçianos; Mc, Mi, T, Sa, Pg, Ps, R: escoçianos.
740. Mo, Sa, dice el verso: nin conpaña de andemios (Sa: cademios); Mi, Pe, Pg, R: conpañia; Ma, T, Sd, Ps: compaña (Ps: compañia) e academios (T: cademios; Ps: achadenios).
741. Mo: preçetros.
743. Pe: bienes diuinales.
744. T: diosees.
745. Mi, Pe: fallen.
746. Mi, Pe, Pg, R: quatro estas lunbres.
747. T, comienza: todas las nobles.
748. Mo, comienza: en seruiçio; Sa: seruiçio.
750. Sa: he.
751. Pe, comienza: e plutargo; Mi: plutarço; Mo: pichicto; Sa: pitago; Pg, R: plutarco; de² *om.* Sa, Pe; Mi: de genon; Pe: de geneon.
752. Pg: molares.
753. H, comienza: a los; de *om.* Pe; Mi, Pe, Pg, R: olcobolo; T: cleoblio; Sa, Ps: creobolo.
754. T: comendando a la.
755. Mi, Pe: trofrasco; T: theofasto; Sa: triunfastuo; Ps: theofastro; H: teofraseo.
756. e *om.* T; MHa, Mc, comienzan: en quanto; Mo, Sa: quando; T: blasfemo.
758. en T está el verso en el margen de la estrofa; Mc: pertandro.
759. MHa: aneximandro; Mo: anaxiandro; T: anaximadro; Sa: anexiando; H: anixamandro.
760. de *om.* T; Pe, Pg, R, H: grande.
761. Ma: studios; MHa, Mc: estudios o vidas.
762. Mc: anajagoras; Sa: anaxagores; R: anexagores; MHa, Mc: craçes; Mi, Sa, Pg, R: trates; T: cartes.
763. Mo, Sa: todos conbates.

765. Mi, Mo, Pg, R: leys.
767. T: son de çierto vano; Ma: decreto e vano.
768. T: non trono; H: no bolvio.
769. MHa, Mc, comienzan: ca muchas.
770. MHa, Mc, comienzan: e pitagoras; Sa: pitagios.
772. M: ynuetor.
773. Mo: quantos.
775. Mi, Mo, Sa, dice el verso: e fermosos yngenatos (Mo: evigaratos; Sa: emigatos); Pg, R: enginatos.
776. Mi, Pg, R: fraudosos; Mo, Sa: graçiosos.
777. Mc: clara verdad.
778. Mi, Pg, R: muy antiguo gorgias; Mo: ançiono.
779. Mo: como sus luengos; H: tan largos dias.
782. Mi, Mo, Sa, Pg, R, dice el verso: muy verdadero.
783. e *om.* Mo; Sa, termina: e verdadero.
785. Mo, Sa: las rreglas de.
786. Ma: de academia; Sa: academio.
787. Mo: syn veçiçio nin; T: vexaçion y premia; Sa: premio.
788. MHa, Mc: eligion; Mo: aligio..
789. Sa: leys.
791. Mo, comienza: aque que.
792. Mo: las mentas.
793. muy *om.* Mo; cosas *om.* Sa.
795. MHa, Mc, comienzan: posas que; Sa, comienza: preçes que.
796. Ma, dice el verso: de dulces gustos sabrosas; H: de duçe; Mo: del dulçe gesto e; e *om.* Mi, Pg, R.
797. Mi, comienza: e filosofos; T: philosophos.
799. Mi: fablas.
800. MHa, Mc: en primeros versos (Mc: usos).
801. Sa, dice el verso: do se falla el tal proçeso.
803. e¹ *om.* T; MHa: como que por; e² *om.* Mc.
804. T: exespreso.
805. MHa: goblo.
806. Mo, dice el verso: a caes; Sa: a caos.
808. MHa, Mc: tan grand diligente.
809. Pe: que artes que; se *om.* MHa, Mc; Mo: se apartase.
810. T: las tres del; Mo: de oçeano.
811. Sa, comienza: entre fuego; H: ayre y fuego.
813. Mi, Pe: uulto en ayuntamiento; e *om.* T.
816. Mi: ordenança syn cuento; Pe, Pg, R: ordenança e sin cuento.
817. H: juntos no discordantes; Sa: disacordantes.
822. MHa, Mc, H: vno.
826. MHa, Mc: rramor; Sa, H: rremor; Sa: rremate; Pe: debate.
827. Sa: grand conbate.
829. Mo: las çielos.
831. Mo, Sa: curso (Sa: cursos) se ordenasen.
833. e *om.* T.
834. Sa: rretaurase.
835. el *om.* Mo, Sa; Sd: al agua.
836. e *om.* Ma.
837. T, comienza: en my vtil; Ps: muy vil conjunçión.
839. Mo: rresulta.
840. Sa, comienza: en mundana.

841. e *om*. Mi.
842. Ma, Mc, Sa, H: terrestres; Mo: terreses.
843. MHa, Mc: los pocos moradores; Pe: los preces.
844. Mi, Mo, Sa, Pe, Pg, R, comienzan: en las.
845. MHa, Ma, Mc, Mo, T, Sa, Sd, Ps, H: rresçibiese; Pe: recebissen.
846. Pe, comienza: a vos assy; e *om*. Mi, T, Pe, Pg, R.
848. Ma: specie; Mi, Pe, Pg, Ps, R, H: espeçia; MHa, Ma, Mc, Mo, T, Sa, Sd, Ps, H: produxese.
851. Mi, Pe, Pg: lagos; Mo: laxos; Sa: baxos; R: lo lagos; Mi, Pe, Pg, R: cardinales.
853. Mi, Pe, Pg, R: consigo; Sa: siguio.
855. Mi: la disiçia.
856. Sa: avtro; Mc: del mediodia.
857. MHa: zeferto; T: sefirio; Sa: efiro.
858. Mo, comienza: que asy; Sa: todos despartidos.
859. T: actos deuidos.
860. T: cruzian.
861. Sa: vno tienpla; T: tienblan.
863. Sa: otro.
864. Sa: trahe; MHa, Mc, Mo, Ps: la primera vera.
865. Mo: cupaz e; Mc: e saro animal.
867. Mi, Pe: touiesen.
869. Mi, Pg, R, dice el verso: pues que este fue el onbre; Pe: pues este fue el hombre.
871. Mo: çelestres.
872. T, comienza: el qual.
873. Mi, Pe: bliuia teta; T: bliotheca.
875. Mi, Pe, dice el verso: e a mi consolara.
876. Mi, Pe, dice el verso: la natural maestria; Pg, R: la natural maestra.
877. Sa: mis amgos.
879. MHa, Mc, Mi, Mo, Sa, Pe, Pg, R, H: juntos a mi.
881. Mi, Pe, Pg, R, dice el verso: asy sere yo contento; MHa, Ma, Sd: actento; T: atiento.
883. Mi, Pg, R: trapudio; Sa: tribudio; Pe: trepidio.
884. Pe, comienza: de vulgo; Mi: vlgo.
885. Mi, Pe, Pg, R: pues que tal; si *om*. Sa.
887. Mi, Pe, Pg, R: presyon; Sa: pasion.
888. Sa, dice el verso: mas alguna feliçidat; MHa: feçilidad.
889. si *om*. Mo; Sd: carcer.
892. Mo, comienza: y preso; Mi: pereso.
894. Mo: esperas.
896. Mi: sus fijas o cobipnas.
897. T, comienza: en muchos; Mi, Pe, Pg, R, dice el verso: e otros muchos enojos.
898. te [1] *om*. Ps; te [2] *om*. Mc.
899. MHa, Mc, Pe: gozo de estudiar.
900. Mo, Pe: dime letras syn.
901. MHa, Mo, Sa, H: demotrico; Mi, Pe, Pg, R: democlito; Ps: demotrito; se *om*. Sa; Mi, Pe, Pg, R: sy çego.
903. Mo: de rraposo.
904. e *om*. Mo; Sa, dice el verso: e murio çiego caton; Mi, Pe, Pg, R, terminan: çiego aprendio.
905. Sa: que yo te.

908. T, comienza: los ioyeles; MHa, Mc, Mo, Sa: e las joyas que; Mi, Pe: e oye los que.
909. Sa, comienza: e si.
911. e *om.* Sa.
912. Mi: entraron comigo al baño; Pe: entraran conmigo albanon.
913. Mo, Sa, comienzan: de todos; Ma, dice el verso: e por todos los dolores.
914. e *om.* MHa, Mc, Mi, Mo, T, Sa, Pe, Pg, Ps, R, H.
916. Ma, T, Sd, Ps, H: descriuieron; Pe: scriuieron.
917. Mi, Pe, Pg, R, comienzan: por toda.
918. Pe: passaras fortuna.
919. Ps: morir non; Mi, Pe, dice el verso: morire sy moriras.
920. Mi: lo que ya.
923. Mc, T, Sa: qualquier.
925. Mo, Sa, comienzan: ca las.
926. Mo, Sa, dice el verso: a los tales.
927. Mo, Sa: seran e a; T, dice el verso: e seran todos mis males.
928. MHa, Ma, Mc, Mo, Sa, H: meditaçiones.
929. M: piensas.
931. T, comienza: que toda.
932. T: venga a qualquier.
933. Mo: fallaran.
935. me *om.* MHa, Mc: Sa: fallase; H. falleses.
936. MHa, Mc, Sd: continuo; Mo, Sa, H: contigo.
938. Mi, Pe, dice el verso: o bias a manos mias; Pg, R, dice el verso: e apareja las manos bias.
939. MHa, Mc, dice el verso: cuydaua qual me dirias; Mo: derias; T, Ps, H: dirias; Sa: darias.
940. MHa, Mc, comienzan: que tal cosa tarde; Sa, Pe, Pg, R: atarde; Mo: tardenviene; Pe, H: viene.
941. MHa, Mc, T, Pg, Ps, R, H, comienzan: e contingente; Ma, Mo, Sa, Sd: o contingente; Mi, Pe, comienzan: en continente de.
944. MHa, Mc, Mi, Mo, T, Sa, Pe, Pg, Ps, R, H: defensa ni rreparo; Ma, Sd: deffensa sin reparo.
945. T, dice el verso: o muerte tu que me quieres; Mi: tue; Pg, R: tu que me.
946. Mi, Pe, Pg, R, terminan: faser pauor.
947. T, comienza: pues vn; Pe, comienza: pues que hun; Mo, Sa: vna tal; MHa, Mc, Mi, T, Sa, Pe, Pg, R, H: lieue; Mo: llieue.
948. Mi, Pe, Pg, R: vimos que mugeres.
952. Mo, Sa: e otros.
954. Sa: que ha porçia; Mi: ya poesia platico; Pe: ya por sy pratico; Mo: porçian; Pg, R: platico.
955. Pe: culpa esse mato; Mo: se mata.
956. Mo, dice el verso: a muger colatyno.
957. Mo: daymia; Sa: daynyra; Pe: dyaymira.
959. Mi, Pe: ca çierto es quien (Pe: qui); Pg, R: ca çierto es quien las; Mo, Ps: ca çiertas quien; H: ca çierto quien; Mo: las; T: lo.
960. Mi, Pg, comienzan: cabto e; Pe, comienza: canto e; R, comienza: capto e; T, dice el verso: cortar e vilmente mira; MHa: e debile monte mira.
961. MHa, Mc: pues que lo tal; la *om.* Pe; Mi: la cal eligieron; MHa, Sd: eligeron; Mo: elegeron.
962. Mi, Pe, Pg, R: las feminyles.

963. Mi, Sa, Pe, Pg, R: animas de los; Mo: animus; Ps: animo de los.
964. Mi, Pe, Pg, R, comienzan: sy faran.
965. Pg, R: muchas otras.
966. Mi: con çiençia.
967. Mo: rregistençia; Sa, H: rregistença.
968. Mo: y otros dezir; Sa, dice el verso: y otros que dezir podria; Pe, dice el verso: e avn dezir e ozo pedirla; Mi: perbirla.
970. Pg, R, comienzan: e asi.
971. Mo: ponsonan; Sd, Ps: pocoña.
972. Ma: por sin galardon; Mo: por sy gualardon: Sa: por su galardon.
973. Mo: çeuala.
974. a om. Mo.
975. MHa, comienza: anteneno de; MHa, Ps: de persena; Mo: de persona; Sa: de purchena.
976. Mi, Pe, Pg, R, comienzan: que la fin.
977. e om. T; Mo: mesmo sello.
978. Pe: se dixeron por.
980. Mi, Pe: y encontinente; Pe: metele.
981. Pe: cozar.
982. Mc, dice el verso: tal espada; Mi, Pe, Pg, R: a la espada.
984. Ma: ma refuse; Mi, Pe, Pg, R, comienzan: que rrefuse; Mo, Sa: mas rrefuyes; T: mas refuie.
986. Sa: la; Mc: demandaria.
987. T: bolure; Pe: volua.
988. Mo, Sa, comienzan: avnque digas; Mo: muera mueran.
989. Mi, comienza: mal sea.
991. Mi, Pe, Pg, R, comienzan: que quien.
993. Ma: los errores.
995. Mo: me enpesca; Sa: me pesca.
998. Mo, H, dice el verso: en estremo.
999. Ps: dira.
1001. Ma: foi; Mi: fue; bien om. Mo.
1005. Mc, comienza: vi de.
1007. Mo: etyca mortal.
1010. Ps, comienza: e las.
1011. Mo, Sa: grand tienpo nauegando; T: nauegado.
1012. MHa, Ma, Mc, Mo, T, Ps, H, comienzan: e vezes.
1013. Mc: fasta cabaxio; Mo: fasta cacauso.
1014. T: ençierra.
1015. T: la trra.
1017. MHa, Mc, Mo: muestra; Sa: demuestra; T, dice el verso: adonde a nuestra librança; Ps: amuestra el arca; MHa, Mo, Sa, H: liarca.
1018. Mo, comienza: al su; T, comienza: es su.
1019. MHa, Mc, Sa: cadira e trono; Sa: trono diero.
1020. Mo, Sa, comienzan: del qual rresçibio; T, termina: rriçibi a visança.
1021. Sa, Ps: salada prea; Mo: salda porea.
1022. MHa, H, dice el verso: contrato.
1024. H: cantalea.
1026. Sa: son en oriente.
1027. Ps: los gades; Sa: las galias.
1029. Ps: prouinçiales; Mo: bortales; Sa: boleares.
1032. MHa, Mc: tierras vstrales.
1033. MHa, Mc, Mi, T, Pe, Pg, Ps, R, H: quando ya rretorne.

1034. Mc, Mo, Sd, Ps: yprimen; Mi, T, Pe, Pg, R: ypreme; Sa: ypremien.
1035. Ma: geñalogia; Mi, Pe, Pg, R: geneologia; T: generosia; Sa: genolosia.
1036. T: yo me prinçipie; MHa, Pe: principio.
1037. Pe: armas o me.
1039. Mo: abreuiado.
1040. se *om.* T.
1041. MHa, Mc: mengarenses; Mo: migareses; T: megraneses; Ps: magarenses.
1042. Mo: feronçes.
1044. Mo: lo nuestros; MHa, Mc, Mo, T, Ps: yprimenses.
1045. Mc: la espada.
1047. MHa: que sen loables.
1049. Sa, dice el verso: en tierra diligente.
1050. Mi, Pe, Pg, R, dice el verso: fuy (Mi: fue) quando conuenia.
1051. T: sueño yo perdia.
1053. Mo: vsa; Sa: vse de maneras.
1055. que *om.* MHa, Mc; Mo, Sa: mi preuer; Ps, H: mi preueer.
1056. Mi, Pe: se loan e.
1058. T, dice el verso: e que fuese por mar y tierra; Sa: fuy por mar y por.
1061. T: las sendas; Mi, Pe, Pg, R: mi faz.
1062. Mi, Pe, Pg, R: se boluieron.
1064. Mi: ostener; Mo: abtener.
1065. Mi: paçificado; Sa: paçificamente.
1066. la *om.* Mi, Pe.
1068. Mo, Sa, dice el verso: por mi fuese gouernada; por mi *om.* MHa, Mc.
1070. Ma: mi fizieron.
1071. Mi: y do tal cura; Pe: todal.
1073. T, Sa, H: registençia.
1078. Mo: dominan.
1081. T: con razon e.
1082. Ps: solepnidat.
1083. T: contarte; MHa, Mc: dinidades.
1085. e *om.* MHa, Mc, Mo, T, Sd, Ps, H; Mo: consstriptos; Sa: contritos.
1087. Ma, T: y fee.
1089. Mo, Pe: veer.
1091. Mo: potento.
1093. Mi, Pg, R: sobernaçiones.
1094. Mo, dice el verso: e omo fuego.
1095. Sa: fize al por.
1096. Mo: dilante; Sd, H: dilacte; las *om.* Mi, Pe, Pg, R; Mi, Sa, Pe: abçiones.
1098. Mo: mis fecho.
1100. Pe: consumo.
1104. H, comienza: torrnar ni.
1105. a *om.* Mi, Pe, Pg, R.
1106. a *om.* Ma, Sd, Ps; Mo, T, Sa, comienzan: e las.
1109. e [1] *om.* Mi, Pe, Pg, R; Sa, dice el verso: o si sobre mio o tuyo; Mo: sy saber mio.
1110. Mo: alterateon.
1111. Mi, T: allegaron.
1112. Mo, Sa: a cada qual dy; Pe: dio.
1114. Mo: non salen.
1117. Mo: cosas nonbren fechas.

1121. e *om.* Mi, Pe, Pg, R.
1122. e *om.* Mi Pe, Pg, R; Mi, Pe, Pg, R: discursos.
1123. Ps: la su calydat.
1124. H, comienza: a tus; T: consçiendo.
1127. Mo, comienza: y son; Pe: como voz de.
1128. Pe, comienza: en las.
1129. Ps: cobre.
1130. Mi, Pe, Pg, R, comienzan: e non.
1133. Sa, comienza: que yo; T: se tiempo alguno.
1134. T: mandado.
1135. Mi, comienza: vida sy.
1136. Mi, Pe, Pg, R, dice el verso: e de cuydados no ayuno.
1137. Mi, Pe, Pg, R, comienzan: pues que (que *om.* Pe); Mo: despus.
1138. Mo: estuve.
1139. Mi, Pg, R, dice el verso: amor (Mi: amar) de toda la gente; Pe, dice el verso: antes de toda la gente; Mo, comienza: en amor.
1141. H: grande; MHa, Mc, T, Sa: alcauala; Mo: alcauea.
1142. Mo, Sa, dice el verso: non estremos.
1143. Mi, Mo, Sa, Pe, Pg, R, comienzan: con tiempo; Sa: leuante los rremos.
1144. Mi: mansa; Mo: maso.
1145. Mo, Sa, comienzan: non te.
1146. me *om.* MHa, Mc.
1147. Ma, Pe: los; Mi, Mo, Sa, Pe, Pg, R: fago.
1148. MHa, Mc, Mi, Pe, Pg, R: ante; Mo: quieras; Sa: quieres; T: me rrigo.
1151. Mi, Pe, Pg, R, comienzan: queda en el; Mo, comienza: esperea del; T, comienza: espera del; H: es pressa del.
1152. Mi, Pe, Pg, R, comienzan: e yerra quien.
1153. Sa, comienza: e tu.
1155. Mo, Sa: en (Sa: nin) derribas a los; R: mas a los.
1156. a *om.* Mo.
1157. Mo: posperados.
1158. Ma, dice el verso: e subidos; MHa, Mc, Sa: sabidos; Mo: sebedos.
1159. Ma: enpremidos; Mo: ympermidos; Sa: apremidos.
1160. Mi: distraydos; e *om.* MHa, Mc, Sa, Sd.
1162. MHa, Mc, Mo, T, H: platicas; Sa: platica; Mi, Pe, Pg, R: platicas de los; los *om.* Mo.
1163. Mi, Pe, Pg, R: quando yazen condenados.
1164. Mo, Sa: por manifiestas querellas; Pe, termina: aparentes aquellas.
1165. Mo, Sa, comienzan: que detienen; Ps: cada do veen el.
1170. del *om.* T; Mo, Sa, Ps, H: triunfa el thriunfante.
1172. Mo: exerticar; T, Sd: exerçir.
1173. Mo, T: muestra; Sa, dice el verso: muestras que lo non fazes.
1177. Mi, Pe, Pg, R: dyme temes; Mi, Mo, Sa, Pe, Pg, R, H: escuras.
1178. Mi, comienza: gentes o; Mo, comienza: graues o; MHa, Mc, Sa, Ps, H: grutas e bocas.
1179. Mo: terrosçes.
1181. Sa, termina: los terroçes.
1182. MHa, Mc: torreçientes.
1186. Ma, Ps, H: entrada temerosa.
1188. Mc: canes aladridos.
1193. Mi, Pe, Pg, R: nozer e malfaser.
1191. Mi, Pe, Pg, R: terrestes; MHa: thesio.
1194. Mi: alçises; T: atrides; Pe: alcizes.

1195. Mi: duques obstentos en; Pe: duques obstetos en; Pg, R: duques es-
çeptos en; H: espiertos.

1196. Mi: e tenia las; MHa: peritheon; Mc: peretheon; Mi, Pe: pericheo;
Sa: piriteo.

1202. Mc: cirgias; T, Sd: astigias; Pg, R: estagias; H: estregias.

1203. Mi, Pe, Pg, R, terminan: las comouidas; T: enmenidas; Sa: enimidas.

1204. Ma, Pg: monstruos; T: mostros; Pe: los mostines infernales.

1206. MHa, Mc: de pluton; Mo: de curon.

1208. Pe: se ponan los.

1209. Sa, comienza: e asi las; Mi, Pe, Pg: si les fablas; R: si leo fablas.

1210. Mi, Pe, Pg, R, comienzan: avn asy; assi *om.* Ps; Ps: commo tu la
demuestras; R: como los muestras.

1212. MHa, Mc: tal error e temor; T: tal herror o; Sa: terror e temor.

1213. MHa, Mc: mi que non; Ma, T, Sd, Ps: mi ca yo; Mi, Mo, Sa, Pe, Pg,
R, H: mi que yo.

1214. Mi, Pe: sus temores.

1215. Pe, dice el verso: mas passar bien syn dolores; MHa: los escuros; Mi:
los senores; Mo, Sa: los contentos; H: los asentos.

1216. MHa, Mc, comienzan: e vela; Pe, Pg, R: tendida e remo.

1217. MHa, Mc, Mi, Mo, Pe, Pg, Ps, R: del huerto.

1218. Sa, comienza: donde tu; tu *om.* Pe; H: do no tu cuydas.

1220. Pe: inpidan; MHa, Ma, Mc, Pe, Ps, H: puerto.

1221. Sa: fare poner çient; Mo, Pe, Pg, R: ciento.

1222. Mi: aogado; Pe: fatigando; Pg, R: anegado.

1224. Mi, Pe: non çesen tus; Mo, Sa: non te menguen daños.

1225. Sa, dice el verso: en quand ligeramente.

1227. Sa: pasara.

1228. Mo, comienza: o casy; Sa, comienza: o caso de; Mi, Pe, Pg, R: e asy de.

1229. Mi, comienza: ome prueua; Mo, Sa: pues asaya sy; Mc: si pudientes.

1230. R: noçerme.

1231. H, comienza: que non; Pe: aduzirme.

1232. MHa, Mo: friuoles; Mi, Pg, R: fieuoles; T: friuores; Pe: freuoles;
Sa: friuores quererme.

1234. Mo: enpachon o detenençias; Sa: enpachos e detenençias.

1235. Sa: contrastes e rregistençias; Mo: rresistençias.

1237. Mo: las uigas.

1239. MHa: nigunos; Ma, Sd: algunos; Mc, Mo, T, Sa, Ps, H: ningunos.

1240. MHa, Mc, Ps: enemigos.

1241. MHa, Mc, Mi, Pe, Pg, R: mas dexa la; Sa: mas dexa ya la.

1242. Mi, Mo, T, Sa, Pe, Pg, Ps, R: carrera de los.

1243. Mo: do cruelmente; Sa, dice el verso: do cruel son curçiados; son *om.*
Pe; Mi: son tirciados.

1244. Mi, Pg, R: perseguiendo; Mo, Sa: consiguiendo; Pe: porseguiendo.

1245. H: mirara; Ma, termina: fixo e.

1246. Mi: aldor.

1247. MHa, Mc: ningud; Ma, Sd: algun; Mi, Mo, T, Sa, Pg, Ps, R, H: ningund; Pe: nyngun.

1248. Mi, Pe, Pg, R: mal e lo; Mo: mal a lo.

1250. MHa, Ma, Mc, T, Sa, Ps: tiranos.

1252. Ma: la ginagia vejez; Mo: la noxea veges; T: la nosiva vejez (primero
se escribió *nosia* y después fue intercalada una *v*); Sa: la uexia vejez;
Sd: la non fria vejez (la *f* y la *r* se escribieron sobre una *x* todavía cla-

ramente visible, y se puso una tilde sobre la *n* de *no*; de modo que primeramente escribió el copista n*oxia*); Ps, H: la nosia vejez.

1253. Sa, comienza: que soberuiosos.
1255. Ma: tonante.
1257. Mo: aleydas; Sa: alaydas.
1259. MHa, Mc, comienzan: o por.
1261. Sa: çelestiales criaturas.
1264. Mo: tartereas.
1265. Mo, T: pugnido; Ma: salomona; Sa: salamoña.
1266. Mo, T: pugniçion.
1267. Sa: por la su veneraçion.
1268. Mo, comienza: y deyfica.
1269. T, Ps: tornando.
1270. T: en la leyda.
1271. MHa, Mc: donde la tajo; Mo: traxo.
1273. Mi, Pe, Pg, R, comienzan: de las; MHa: de trio; Mc: de tricio; Pe: de tiro; H: de siçio.
1274. Ma, Mc, R, Pg: buytre; Mi: butre; Pe: buetre.
1275. Mo: e non despendidas; Sa: e fueron despendidas; Ma: despedidas.
1276. Sa, dice el verso: de penado malefiçio.
1277. Mo, Sa: las lafitas; Mi, Pe, Pg, R: lafites; T: tementes; Sa: de mientes; Sd, Ps, H: tenientes.
1278. MHa, Mc, Mi, T, Pe, Pg, R: pena.
1279. Pg, R: que encima se; Mi: en semo; Pe: en soma; Sa: se le despeña; T: espena; Sd: espeña.
1280. Mi, Pe, Pg, R: al temor de; Mo, Sa: al paresçer de las gentes.
1281. Mo: seran muy vedadas.
1282. Sa: mis dilitos e males; Ps: deliçias e males.
1286. MHa, Mc, Sa: honrrados.
1289. Pe: las vezes de; Ma: plegias; Mo: feligias; T: fligias; Sa: frigias.
1290. Mi, Pg, R: farian; Pe: fazian; Mo, Sa: ningund.
1291. Mi, Mo, Sa, Pe, Pg, R, comienzan; nin aquel; Mi: aquel terrible llanto; Ma, Sa: canto.
1293. Pe: fazen lo que.
1294. T: sus debdos; Sa: sus de bodos.
1295. MHa, Mc: defendieron.
1297. Mi, Pe: çiclepes de lados; Pg, R: çiclepes de lado; Sa: claclopes; H: çicoples; Ma: vexados.
1299. Mi: saliere.
1300. Mo: plados.
1301. T, dice el verso: do los caminos rosados; Mi: campos pasados; Pe: rasados.
1303. MHa, Mi, Mo, T, Pe, Pg, Ps, R, comienzan: de todos.
1304. Sa: dize que son abastados; Mo: son avastados.
1305. Mi, Pe: do canta e tañe (Pe: tanen).
1306. Sa: saçerdote da traçia; Mi, Pe, Pg, R: tarsia; T: taçia.
1307. MHa, Mc: la libra con; Sa: la harpa con (primeramente escribió el copista *libra*); Pe: la liracion tanta.
1308. Mi, Pe, Pg, R, comienzan: que se.
1309. Mi, Pe, Pg, R, comienzan: yaze otilio de; se *om.* Mo, Sa; Sa: octuuo; Mi, Pe, Pg, R: çerneo; Mo: çernero.
1310. MHa, Mc, Sa: liberando.

1311. Mi, Pe, Pg, R, comienzan: ca dise commo; Mo, Sa: a erudiçe; T: enrudeçe.
1313. Sa: apareçençia.
1316. MHa, Mc, Mo, T, Sa, Ps, H: de tan grand.
1318. Sa, termina: muestra famosa.
1319. Sa, dice el verso: ser fabricada; T: fabruta.
1320. Sa, dice el verso: de la diestra e sabia mano (el verso siguiente reza: e poderosa eçelencia suya; suple la falta del verso 1315); e *om.* H.
1321. Ma, comienza: assi las; MHa, Mc: aduersidades.
1322. Mo: los colores.
1323. MHa, Mc, T, Sa, Ps: rrecontando.
1325. Ma, comienza: ca estas nuestras; T, comienza: puestas de; de *om.* H.
1327. Mo: son con lunbre.
1328. T: sol de sus; Sa: sol e sus claruras.
1329. H, comienza: y en.
1330. Ma: planicios; Mi, Pe, Pg, R: planiçias; Mo: pradiçes; T, Ps, H: planiçes; Sa: prados; Ma, T, Sa, Ps: purpurados.
1331. Sa, Pg: dize; Ma, T, Sa, Ps: collocados.
1333. Mo, Sa: las animas que.
1335. los *om.* Pg, R; MHa: remisimos; Mc: romisimos; Mi: rrutos; Mo: rricos.
1337. Sa: asemidas.
1339. Mi, comienza: a prorrogadas; Sa, comienza: e perrogadas.
1340. Ma, comienza: de mas de las; Mi, Pe, Pg, R, comienzan: sobra (Pe: sobre) de las; e *om.* Ma, Mi, T, Sa, Pe, Pg, R.
1341. Mo: mas de prauos sentidos; Sa: mas biuo sentido.
1343. Pe: presto.
1344. MHa, Mc: mas perdidos; Pe: polidas.
1347. Sa, comienza: e de; Mo: de fintales.
1348. MHa, Mc, Sa, Ps, comienzan: frondas en toda; Mo: frandes en toda; T: frutas en toda (primero escribió el copista *frondas*); Ma: florezen.
1349. Ps: aguas do todas.
1353. Mo: erediano; Sa, Ps: eridiano; Pe: gridano.
1354. T, comienza: rryge toda; la *om.* Pe.
1355. Mi, comienza: ni rreguridad; Sa: rreguridat syn saña.
1357. Mi, Pe, Pg, R, comienzan: e las ondas.
1359. Mo: medulaçion.
1361. e *om.* Sa.
1363. Ma, comienza: quales e mas.
1365. Sa, dice el verso: vnos con esturmentos; MHa, Ma, Mc, Mo: instrumentos; Ps: estrumentos; H: estormentos.
1368. Mo, Sa, comienzan: los otros; Ps: y otros.
1370. e *om.* Sa; Mo: metrotologia.
1371. Mo, comienza: los rrezan; las *om.* Sa.
1372. Sa: todos juntos.
1375. con *om.* Sa; MHa, Mc: con mucha honestad; Mo: grand ouedat.
1377. Sa, dice el verso: ante piadosamente.
1381. Mo: los fintales; Sa: los frautales.
1384. Sa: por verdat ynmortales.
1385. Sa, comienza: e otros.
1391. Mo, T: satisfaze; MHa, Mc: e plazer; Mi, Mo, Sa, Pe: al plazer.
1392. Pe: congoxa; MHa, Mc: congoxas e afanes.
1393. Mo, comienza: los que fueron; MHa, Mc: fueren.

1396. T, comienza: neblys falcones.
1397. Ps, comienza: y otros; a *om.* Ps; Sa: tablado.
1398. Ma, comienza: y otros.
1400. MHa, Mc: sin angustia ni; Mo, Sa: syn angustias nin.
1401. Mo, T, Sa, comienzan: y son ally (el copista de T escribió primero *avn son*).
1402. Sa: tenplo.
1403. e *om.* Ma; MHa, Mc, H: dioses de grand; Ma, Mo, H: gran; Sd: grande; Ma, Sd: gran eminençia; Ps: grand rreuerençia; MHa, Mc, T: hemençia.
1405. Sa: confieron.
1408. Sa: que le rrequieren.
1409. Mo, comienza: que les febo; H, comienza: qual el febo; Sa: quales felix e.
1410. Mi, Pe, Pg, R: en su linsola delfos; Mc: insula de; MHa, Mc: delfos; T, Ps: delhoz; Sa: dehos.
1411. Ma, Sa, H: amos; T, Pe: amos (Pe: ambos y dos).
1412. Mi, Pe, Pg, R, comienzan: en sola lunbre.
1413. Sa: dizen seruiste alli; Mi, Pg, R: dizen ser justos ally; Pe: dizen esser justos aqui.
1414. Mo: acto al mente.
1415. Mi: vyrtuosos; Sa: vitorioso.
1416. Mi, Mo, Sa, Pg, R, H: antheon; Ps: acheon.
1417. Mo, comienza: e mas la.
1418. Mi, comienza: de las.
1419. Sa, comienza: e tienen; MHa, Mc: tiene; Ma: tienen sus sillas; MHa, Mc, Mo, T, Sa, Sd, Ps, H: tienen sillas; Mi, Pe, Pg, R: tienen las syllas; Pg, R: constritas.
1420. Mi, Pe, Pg, R: mas de lueñe (Pg: luene) es.
1421. Mo, Sa, comienzan: y son; los *om.* Ma, Mi, Pe; Mo: çelestres; Sa: çelestes señores; Pe: celestes cennos.
1423. los *om.* Ma, Mi, Mo, Sa, Pe; Mo, Sa: vytoriosos; T: viturosos.
1424. Sa, dice el verso: e biuen todos engeños; T, comienza: virtuosos en; Mi: todos seños; Pe: todos senos.
1426. MHa, Mc, Mi, Mo, T, Sa, Pe, Ps, H: que fare yo bias; Ma, Sd, Pg, R: que yo fare bias.
1428. Sa: o poseera.
1429. a *om.* Sa.
1430. MHa, Mc: do catando.
1431. Ma: venire; Ps: syempre cantando.
1432. T: do secan todas.
      Epígrafe: MHa, Mc, T, Pe: fyn; Mi, Pg, R: fyn e conclusion; Sa: conclusion; Ma, Sd., Ps y H no tienen epígrafe.
1433. Mi, Pe, Pg, R: me creo con.
1434. Mi: mera justo e; Pe: mera dret e; Pg, R: mero justo e; MHa, Mc: derecha.
1435. Sa, H: averte bien satisfecho; Mi, T, Pe, Pg, Ps, R: por.
1436. e *om.* Mi, Pe.
1439. T: uuestro.

VI. LISTAS DE LAS ESTROFAS Y VERSOS QUE FALTAN Y DE LAS INVERSIONES DEL ORDEN DE ESTROFAS Y VERSOS

Las estrofas que faltan:

Versos	Estrofas	MANUSCRITOS												
		MHa	Ma	Mc	Mi	Mo	T	Sa	Sd	Pe	Pg	Ps	R	H
233 - 240	XXX (1 = cantidad de estrofas)													
361 - 408	XLVI-LI (6)											X		
529 - 536	LXVII (1)					X	X	X						
633 - 640	LXXX (1)													
665 - 680	LXXXIV-LXXXV (2)					X	X	X						
761 - 784	XCVI-XCVIII (3)									X				
785 - 792	XCXI (1)				X					X	X		X	
793 - 800	C (1)									X				
801 - 202	CI (1)				X					X	X		X	
817 - 840	CIII-CV (3)				X					X	X		X	
857 - 864	CVIII (1)				X					X	X	X	X	
905 - 912	CXIV (1)													
921 - 928	CXVI (1)													
993 - 1.000	CXXV (1)				X					X	X		X	
1009 - 1032	CXXVII-CXXIX (3)				X					X	X		X	
1041 - 1048	CXXXI (1)				X					X	X		X	
1073 - 1088	CXXXV-CXXXVI (2)				X					X	X		X	
1113 - 1120	CXL (1)				X					X	X		X	
1169 - 1176	CXLVII (1)				X					X	X		X	
1233 - 1240	CLV (1)				X					X	X		X	
1249 - 1272	CLVII-CLIX (3)				X					X	X		X	
1281 - 1288	CLXI (1)				X					X	X		X	
1313 - 1328	CLXV-CLXVI (2)				X					X	X		X	
1345 - 1352	CLXIX (1)				X					X	X		X	
1361 - 1384	CLXXI-CLXXIII (3)				X					X	X		X	
1393 - 1408	CLXXV-CLXXVI (2)				X					X	X		X	
1433 - 1440	CLXXX (1)					X								

Los versos que faltan:

vss.	códices
38	Pg, R
236	Ps
324-325	Pg, R
514	Mc
574	Mc
619	Mc
551	Mo
750	Mc
854	Mc
975	Mc
1184	Pe
1315	Mo
1424	Sa

Las inversiones del orden estrófico:

Mi, Pe, Pg, R: LXXXIII (vss. 657 - 664) - LXXXVI (681 - 688) - LXXXVII (689 - 696) - LXXXIV (665 - 672) - LXXXV (673 - 680) - LXXXVIII (697 - 704).

Mo, Sa: la estrofa CXXXII (vss. 1049 - 1056) precede a la CXXXI (1041 - 1048).

T: fols. 15r y v: estr. I - V (vss. 1 - 40);
fols. 16r - 21v: XII - XLVIII (89 - 384);
fols. 22r - 27r: CXLV - CLXXVI 1153 - 1408);
fol. 27r: XLIX (385 - 392);
fols. 27v - 33v: L - LXXXIX (393 - 712);
fols. 34r y v: VI - XI (41 - 88);
fols. 35r - 44r: XC - CXLIV (713 - 1152);
fols. 44r y v: CLXXVII - CLXXX (1409 - 1440).

Evidentemente, es posible que el orden de algunas hojas fuese cambiado al encuadernar el códice. Sin embargo, en las partes comprendidas por los folios 22r - 33v y 35r - 44v queda alterado de todos modos el orden estrófico porque en el folio 27r sigue a la estrofa CLXXVI la XLIX y en el folio 44r va seguida la estrofa CXLIV de la CLXXVII.

En MHa y Mc precede el verso 1268 al 1267.

VII. INVENTARIO DE LAS MENCIONES DE LOS INTERLOCUTORES

Explicación de los signos y abreviaturas:

b : bías
f : fortuna
= : igual a Ma
— : falta la mención *f(ortuna)* o *b(ías)*
≠ : *f(ortuna)* donde Ma lee *b(ías)* o al revés
∅ : falta el verso
? : utilizado en relación con Mi. Al guillotinar los bordes de los distintos cuadernillos que forman este códice fueron mutilados algunos textos. En el reverso de los folios que contienen *Bías contra Fortuna* fue cortado el margen izquierdo y con ello desaparecieron las efes y bes donde las había.

Las menciones de los interlocutores faltan en MHa, Mc, T y H.

Vss.	*Ma*	*Mi*	*Mo*	*Sa*	*Sd*	*Pe*	*Pg*	*Ps*	*R*
1.	b	=	=	=	=	=	=	=	=
5.	f	=	=	=	=	=	=	=	=
7.	b	=	=	=	=	=	=	=	=
9.	f	=	=	=	=	—	=	=	=
10.	—	—	—	—	—	f	—	—	—
12.	b	=	=	—	=	=	=	=	=
13.	f	=	=	—	=	=	=	=	=
15.	b	=	=	=	=	=	=	=	=
17.	f	=	=	=	=	=	=	=	=
19.	b	=	=	=	=	=	=	=	=
25.	f	=	=	=	=	=	=	=	=
27.	—	—	—	b	—	—	—	—	—
28.	b	=	=	—	=	=	=	=	=
33.	f	=	=	=	=	=	=	=	=
36.	b	=	=	=	=	=	=	=	=
41.	f	=	=	=	=	=	=	=	=
43.	b	=	=	=	=	=	=	=	=
49.	b	=	=	—	—	=	=	=	=
57.	—	b	b	—	—	b	b	—	b
65.	f	?	=	=	=	=	=	=	=
67.	b	?	=	=	=	=	=	=	=
69.	—	?	f	—	f	f	f	f	f
70.	—	?	b	—	b	b	b	b	b

Vss.	Ma	Mi	Mo	Sa	Sd	Pe	Pg	Ps	R
73.	f	?	=	=	=	=	=	=	=
81.	—	?	f	—	—	f	f	—	f
89.	b	=	=	—	=	=	=	≠	=
91.	—	—	—	b	—	—	—	—	—
97.	—	b	b	—	—	b	b	—	b
105.	f	≠	=	—	=	≠	≠	=	≠
113.	—	f	f	f	—	f	f	—	f
121.	—	f	f	—	—	f	f	—	f
129.	b	=	=	=	=	=	=	=	=
133.	f	=	=	=	=	=	=	=	=
134.	b	=	=	—	=	=	=	=	=
137.	—	b	b	—	—	b	b	—	b
145.	—	b	b	—	—	b	b	—	b
153.	—	b	b	—	—	b	b	—	b
161.	f	=	=	—	=	=	=	=	=
165.	b	=	=	—	=	=	=	=	=
169.	—	b	b	—	—	b	b	—	b
177.	—	?	b	—	—	b	b	—	b
185.	—	?	b	—	—	b	b	—	b
188.	f	?	=	=	=	=	=	=	=
201.	b	?	=	=	=	=	=	=	=
209.	f	=	=	=	=	=	=	=	=
210.	b	—	—	—	=	—	—	—	—
211.	f	—	—	—	=	—	—	—	—
215.	f	≠	≠	≠	≠	≠	≠	≠	≠
217.	—	b	b	—	—	f	b	—	b
225.	f	=	=	=	=	=	=	=	=
229.	b	=	=	=	=	=	=	=	=
233.	—	b	—	—	—	b	b	—	b
241.	f	=	=	=	=	=	=	=	=
246.	b	=	=	=	=	=	=	=	=
249.	—	b	b	—	—	b	b	—	b
257.	—	b	b	—	—	b	b	—	b
265.	—	b	b	—	—	b	b	—	b
273.	—	b	b	—	—	b	b	—	b
281.	—	b	b	—	—	b	b	—	b
289.	f	=	=	=	**=**	=	=	=	=
291.	b	=	=	=	=	=	=	=	=
292.	—	—	—	—	—	—	—	f	—
293.	f	=	=	—	=	=	=	—	=
294.	b	=	=	—	=	=	=	=	=
297.	—	?	b	—	—	b	b	—	b
300.	f	?	=	=	=	=	=	=	=
305.	—	?	f	—	—	f	f	f	f
310.	—	?	—	—	—	b	b	b	b
311.	b	?	=	=	=	—	—	—	—
313.	f	?	=	=	=	=	=	=	=
318.	b	?	=	=	=	=	=	=	=
321.	—	?	b	—	—	b	b	—	b
329.	—	b	b	—	—	b	b	—	b
337.	f	=	=	—	=	=	=	=	=
345.	—	f	f	f	—	f	f	f	f

Vss.	Ma	Mi	Mo	Sa	Sd	Pe	Pg	Ps	R
349.	b	=	=	=	=	=	=	=	=
353.	f	=	=	=	=	=	=	=	=
358.	b	=	=	=	=	=	=	=	=
361.	—	b	—	—	—	—	b	∅	b
362.	—	—	b	—	—	—	—	∅	—
364.	f	=	—	—	=	=	=	∅	=
365.	b	=	—	—	=	=	=	∅	=
366.	f	=	—	—	=	=	=	∅	=
367.	b	=	—	—	=	=	=	∅	=
369.	—	b	b	—	—	b	b	∅	b
377.	—	b	b	—	—	—	b	∅	b
385.	—	b	b	—	—	b	b	∅	b
393.	—	b	b	—	—	b	b	∅	b
401.	—	b	b	—	—	b	b	∅	b
409.	—	?	b	—	—	b	b	—	b
417.	f	?	=	=	=	=	=	=	=
425.	—	?	f	—	—	f	f	f	f
433.	b	?	=	—	=	=	=	=	=
441.	—	b	b	—	—	b	b	—	b
449.	f	=	≠	—	=	=	=	=	=
450.	b	=	—	—	=	=	=	=	=
457.	—	b	b	—	—	b	b	—	b
461.	—	f	f	—	f	f	f	f	f
462.	—	b	—	—	—	—	—	—	—
463.	—	—	b	—	b	b	b	b	b
465.	—	b	b	—	—	b	b	—	b
473.	—	b	b	—	—	b	b	—	b
481.	f	=	=	—	=	=	=	=	=
483.	b	=	—	—	=	=	=	=	=
485.	f	=	≠	—	=	=	=	=	=
486.	b	=	≠	—	=	=	=	=	=
487.	—	—	b	—	—	—	—	—	—
489.	f	=	=	—	=	=	=	=	=
491.	b	=	=	—	=	=	=	=	=
497.	—	b	b	—	—	b	b	—	b
505.	—	b	b	—	—	b	b	—	b
513.	—	b	b	—	—	b	b	—	b
521.	—	?	h	—	—	b	b	—	b
529.	—	?	b	—	—	b	b	—	b
537.	—	?	b	—	—	b	b	—	b
545.	—	?	b	—	—	—	b	—	b
553.	—	b	b	—	—	b	b	—	b
561.	f	=	≠	—	=	=	=	=	=
567.	b	=	—	—	=	=	—	=	—
569.	—	b	b	—	—	—	b	—	b
577.	f	≠	≠	—	=	≠	≠	—	≠
578.	b	—	—	—	=	—	—	—	—
585.	—	b	b	—	—	b	b	—	b
593.	—	b	b	—	—	f	b	—	b
601.	—	b	b	—	—	b	b	—	b
606.	—	f	—	—	—	—	f	—	f
607.	—	b	—	—	—	—	b	—	b

Vss.	Ma	Mi	Mo	Sa	Sd	Pe	Pg	Ps	R
609.	—	b	b	—	—	b	b	—	b
617.	—	b	b	—	—	b	b	—	b
625.	—	b	b	—	—	b	b	—	b
633.	—	b	b	—	—	b	b	—	b
637.	f	=	=	—	=	=	=	—	=
639.	b	=	=	—	=	=	=	—	=
641.	—	?	b	—	—	b	b	—	b
645.	f	?	—	—	=	=	=	=	=
646.	b	?	—	—	=	=	=	=	=
649.	f	?	=	—	=	=	=	=	=
651.	b	?	=	—	=	=	=	=	=
657.	—	?	b	—	—	b	b	—	b
665.	—	b	—	—	—	b	f	—	f
667.	f	=	—	—	=	=	—	=	—
673.	—	f	—	—	—	f	f	—	f
681.	—	?	b	—	—	b	b	—	b
683.	—	?	—	—	—	—	f	—	f
689.	—	f	f	—	—	f	f	—	f
697.	—	f	f	—	—	f	f	—	f
705.	—	f	b	—	—	f	f	—	f
713.	b	=	=	—	—	=	=	—	=
721.	—	b	b	—	—	b	b	—	b
729.	—	b	b	—	—	b	b	—	b
737.	—	b	b	—	—	b	b	—	b
745.	—	b	b	—	—	b	b	—	b
753.	—	b	b	—	—	b	b	—	b
761.	—	b	b	—	—	∅	b	—	b
769.	—	?	b	—	—	∅	b	—	b
777.	—	?	b	—	—	∅	b	—	b
785.	—	∅	b	—	—	∅	∅	—	∅
793.	—	?	b	—	—	∅	b	—	b
801.	—	∅	b	—	—	∅	∅	—	∅
809.	—	?	b	—	—	b	b	—	b
817.	—	∅	b	—	—	∅	∅	—	∅
825.	—	∅	b	—	—	∅	∅	—	∅
833.	—	∅	b	—	—	∅	∅	—	∅
841.	—	b	b	—	—	b	b	—	b
849.	—	b	b	—	—	b	b	—	b
857.	—	∅	b	—	—	∅	∅	—	∅
865.	—	b	b	—	—	b	b	—	b
873.	—	b	b	—	—	b	b	—	b
881.	—	b	b	—	—	b	b	—	b
889.	f	=	=	—	=	=	=	=	=
897.	—	f	f	—	—	f	f	—	f
901.	b	=	=	—	=	=	=	=	=
905.	—	b	b	—	—	b	b	∅	b
913.	f	=	=	—	=	=	=	=	=
919.	b/f	=	=	—	=	=	=	=	=
920.	b/f	=	=	—	=	=	=	—	=
921.	b	∅	=	—	=	∅	∅	=	∅
929.	—	b	b	—	—	b	b	—	b
937.	f	=	=	—	=	=	=	=	=

Vss.	Ma	Mi	Mo	Sa	Sd	Pe	Pg	Ps	R
939.	b	=	—	—	=	=	=	=	=
945.	—	b	b	—	—	b	b	—	b
953.	—	?	b	—	—	b	b	—	b
961.	—	?	b	—	—	b	b	—	b
969.	—	?	b	—	—	b	b	—	b
977.	—	?	b	—	—	b	b	—	b
985.	—	b	b	—	—	b	b	—	b
993.	—	∅	b	—	—	∅	∅	—	∅
1001.	—	b	b	—	—	b	b	—	—
1009.	—	∅	b	—	—	∅	∅	—	∅
1017.	—	∅	b	—	—	∅	∅	—	∅
1025.	—	∅	b	—	—	∅	∅	—	∅
1033.	—	b	b	—	—	b	b	—	b
1041.	—	∅	b	—	—	∅	∅	—	∅
1049.	—	b	b	—	—	b	b	—	b
1057.	—	b	b	—	—	b	b	—	b
1065.	—	b	b	—	—	b	b	—	b
1073.	—	∅	b	—	—	∅	∅	—	∅
1081.	—	∅	b	—	—	∅	∅	—	∅
1089.	—	b	b	—	—	b	b	—	b
1097.	—	b	b	—	—	b	b	—	b
1105.	—	b	b	—	—	b	b	—	b
1113.	—	∅	b	—	—	∅	∅	—	∅
1121.	—	b	b	—	—	b	b	—	b
1129.	—	b	b	—	—	b	b	—	b
1137.	—	b	b	—	—	b	b	—	b
1145.	—	?	b	—	—	b	b	—	b
1153.	—	?	b	—	—	b	b	—	b
1161.	f	?	=	=	=	=	=	=	=
1169.	b	∅	=	—	—	∅	∅	=	∅
1177.	f	?	=	—	=	=	=	—	=
1185.	—	f	f	—	—	f	f	—	f
1189.	b	=	=	—	=	—	=	=	=
1193.	f	=	=	—	=	—	=	=	=
1197.	b	=	=	—	=	—	=	=	=
1201.	f	=	=	—	=	—	=	=	=
1207.	b	=	=	—	=	—	=	=	=
1209.	—	b	b	—	—	b	b	—	b
1217.	f	=	=	—	=	=	=	=	=
1225.	b	=	=	—	=	=	=	=	=
1233.	—	∅	b	—	—	∅	∅	—	∅
1241.	—	b	b	—	—	b	b	—	b
1249.	—	∅	b	—	—	∅	∅	—	∅
1257.	—	∅	b	—	—	∅	∅	—	∅
1265.	—	∅	b	—	—	∅	∅	—	∅
1273.	—	b	b	—	—	b	b	—	b
1281.	—	∅	b	—	—	∅	∅	—	∅
1289.	—	b	b	—	—	b	b	—	b
1297.	—	b	b	—	—	—	b	—	b
1305.	—	b	—	—	—	b	b	—	b
1329.	—	b	—	—	—	b	b	—	b
1337.	—	?	b	—	—	b	b	—	b

Vss.	Ma	Mi	Mo	Sa	Sd	Pe	Pg	Ps	R
1345.	—	∅	b	—	—	∅	∅	—	∅
1353.	—	?	b	—	—	b	b	—	b
1361.	—	∅	b	—	—	∅	∅	—	∅
1369.	—	∅	b	—	—	∅	∅	—	∅
1377.	—	∅	b	—	—	∅	∅	—	∅
1385.	—	b	b	—	—	b	b	—	b
1393.	—	∅	b	—	—	∅	∅	—	∅
1401.	—	∅	b	—	—	∅	∅	—	∅
1409.	—	?	b	—	—	—	b	—	b
1417.	—	b	b	—	—	—	b	—	b
1425.	—	b	b	—	—	b	b	—	b
1433.	—	b	∅	—	—	—	b	—	b

VIII. ÍNDICES

A. INDICE ONOMASTICO

Un número que no va precedido de *vs.* (= verso) remite al *Prohemio*. Nos referimos entonces a los números de las variantes textuales. Si un nombre propio o geográfico no lleva número en el *Prohemio* por no tener variante(s), indicamos su lugar mediante el primer número que sigue al vocablo en cuestión. No recogemos en el índice ni *Bías* ni *Fortuna*.

Theofrasto, vs. 755.
Thereo, vs. 676.
Theresa, 114.
Theseo, vss. 593, 1193.
Tiçio, vs. 1273.
Tiestes, vs. 673.
Tyro, vs. 141.
Titanos, vs. 1250.
Tyto, vs. 461.
Traçia, 176, vs. 1306.
Troya, vs. 522.

Tros, vs. 489.
Tulio Hostilio, vs. 348.
Vlixea, 17.
Vlixes, 20, vs. 586.
Valençia, 117.
Valerio, 216, 373.
Vaspasiano, vs. 461.
Vitelio, vs. 465.
Zaara, 115.
Zenón, vs. 751.

B. INDICES DE PALABRAS

Abreviaturas utilizadas:

adj.   = adjetivo.
adj. interr.   = adjetivo interrogativo.
adv.   = adverbio.
adv. excl.   = adverbio exclamativo.
adv. interr.   = adverbio interrogativo.
adv. rel.   = adverbio relativo.
art.   = artículo.
conj.   = conjunción.
f. adj.   = función adjetiva.
f. sust.   = función sustantiva.
interj.   = interjección.
m. adv.   = modo adverbial.
prep.   = preposición.
pron. dem.   = pronombre demostrativo.
pron. indef.   = pronombre indefinido.
pron. interr.   = pronombre interrogativo.
pron. pers.   = pronombre personal.
pron. pos.   = pronombre posesivo.
pron. rec.   = pronombre recíproco.
pron. refl.   = pronombre reflexivo.
pron. rel.   = pronombre relativo.
s.   = sustantivo.
v.   = verbo.

a) PRÓLOGO

La manera de referir es igual a la que utilizamos en el índice onomástico.

a: 1, 3, 4, 14, 15, 17, 39, 42, 44, 48, 64,
  65, 66, 76, 77, 88, 100, 101, 102, 136,
  138, 139, 141, 144, 145, 148, 150, 178,
  180, 184, 195, 199, 211, 216, 245, 251,
  268, 277, 287, 291, 304, 323, 325, 328,
  339, 367, 374, 382, 389, 399, 424, 425,
  457, 466, 510, 511, 516, 521.

abastada: 85.
aborresçió: 377.
abraçada: 502.
abrojo: 47.
avuelos: 66.
acatasse: 31.
acatamiento: 72.

açeptada: 331.
açeptado: 348.
açeptasse: 258.
acto: 288.
actos: 155, 207.
adelante (adv.): 202.
aderesçe: 197.
adonde: 38.
affecçión: 478.
afincamientos: 258.
afflictos: 140.
affortunado: 503.
agora: 6, 55, 92, 386, 387.
ajeno: 444.
al tiempo que (conj.): 122.
alabes: 466.
alcançar: 37.
aldabadas: 174.
alegra: 141.
alguna (pron. indef. en f. adj.): 62, 69, 79, 291.
alguno (pron. indef. en f. sust.): 36.
algunos (pron. indef. en f. sust.): 58, 99, 206.
algunos (pron. indef. en f. adj.): 143, 298, 316.
aluenga: 169.
allegar: 149.
allí: 36, 60.
ama (v.): 465.
amigo: 450.
amigos: 48, 259, 445, 476, 480, 486.
amistad: 75, 459.
amoroso: 72.
andando: 509.
andouo: 237.
ánima: 437, 440.
ánimo: 440.
años: 97.
ante: 24, 199.
apparentes: 64.
apenas: 35.
apetito: 172.
aquel (pron. dem. en f. adj.): 38, 152, 154.
aquél (pron. dem. en f. sust.): 138, 292.
aquella (pron. dem. en f. adj.): 26, 60, 384.
aquélla (pron. dem. en f. sust.): 29, 245.
aquellas (pron. dem. en f. adj.): 14.
aquello: 16.

aquellos (pron. dem .en f. sust.): 49, 77, 93, 96, 360, 381, 389, 510.
aquí: 199.
arena: 355.
armado: 55.
armas (s.): 55, 251, 374.
arrebatado: 465.
arrebatamiento; 489, 492.
arte: 311.
artes: 228.
assayó: 311.
assaz: 64.
assí: 130, 367, 450, 458.
assí commo: 44, 48, 53, 63, 79, 199, 256, 378.
assí ... commo: 236, 247, 259.
assí mesmo: 372, 381, 384.
assí que: 35, 74, 327, 362.
atención: 60, 252.
auctoridad: 44, 234.
augmentó: 75.
aun: 4, 102, 286.
aya (v.): 204.
ayan: 93.
bárbaros: 287.
baste: 241.
batalla (s.): 126.
benefiçio: 497.
beníuolos: 191.
bien (s.): 163.
bien (adv.): 225.
bienes: 409.
blasmando: 283.
bona: 407.
buena: 10, 471, 499.
buenas: 90.
buscaua: 183.
ca: 54, 66, 102, 176, 315, 352, 417, 445, 465.
caualleros: 265.
cauallos: 178, 317.
cabtela: 310, 351.
calidades: 93.
callad: 511.
calles (s.): 356.
cámaras: 83.
campo: 316.
capitán: 256.
cara (s.): 10.
careçiesse: 309.
cargando: 391.
carne: 176.
casa (s.): 148.

casas (s.): 67.
caso (s.): 212.
castillos: 129.
causa (s.): 380.
causas (s.): 65.
cayó: 44.
çena (s.): 35.
çertifican: 9.
certinidades: 368.
çessadas: 109.
çibdad: 222, 243, 267, 274, 305, 319,
    333, 385, 397.
çiega (adj): 172.
çierta: 473.
çiertamente: 47, 119.
çierto: 305.
çiertos: 317.
clama: 39.
claro: 203, 235.
claros: 145.
clementes: 192.
cobdiçiar: 441.
cognosçida: 260.
combatiendo: 131.
comencé: 98.
comendables: 209.
començó: 103.
comigo: 410.
commo (adv. rel. o conj.): 18, 29, 45,
    64, 145, 154, 258, 265, 287, 298, 305,
    321, 284, 393, 466.
cómmo (adv. interr.): 401.
como quiera que (conj.): 135.
commo sea que (conj.): 88.
commo si (conj): 454, 459.
compañía: 99, 507.
complazer: 424.
con: 9, 10, 14, 27, 33, 41, 44, 56, 58,
    60, 70, 74, 105, 165, 195, 248, 251, 268,
    270, 282, 287, 295, 297, 310, 326, 368,
    381, 393, 502.
conbite: 29.
conçiençia: 502.
conclusión: 418.
conformes (adj): 88.
congoxas: 12.
congruas: 436.
conosçimiento: 99.
consientes: 10.
consejo: 327.
consejos: 488.
consolaçión: 59.
contenplando: 35.

contento (adj.): 77.
continuamente: 80.
contra: 64, 117, 318.
contrarias (adj.): 488.
conuenibles: 435.
conuertida: 461.
conuiene: 17, 456.
copia (s.): 268, 365.
coraçones: 145, 298.
corriendo: 509.
cosa: 36, 86, 444, 463, 471, 473, 498,
    514, 520.
cosas: 14, 66, 76, 81, 91, 146, 200, 263,
    268, 300, 345, 376, 391, 423, 435, 442,
    487.
costumbre: 154.
costumbres: 93, 219.
creer: 88.
cresçió: 75.
creyeron: 362.
criados (s.): 4.
criança: 74.
crueldad: 286.
cubriendo: 360.
cuenta (v.): 384.
culpados: 184.
cumpliesses: 86.
cura (s.): 41, 254.
dapnificados: 287.
daremos: 199.
de (prep.): 1, 5, 6, 16, 20, 22, 26, 27,
    38, 45, 49, 54, 57, 58, 62, 73, 74, 77,
    78, 80, 82, 83, 93, 94, 96, 99, 102, 103,
    106, 107, 108, 113, 117, 123, 124, 126,
    145, 147, 148, 150, 152, 154, 158, 160,
    161, 163, 165, 176, 183, 185, 195, 196,
    197, 200, 202, 204, 205, 207, 219, 222,
    223, 230, 231, 233, 234, 238, 244, 245,
    255, 259, 261, 264, 265, 268, 274, 275,
    286, 287, 298, 305, 306, 308, 311, 318,
    319, 326, 332, 333, 341, 344, 355, 359,
    361, 362, 365, 381, 382, 383, 390, 392,
    396, 402, 403, 411, 417, 424, 434, 437,
    438, 439, 443, 452, 453, 455, 458, 466,
    507, 518.
dé (v.): 137.
deuan: 90.
debe: 49.
deuían: 287.
deffectuosa: 314.
dei: 188.
dexada: 35.
dexadas: 374.

dexaste: 122.
dexo: 150.
delibera: 477.
delibere: 203.
demandada: 330.
demandando: 296, 470.
demandas (s.): 88.
demandé: 86.
demando: 3.
demuestra: 465.
denostando: 284.
depositadas: 273.
derecho (s.): 502.
desbaratado: 21.
descrive: 350.
desde: 59, 199.
deseasse: 36.
desechando: 42.
desseo (v.): 199.
desnudo (adj.): 23, 42.
despensas, 84.
despiertan: 176.
despreçio (s.): 10.
después: 33, 62, 137, 298.
después de: 258, 521.
destribuyes: 14.
detençión: 11, 136.
detenido: 55.
dezía: 54, 450.
dezir (v.): 85, 102, 409.
día: 491.
días: 102, 143, 316.
dicho (v.): 148.
diffíçil: 515.
digan: 415.
dignos: 197.
dixo: 500, 511.
dilaçión: 291.
diligençia: 272.
dimittidas: 374.
dio: 374.
dioses: 38, 466, 510, 511.
disposiçión: 253.
disputa: 418.
dize: 44.
dizen: 411.
dizes: 8.
diziendo: 39, 286, 332.
doctos: 88.
dolor: 49.
donde (adv. rel. o conj.): 152, 358.
dónde (adv. interr.): 206.
dones (s.): 275, 295.

dos: 445, 487, 521.
dubda (s.): 323.
durante: 316.
durasse: 239.
e: 4, 5, 6, 7, 8, 9, 10, 11, 13, 14, 20,
  23, 26, 28, 29, 30, 32, 39, 42, 44, 46,
  47, 48, 56, 62, 64, 65, 66, 71, 72, 74,
  75, 76, 82, 83, 88, 91, 93, 94, 99, 102,
  104, 106, 107, 108, 110, 111, 114, 116,
  120, 122, 124, 126, 127, 129, 131, 134,
  135, 136, 145, 147, 148, 150, 154, 155,
  165, 166, 168, 169, 173, 174, 192, 195,
  196, 199, 205, 206, 212, 216, 218, 219,
  229, 230, 233, 235, 243, 254, 258, 260,
  273, 274, 275, 279, 284, 287, 288, 298,
  302, 307, 318, 320, 325, 328, 329, 342,
  351, 356, 360, 363, 367, 370, 374, 377,
  381, 388, 392, 400, 404, 415, 418, 425,
  434, 436, 438, 448, 466, 470, 473, 477,
  478, 489, 491, 502, 505, 508, 509, 520,
  524.
exerçiçio: 240.
exérçito: 266.
el (art.): 1, 14, 22, 27, 41, 44, 49, 73,
  103, 108, 117, 135, 152, 163, 171, 202,
  211, 238, 265, 288, 316, 382, 399, 420,
  437, 439, 444, 446, 449, 458, 466, 491,
  492, 497, 516.
él (pron. pers.): 35, 261, 326, 332, 393,
  401, 511.
el qual: 331.
el que: 42, 101, 405, 505.
eligir: 478.
ella: 27, 119.
ellos: 328, 368, 392.
empeçible: 429.
en: 17, 27, 35, 38, 40, 43, 64, 74, 81, 99,
  102, 110, 116, 119, 143, 145, 152, 154,
  160, 228, 230, 234, 239, 242, 246, 251,
  259, 267, 274, 299, 315, 322, 355, 364,
  379, 418, 434, 458, 461, 464, 478, 479,
  488, 499, 507, 517, 521.
enbiando: 282.
enbiaron: 292.
enbiasse: 58.
encobrir: 312.
encuentro (s.): 399.
enemigo: 448.
enemigos: 260, 287, 388, 445, 449.
enemistad: 462.
enfermedad: 438.
engrossar: 316.
enprendiesse: 118, 257.

enprendiste: 118.
entiende: 472.
entrando: 132.
entrar: 339.
entre: (prep.): 261, 368, 445, 448, 503.
era (v.): 36.
eran: 326.
eres: 100.
errada: 363.
es: 6, 7, 49, 104, 201, 412, 418, 434, 437, 439, 443, 444, 473.
escapar: 389.
escoge: 476.
escogido: 485.
escreuiste: 58.
escriue: 16, 153, 240, 350.
escriuió: 219, 422, 519.
escriuir: 204.
esforçando: 305.
esfuerço (s.): 9.
esparçiendo: 359.
esperar: 195.
esperó: 102.
espero: 141.
está: 42.
esta (pron. dem. en f. adj.): 64, 185, 499.
estauan: 27, 35.
estado (s.): 38.
estando: 119.
estas (pron. dem. en f. adj.): 423, 520.
estatua: 524.
este (pron. dem. en f. adj.): 39, 94, 99, 239, 349, 374, 383.
éste (pron. dem. en f. sust.): 200, 404, 412, 418.
esto: 436.
estos (pron. dem. en f. adj.): 58.
estrenuydad: 260.
estudia: 423.
eternidad: 56.
exçelentes: 145.
exidos: 395.
expertos: 250.
extensamente: 219, 289.
extimaron: 34.
fabla (s.): 330.
fablar: 93, 332, 340, 434.
fable: 466.
fables: 465.
façiendo: 274.
faga: 482.

falta (s.): 53.
falló: 245.
fama: 58.
fambre: 305, 326.
familiares: 62.
familiaridad: 100.
fará: 449.
ffaz (v.): 485.
faze: 88, 195, 210, 473, 490, 496.
fazer: 210.
fazes (v.): 7.
fazía: 176.
fecha: 369.
fechas: 104.
fecho (v.): 160, 447, 449.
fecho (s.): 212.
fechos (v.): 148.
fechos (s.): 234.
fermoso: 230, 288, 432.
festiual: 27.
fiaua: 332.
fieles (adj.): 282.
fijos: 197.
philosophía: 230.
philósopho: 44, 213.
philósophos: 220.
fingiesse: 397.
firmada: 371.
firmemente: 195.
fizieres: 471.
fizieron: 524.
fizo: 315, 352.
flagelum: 188.
forasteros: 159.
forçando: 470.
forçosamente: 132.
fortuna: 20, 507, 509.
franqueza: 14.
frontera: 118.
fronteras: 124.
fue: 74, 81, 165, 200, 214, 253, 260, 368, 381, 398, 405.
fuera: 319, 332, 395.
fueron: 76.
fuerte: 431.
fuerças (s.): 112.
fuesse: 24, 85, 154, 291, 305, 329, 413, 498, 502, 503, 514.
fuessen: 88, 272, 321.
furtar: 61.
fuyeron: 392.
ganado (v.): 128.
gentes: 44, 249.

gestas: 155.
gloria: 486.
gloriosamente: 122.
glorioso: 165.
golfo: 99.
graçias: 15, 275, 295.
graçiosamente: 516.
graçioso: 496.
grand: 28, 33, 40, 233, 251, 267, 271,
   322, 364, 381, 393, 478, 486.
grandes (s.): 26.
grandes (adj.): 39, 174, 246, 258,
   354, 368, 510.
gratas: 76.
gratificasse: 64.
graue: 232, 461.
guardar: 464.
guardas (s.): 282, 318.
guerra: 83, 255, 311.
guerras: 110, 246.
guerreando: 130.
ha: 14, 44.
haued: 40.
hauer: 117, 152, 305, 457, 484.
hauía: 451.
hauían: 359.
hauido: 99.
hauiendo: 125.
habilidad: 254.
haurá: 170.
habundados: 366.
habundar: 434.
han: 93.
he: 99, 148.
hedad: 102.
hedificaron: 523.
hermano: 5, 48.
hodio (s.): 379.
homildes: 298.
hombre: 467, 516.
hombres: 40, 94, 184, 453, 457, 503,
   508.
honestas: 88, 274.
honestos: 424.
honorable: 232.
hostiles: 390.
houiessen: 160, 455.
houimos: 66.
houiste: 111.
houo: 378.
huéspedes: 180.
huestes: 107.
humana: 176.

humanidad: 265.
humanos: 193.
ygualeza: 502.
impiedad: 287.
impossibles: 443.
indigno (adj.): 468.
inexpugnables: 111.
informaçiones: 92.
informado: 225.
infortunios: 136.
ingenio: 236.
instruydo: 227.
interrupçión: 68.
inuestigar: 62.
yra: 489, 490.
yrasçible: 171.
jamás: 89.
joyas: 277.
judgando: 445, 448.
judgar: 444.
juntamente: 74, 268.
jurada: 369.
justas: 64.
la (art.): 17, 26, 35, 49, 52, 54, 64, 85,
   99, 102, 103, 118, 126, 136, 145, 161,
   165, 195, 199, 201, 222, 230, 238,
   243, 253, 254, 255, 260, 305, 313,
   319, 326, 363, 374, 381, 397, 398,
   402, 418, 426, 434, 438, 453, 458,
   464, 466, 473, 490, 494, 502, 509,
   517.
la (pron. pers.): 87, 121, 258, 381,
   472.
la qual: 41, 195.
las (art.): 12, 22, 44, 66, 74, 76, 77,
   81, 83, 88, 93, 104, 107, 111, 124,
   146, 155, 176, 219, 228, 268, 287,
   318, 356, 374, 390, 391, 442, 475,
   517.
las (pron. pers.): 130, 131, 132, 280,
   282, 377.
las quales: 110.
lata (adv.): 217.
le: 292, 294, 296, 398, 400.
leales: 70.
lee: 166.
leemos: 261.
leer: 155.
legados: 293.
leýdo: 152.
les: 89, 274, 291, 347, 352, 415.
lesión: 430.
leuantadas: 107.

liberales: 228.
liberalidad: 14, 382.
libertad: 135, 195.
librado: 166.
librassen: 510.
libre (adj.): 55.
librea: 79.
libro: 152.
líçitas: 91.
lieuo: 410.
linaje: 225, 286.
litos: 43.
lo (pron. pers.): 29, 34, 470, 493.
lo (art.): 65, 73, 287, 348.
lo qual: 77, 88, 193.
lo que: 7, 415, 469, 502.
loable: 56, 239.
loables: 208.
loando: 100, 291.
logar: 169.
los (art.): 3, 20, 26, 33, 38, 43, 48, 49,
    62, 78, 88, 94, 102, 105, 117, 138,
    140, 141, 145, 147, 148, 154, 156, 160,
    176, 180, 184, 219, 245, 248, 259,
    277, 286, 287, 304, 306, 333, 358,
    363, 381, 386, 394, 402, 417, 424,
    425, 445, 448, 453, 457, 466, 476,
    488, 503, 510, 511, 517, 522.
los (pron. pers.): 167, 169, 410, 478,
    484.
los quales: 411, 511.
los que: 326.
luego: 321, 327.
luengamente: 300.
llamado: 381.
llamar: 153.
llamauan: 510.
llegaron: 268.
llegasse: 288.
maestras (adj): 356.
mal (s.): 444.
mal (adv.): 503.
mala: 506.
malos: 507.
maltractado: 23.
mançebía: 102.
mandado: 122.
mandar: 154.
mandó: 269, 353.
manera: 63, 427.
maneras: 362.
manjar: 177.
mano: 145.

manos: 14, 391.
mansos: 298.
mantenimientos: 365.
mar: 20, 23, 236.
marauillosa: 56.
maridos: 278.
marinos: 43.
más (adv.): 5, 36, 48, 73, 93, 98, 129,
    203, 217, 351, 444, 473, 496.
mas (conj.): 190, 333, 368.
matador: 180.
matronas: 274.
mayor: 120, 238, 351, 392.
mayores: 62, 66, 94.
me: 8, 15, 58, 76, 77, 87, 88, 149,
    151, 210.
mea: 406.
mecum: 408.
mediana: 102.
medida: 453.
meditaçión: 63.
membrassen: 459.
memoria: 145.
mengua (s.): 50.
menguada: 85.
mensajeros: 358.
mérito: 479.
mesa: 81, 381.
mesma: 185, 384.
mesmo: 81, 350.
mesmos: 66.
mí (pron. pers.): 48, 101, 195.
mi (pron. pos.): 150, 202.
mill: 521.
mío: 5, 48.
míos: 4.
mira: 167.
miraron: 70.
mis: 58, 88, 409.
modos: 183.
molestias: 12.
montones: 354.
moral (adj.): 230, 374.
mostrado: 44.
mostrassen: 318.
mouida: 329.
moço: 102.
muchas (pron. indef. en f. adj.):
    15, 39, 262, 427, 520.
mucho (adv.): 101, 211.
mucho (pron. indef. en f. adj.):
    454.

muchos (pron. indef. en f. sust.): 4, 148, 189, 258.
mudança: 517.
muerte: 165.
muerto: 56, 521.
muger: 190.
mundo: 14, 238.
muros: 333.
muy: 110, 145, 259, 276, 282, 295, 298, 351, 353, 487.
nada: 42.
natura: 434.
natural: 230.
naturales: 157.
naufragio: 19, 41.
nauales: 246.
naue: 509.
nauegaçión: 99.
nauegando: 507.
neçessidad: 315.
negar: 104.
negoçios: 62.
nin: 87, 90, 102, 104, 169, 172, 189.
ninguna: 83.
ningunas: 299.
ninguno: 132.
noble (adj): 196, 223.
nobles (adj.): 207.
nobleza: 64, 104.
nombres: 417.
non: 64, 86, 102, 169, 176, 179, 180, 184, 186, 240, 287, 332, 367, 380, 401, 443, 465, 466, 470, 479, 481, 511.
notiçia: 99.
nuestra: 74, 75, 81.
nuestras: 67, 83.
nuestro: 94, 123, 145, 166, 197, 212, 421.
nuestros: 176.
nueua (adj.): 62, 102.
nueuas (s.): 269.
nueuos: 182.
nunca: 85.
o (conj.): 7, 20, 49, 51, 55, 56, 63, 79, 95, 97, 100, 158, 162, 224, 226, 267, 311, 335, 343, 381, 454, 505.
o (interj.): 39.
obra (s.): 150, 433, 434.
obras (s.): 78.
obtenidas: 111.
offreçieron: 381.
ojos: 70.

omnia: 406.
opinión: 363, 402.
oráculo: 382.
orejas: 176, 287.
oro (s.): 381.
osada: 426.
otorgar: 90.
otra (pron. indef. en f. sust.): 85.
otras (pron. indef. en f. adj.): 12, 262, 268, 345, 375, 475, 520.
otro (pron. indef. en f. adj.): 119, 133.
otros (pron. indef. en f. sust.): 4, 33, 148, 189, 337, 411.
otros (pron. indef. en f. adj.): 387, 403.
paçiençia: 10.
pacçiones: 341.
padesçes: 10.
padesçer: 505.
padres: 278.
pan: 309, 362.
para (prep.): 509.
pare: 428.
paresçe: 93, 210.
paresçerá: 203.
parientes: 279.
parte (s.): 238.
partes (v.): 14.
partiste: 125.
passados: 298.
passar: 359.
passeasse: 393.
patria: 161.
paz: 82, 297, 368.
pelea (s.): 126.
pena (s.): 183, 517.
pensé: 62.
perder: 510.
peresçer: 490.
pero: 241, 415.
perpetua (adj.): 368.
perseuera: 464.
persona: 332.
personas: 75.
pies: 45.
plaças: 357.
plaze: 216.
plazen: 78.
plazerá: 415.
plazes: 102.
plega: 89.
ploguieron: 76.

ploguiesse: 347.
ploguiste: 102.
pluma: 199.
pobre: 55.
poco: 97, 454.
pocos: 97, 259.
poder (s.): 274.
poder (v.): 434.
poderosas: 249.
podía: 460.
podían: 338.
podieron: 389.
podiesse: 64.
podiesse: 64.
poeta: 39.
poner: 353.
   por: 18, 58, 92, 111, 122, 148, 149,
   236, 305, 331, 358, 374, 386, 387,
   394, 468.
por quanto (conj.): 77.
por tal que (conj.): 380.
porque: 199, 200, 210, 510, 511.
porto: 408.
posiesse: 388.
possessiones: 475.
postrimeros: 102.
preçio (s.): 392.
preguntado: 497, 502, 513.
preguntasse: 401.
prendiessen: 267.
presteza: 495.
primeros: 117.
prinçipal: 135.
prinçipalidad: 201.
prinçipalmente: 66, 308.
prínçipe: 145, 303.
prínçipes: 154.
profferido: 199.
prohemio: 1.
propio: 437.
prosapia: 223.
prósperamente: 164.
prosperidad: 121.
prouecho: 418.
prouinçia: 243.
prudençia: 466.
público: 163.
pudiesse: 36.
pudo: 84.
pueda: 104.
puede: 62, 505.
puedo: 102.
puerto: 150.

pues: 166.
puestas: 272.
punto: 119.
pusieres: 463.
puso: 321.
quál: 6.
quales: 346.
qualesquier: 341.
qualesquiera: 336.
qualquier: 462, 470.
qualquiera: 415.
quando: 2.
quánta: 10, 14.
quánto: 9, 10, 238.
quasi: 74.
que (en comparaciones): 5, 38, 48,
   98, 121, 132, 445, 474.
que (pron. rel.): 14, 16, 27, 36, 61,
   76, 86, 93, 96, 117, 138, 146, 148,
   153, 156, 176, 182, 217, 346, 381,
   389, 408, 423, 463, 471.
que (conj.): 18, 58, 64, 104, 142, 163,
   172, 241, 265, 286, 318, 328, 332, 334,
   373, 374, 384, 398, 412, 450, 460,
   472, 481, 486.
qué (adj. interr.): 498, 514.
querido: 93.
quiere: 409.
quien (pron. rel.): 77.
quien (pron. indef.): 104, 251, 521.
quién (pron. interr.): 200, 204, 503.
razón: 88.
raro: 298.
rreal: 148.
recontado: 290.
rectas: 88.
recuerda: 15.
rrecuerdo (v.): 151.
rrefiriendo: 14, 294.
regraçia: 167.
remedia: 140.
remedio (s.): 135.
remedios: 63.
renunçiada: 381.
repetir: 444.
reposa: 139.
repose: 301.
reposo (s.): 393.
reposos: 154.
reputen: 486.
resçibe: 470.
rresplandesçió: 517.
resplandor: 103.

responden: 9.
respondió: 405, 504, 516.
restituyó: 281.
retraymientos: 154.
reuerençia: 34.
rrey: 20, 123, 145, 152, 166, 518.
rreyes: 145, 160.
rreyna (s.): 26.
rreyno (s.): 27, 94, 117.
rreynos: 105, 158.
ribera: 150.
riberas: 22.
rico: 55.
ricos: 295.
riquezas: 434, 468.
robo (s.): 389.
rogado: 253.
ruegos: 258.
saber: 17, 434.
sabiduría: 438, 473.
sabios: 381.
salir: 319.
salud: 6, 195.
saña: 172.
satisfaze: 169.
sçiencia: 374.
se (en construcciones pasivas e im-
    personales): 62, 75, 84, 152, 240,
    318, 327, 384, 388.
se (pron. rec.): 70.
se (pron. refl.): 153, 169, 305, 332,
    374, 423, 449, 457, 459, 510.
sea: 66, 92, 142, 415, 416.
sean: 145.
seguía: 401.
segund: 202, 215, 349.
segura: 473.
seguros: 339.
seýdo: 117, 204.
sentençias: 210.
señal: 79.
señor: 5, 47, 197.
señores: 94, 176.
sepas: 200.
ser: 38, 49, 64, 287, 363, 430, 452, 461,
    496.
será: 55, 419, 446, 449.
seruiçio: 160.
seruiçios: 147, 167, 176.
si: 64, 85, 169.
siempre: 44, 55, 68, 75.
sientan: 512.
siete: 381.

sigue: 480.
siguen: 423.
sin: 55, 64, 68, 291, 380, 417.
sinçero: 70.
sinon: 90.
sitiasse: 303.
soberano: 39.
sofrir: 506, 516.
solamente: 367.
solo: 393.
son: 176, 466, 487.
sotil: 235.
su: 260, 266, 274, 314, 333.
sueltas (adj.): 14.
sufres: 11.
sus: 158, 176, 178, 207, 234, 277, 293,
    468.
suya (pron. pos. en f. adj): 145,
    254, 363.
suyas (pron. pos. en f. adj.): 391.
suyos (pron. pos. en f. adj.): 154,
    279, 337.
tabla: 381.
tal (pron. indef. en f. sust.): 65,
    287, 348.
tal (pron. indef. en f. adj.): 310.
tales (pron. indef. en f. adj.): 172,
    189, 480.
tan: 174.
tanta: 44, 129.
tanto (adv.): 34, 268, 374.
tanto (adj.): 169.
tanto que (conj.): 268, 416.
te: 58, 86, 110, 125, 481.
thema: 202, 422.
templo: 524.
ten: 478.
tener: 501.
tengo: 77.
tenido: 66.
terrestes: **247.**
testifica: 371.
ti: 76, 111, 148, 197.
tiempo: 73, 154, 239, 367, 454, 478.
tiempos: 143, 259, 298, 517.
tierra: 26, 236.
tira: 169.
toda: 237.
todas: (pron. indef. en f. adj.): 12,
    81, 146, 200, 228, 362, 374, 475.
todo (pron. indef. en f. adj.): 194,
    285.

todos (pron. indef. en f. adj.): 33, 93, 389, 409.
todos (pron. indef. en f. sust.): 35, 100.
tomados: 321.
tomares: 469.
tomasse: 388.
tomó: 327.
tornando: 241.
toue: 77.
trabajos: 49.
trabajoso: 99.
tractados: 58.
tractos: 342.
traen: 79.
traerá: 144.
traýdo: 14, 24.
treguas: 105, 367.
treynta: 97.
trespasar: 493.
triste: 444.
tristes: 141, 184.
triumphal: 122.
triumpho (s.): 165.
tu (pron. pos.): 6, 7, 11, 64, 103, 136, 195, 487.
tú (pron. pers.): 10, 86, 100, 117, 122.
tus: 4, 14, 49, 147, 196.
tuyos (pron. pos. en f. adj.): 48.
tuyos (pron. pos. en f. sust.): 148.
vn: 27, 81, 479.
vna (art.): 56, 267, 478.
vna (pron. indef. en f. adj.): 74, 80.
vniuersalmente: 138.
vno: 49, 74, 380, 381, 412, 446, 449.
vnos (pron. indef. en f. sust.): 66, 507.
vso: 81, 458.
vtil: 351.
valiosas: 276.
vana: 418.

vanidad: 465.
varones: 88.
vexaçión: 64.
vexaçiones: 13.
vexado: 99.
vexados: 138.
vejez: 102.
vençido: 126.
venerable: 44.
verdadera: 75.
verdaderamente: 93, 362.
vergüença: 483.
versos: 521.
beuir (v.): 455.
béuires: 306.
vezes: 39, 427.
vezinos: 245, 403.
vida: 7, 152, 453, 487, 499.
vidas: 219.
viejos: 425.
vienen: 14.
viesse: 30.
villa: 267.
villas: 129.
viniesse: 22.
vino (v.): 398.
vírgenes: 268.
viril: 110, 260.
virilidad: 103.
virtud: 41, 44, 55, 80, 102, 260.
virtuosamente: 110.
virtuosos: 78.
vista (v.): 253.
visto: 93.
biuo (adj.): 56.
voluntad: 318.
vos: 511.
bozes: 39, 175, 510.
vulto: 230.
ya: 146.
yo: 3, 66, 85, 98, 142, 147, 199.

b) POEMA

a: 4, 13, 20, 35, 44, 49, 71, 75, 79, 80, 145, 146, 163, 172, 175, 212, 217, 220, 268, 284, 290, 306, 316, 328, 345, 348, 373, 377, 380, 385, 394, 460, 461, 469, 509, 511, 515, 522, 535, 543, 546, 547, 565, 566, 574, 579, 580, 581, 593, 619, 640, 651, 655, 657, 668, 692, 694, 709, 725, 736, 737, 758, 835, 871, 872, 879, 882, 925, 827, 931, 938, 974, 982, 1012, 1024, 1026, 1037, 1066, 1085, 1989, 1090, 1105, 1106, 1112, 1129, 1146, 1154, 1156, 1211, 1213, 1216, 1220, 1232, 1255, 1280, 1281, 1296, 1332, 1391, 1397, 1411, 1417, 1429, 1439.
abajas: 386.
abastadas: 1284.

abatidos: 296.
abhominable: 1168.
abraçasse: 835.
abreuiando: 1039.
absolutas: 794.
abstener: 71.
abundante: 663.
acabados: 1304.
acabar: 116.
acabaron: 639.
academios: 740.
acaesçe: 52.
acaté: 1086.
acçiones: 1096.
acepté: 1074.
acompañados: 85.
acresçienta: 243.
actores: 911, 916, 1323.
actoridad: 760.
actos: 774, 859.
actualmente: 1414.
acuerdo: 1107.
admiratiuo: 1016.
ado: 1218.
adonde: 1017.
adorados: 1404.
adoraron: 616.
adornos: 1299.
afanes: 1392.
afflictos: 488.
afogó: 610.
áffricos: 642.
agenos: 162.
agora: 153.
agua: 283, 835.
aguas: 844, 1349.
aýna: 310, 920.
ayre: 811, 834, 845.
ajenas: 244.
ajeno: 253.
ajenos: 1098.
al (pron. indef.): 136, 1152.
alaben: 1115.
alabes: 360.
alcauela: 1141.
alcançan: 1399.
alegres: 576.
alegría: 1371.
alexandrinas: 1025.
alguna (pron. indef. en f. adj.): 821.
algunas (pron. indef. en f. adj.): 893.
algund (pron. indef. en f. adj.): 1247, 1290.

algunos (pron. indef. en f. adj.): 355, 490, 1239.
allí: 874, 875, 1023, 1321, 1364, 1377, 1382, 1394, 1401, 1413.
altercar: 94, 108.
altercaron: 1110.
altezas: 438.
alto: 1272.
altos: 1388.
alturas: 1261, 1328.
amado: 188.
amar: 113.
ambición: 1077.
ambos: 1411.
amenazas (s.): 261.
amenazes: 1176.
amiçiçia: 755, 1092.
amigo: 185, 783.
amigos: 156, 186, 193, 207, 497, 877, 1043, 1081, 1139.
amuestra: 1017.
ançiano: 778.
andando: 1121.
andante: 177.
andarás: 245.
angustias (s.): 551.
animal: 865.
animales: 841.
ánimas: 1211, 1418.
ánimo: 259.
ánimos: 963.
animoso: 979.
ante: 1328.
antes: 100, 684, 1148.
antes que: 809.
antevino: 975.
antigos: 162.
antiguas: 1088.
anzuelo: 455.
año: 1378.
años: 163, 354, 523, 1221.
aparejas: 378.
apparençia: 1313.
apparentes (adj.): 1164.
apartar: 898.
apartassen: 809.
aprouadas: 708.
aquél (pron. dem. en f. sust.): 248, 791, 1426.
aquel (pron. dem. en f. adj.): 805, 1291.
aquella: 836.

aquellas (pron. dem. en f. adj.): 401, 1161, 1329.
aquéllas (pron. dem. en f. sust.): 423.
aquello: 1408.
aquéllos (pron. dem. en f. sust.): 74, 1159.
aquellos (pron. dem. en f. adj.): 1361.
arboledas: 1387.
archa: 1020.
archadios: 613.
ardan: 221.
ardientes: 1298.
ardit: 571.
ardor: 1246.
argumentos: 307, 453.
armada: 154.
armado: 929.
armas (s.): 1037.
arribó: 54.
arte: 821.
artes: 707, 1002, 1369.
assaetó: 620.
asaya: 260.
assayar: 229.
assayaron: 1256.
assaz: 182.
assegura: 216.
assegurados: 292.
asianos: 481.
assi: 210, 300, 372, 425, 681, 707, 847, 858, 881, 957, 969, 970, 1065, 1121, 1129, 1416, 1436.
assí ... commo: 477.
así commo: 1210, 1219.
assí mesmo: 1285.
assí que: 31, 523.
asolaste: 1160.
asolados: 524.
astuçia: 1400.
atento: 881.
atiendo: 22.
aturé: 339.
auctoridad: 101.
auctoridades: 1324.
augmentando: 395.
aun: 70, 535, 585, 658, 968, 1401.
australes: 1032.
auaros: 111.
avergoñó: 99.
aues: 574, 847, 1360.
auiene: 940.

ay: 521.
ayuno (de): 1136.
ayuntamiento: 813.
ayuntamientos: 1113.
azcs: 719.
açores: 1396.
b: 159.
baxas: 832.
baxezas: 439.
baldones: 152.
vanderas: 427.
vando: 471.
baniçión: 788.
banirás: 269.
baño: 912.
barajas: 533.
basta: 181, 637.
bastante: 1171.
bastaron: 537.
bastasse: 302.
baste: 1057.
batalla (s.): 252.
batallador: 936.
batallando: 554.
batallas (s.): 347, 1063.
bellicoso: 571.
benditas: 1418.
benificios: 128, 1046.
biblioteca: 873.
bien (s.): 20, 24.
bien (adv.): 72, 73, 105, 177, 473, 486, 519, 523, 577, 625, 653, 713, 957, 1001, 1053, 1060, 1117, 1140, 1286, 1312, 1318.
bien commo: 4.
bienauenturados: 298, 459.
bienauenturanças: 1429.
bienes: 29, 440, 605, 701, 725, 743, 905.
bienvenida: 989.
blasmo: 756.
bocas: 1178.
bondad: 79.
boreal: 282.
boreales: 1029.
bramidos: 1185.
braueza: 60.
breue: 64, 352.
brío: 256.
bruta: 225.
buen: 102.
buena: 1226.
buenos: 207, 407, 512, 976, 1303, 1424.

bueytre: 1274.
bulto: 813.
busca (v.): 722.
buscando: 1010.
buscar: 41.
buscaron: 168, 679.
buscaste: 521, 602, 656.
busco: 67.
buscó: 577.
c: 158.
ca: 8, 12, 47, 67, 81, 95, 114, 144, 169,
    178, 191, 244, 262, 276, 319, 327, 334,
    410, 437, 446, 458, 475, 553, 573, 629,
    653, 693, 703, 705, 721, 725, 767, 861,
    909, 942, 959, 971, 976, 985, 991, 1133,
    1153, 1165, 1209, 1213, 1237, 1287,
    1308.
cauallería: 513.
cauallero: 255.
cabdales: 1351.
cadena: 251.
cadenas: 734.
cadira: 1019.
caýda: 378, 411, 495, 594.
caýdas: 436.
cale: 1176.
calidad: 1123.
calidades: 915.
calma: 888.
calor: 1384.
camino (s.): 611, 1425.
canes: 1188, 1389.
cantan: 1367.
cantando: 1305, 1430.
cantares (s.): 1366.
cantó: 904.
cantos: 773, 1360.
cañas: 52.
caos: 806.
capaz: 865.
capital: 375.
captiuidad: 885.
cara (s.): 987.
caras: 393.
carçel: 889.
carcoma: 148.
caresçer: 207.
caresçieron: 364.
cargo (s.): 499.
caridad: 78.
carrera: 984, 1242.
cartagineses: 641.
caso (s.): 953, 1016.

casos: 507, 680.
causas (s.): 366, 521.
cauernales: 851.
caçadores: 1393.
caças (s.): 1395.
çegó: 901.
çelestes: 871, 1421.
celestiales: 789, 1201, 1261.
çera: 861.
çerca: 1326.
çerco (s.): 860.
çertas: 959.
çertificar: 1314.
çessan: 1432.
çessarían: 126.
çibdad: 25, 214, 1066.
çibdadanos: 1101.
çibdades: 150.
çibo: 736, 1051.
çiegas (v.): 578.
çiego: 904.
çielos: 829.
çient: 1221.
çiento: 359.
çierra: 1014.
ciertamente: 210, 365.
çiertas: 1407.
çierto: 100, 616, 890.
çimiento: 180.
clama: 674.
clamo: 505.
clamores: 537, 560.
clara: 104, 570, 777.
claras: 426.
claridad: 824.
claros: 615.
cobdiçioso: 37.
cobdiçiosos: 377.
coçes: 212.
cognosçe: 176.
cognosçes: 209.
cognosçiendo: 1124.
colocadas: 1331.
colocó: 791.
colores: 1322.
columpnas: 896, 1026.
collados: 1388.
combate: 154.
començé: 314.
comendables: 1376.
comendada: 1048.
comendando: 754.
comer: 736.

comiença: 299.
comigo: 29, 183, 906, 911.
cómmo (adv.) excl.): 5.
cómmo (adv. interr.): 9, 89, 213, 227,
300, 363, 639, 646, 779, 803, 1039,
1311.
commo (adv. rel. o conj.): 103, 189,
200, 260, 345, 795, 828, 890, 1094,
1127, 1236, 1327.
compaña: 740.
compañero: 783.
compás: 231.
complazen: 76.
comportar: 922.
con: 219, 250, 256, 296, 319, 396, 411,
506, 580, 659, 717, 733, 780, 808, 812,
891, 946, 966, 977, 1045, 1081, 1215,
1226, 1245, 1307, 1356, 1371, 1373.
1375, 1389, 1403, 1405, 1433.
concauidades: 58.
concluyr: 320.
conclusión: 368, 503, 1436.
concordança: 838.
concordantes: 847.
condempnados: 1163.
conferir: 671.
confiança: 1226.
confieren: 1405.
conformes: 695.
conformidad: 1067.
congoxas: 627, 1392.
congregaçión: 815, 1200.
conjunçión: 837.
conscriptas: 1419.
conscriptos: 1085.
consiguiente: 1380.
consiguió: 853.
consolará: 875.
constante: 180.
cónsules: 322.
contando: 555.
contaré: 315.
contaría: 504.
contemplaçión: 886.
contemplaçiones: 925.
contenta (adj.): 242.
contento (adj.): 172, 178, 279, 358.
contentos: 456.
contienda: 107.
contiendas: 728.
contigo: 416.
continente: 980, 1228.
contingente: 941.

continua: 66.
continuo: 936.
contra: 584, 1022.
contrario (s.): 135, 390.
contrarios: 1240.
contrasta: 959.
contrastar: 96, 480, 543, 714.
contraste (s.): 340.
contrastes (s.): 644, 1235.
contraté: 1083.
conuenía: 866, 1050.
conuiene: 41, 937.
coronas: 151, 321.
corporales: 1238.
corren: 1397.
corromper: 1262.
corronpieron: 1293.
corta (adj.): 960.
cosa: 940.
cosas: 43, 93, 114, 170, 705, 793, 1117,
1189, 1399.
cossos: 573.
costellaçión: 604.
costumbres (s.): 747.
creas: 372, 476, 729, 987, 1077, 1231.
creer: 1280.
creo: 135, 210, 270, 409.
creyeron: 223, 1260.
cristal: 283.
crúas: 531.
cruciados: 1242.
cruel: 147, 370.
crueles: 335.
crueldad: 527, 1172.
cruelmente: 1243.
cruzan: 860.
cuda: 136.
cudo: 295.
cuenta (:.): 1308.
cuentan: 1383.
cuento (s.): 816, 1312.
cuentos: 773.
cuydaua: 939.
cuydado (s.): 175, 248.
cuydados: 1136, 1400.
cuydaron: 1260.
cuydas: 2, 11, 210, 242, 1228.
cuydo: 1433.
cuytas: 627.
culebras: 609.
cúlmenes: 682.
culpa (s.): 667, 955, 1132.
culpado: 589.

culpados: 1162, 1208, 1242.
culpas (s.): 499.
cuna: 4, 609.
cura (s.): 808, 1071.
curan: 16.
curas (s.): 1376.
curé: 1091.
curo: 30, 1115.
curso (s): 1356.
cursos: 831.
cuyas: 1357.
da: 36.
dadiuosos: 380.
dado: 174.
dan: 76, 79.
dançan: 1398.
dañar: 28.
daño (s.): 577, 598, 1379.
daños: 162, 355, 398, 479, 522, 674, 1224.
dar: 84, 105, 212, 359.
das: 724.
de: 4, 16, 18, 27, 37, 41, 52, 59, 61, 63, 69, 70, 92, 104, 109, 113, 132, 137, 138, 139, 141, 143, 170, 173, 178, 185, 187, 191, 201, 207, 229, 237, 239, 241, 248, 252, 264, 265, 283, 309, 313, 314, 316, 318, 341, 344, 357, 360, 361, 362, 364, 376, 388, 401, 406, 412, 414, 415, 419, 426, 439, 440, 441, 445, 446, 453, 455, 456, 465, 466, 467, 471, 473, 474, 480, 482, 483, 485, 490, 493, 497, 507, 508, 512, 525, 530, 531, 538, 540, 542, 544, 555, 563, 585, 586, 588, 602, 611, 618, 621, 624, 625, 626, 630, 631, 633, 634, 636, 641, 645, 647, 648, 654, 657, 661, 665, 669, 672, 673, 674, 675, 676, 682, 685, 690, 696, 698, 701, 716, 717, 730, 740, 746, 748, 749, 751, 753, 755, 756, 759, 760, 762, 763, 764, 769, 770, 771, 772, 773, 778, 781, 784, 785, 796, 797, 802, 805, 810, 820, 833, 834, 844, 851, 855, 856, 857, 862, 877, 884, 899, 903, 915, 930, 934, 941, 948, 949, 956, 967, 975, 976, 983, 992, 996, 997, 1005, 1015, 1019, 1027, 1044, 1061, 1069, 1072, 1073, 1091, 1092, 1114, 1117, 1122, 1127, 1136, 1139, 1151, 1161, 1170, 1172, 1178, 1186, 1187, 1191, 1199, 1201, 1206, 1217, 1230, 1237, 1247, 1250, 1252, 1258, 1263, 1266, 1273, 1276, 1280, 1283, 1289, 1306, 1309, 1313, 1316, 1319, 1322, 1324, 1325, 1326, 1327, 1338, 1341, 1347, 1349, 1360, 1378, 1389, 1394, 1402, 1404, 1408, 1415, 1416.
de consuno: 1100.
de continente: 1228.
de fecho: 1256.
de grado: 258, 278.
de grado en grado: 1004.
de guisa que: 1381.
del todo: 1030.
de llano en llano: 34.
de todo en todo: 882.
debate (s.): 56, 107, 827.
debates (s.): 763.
debatieron: 1102.
debellé: 1041.
debelló: 617.
deuen: 1189.
deuida: 268, 1084.
deuidas: 689.
débilmente: 960.
deuo: 242.
decreto (s.): 767.
deffendí: 1106.
deffensa: 9, 528, 944.
deidades: 1083.
deyfica: 1268.
dexa: 161, 451, 452.
dexada: 1241.
dexado: 48.
dexados: 1297.
dexara: 625.
dexaras: 547, 713.
dexas: 155, 462.
dexé: 1125.
dexemos: 509.
dexes: 640.
dexo: 553.
dexó: 765.
delante: 1111, 1146.
deliçias: 1282.
delictos: 1334.
demandar: 90.
demandara: 986.
demás: 57.
demasías: 221.
demostraua: 823.
demostrar: 477.
demostrassen: 830.
den: 923.
denegado: 1222.
denegresçen: 286.
denegué: 1108.

deodos: 1294.
derecha: 192.
derechas: 1120.
derecho (s.): 1434.
dercchos (adj.): 407.
derechos (s.): 1288.
derribas: 1155.
desacuerdas: 156.
desastrados: 458.
desastres:˘ 436.
desauenturada: 632.
desboluió: 827.
descargo: 498.
desçebiste: 597.
desçendieron: 681.
descontentos: 819.
descriuen: 1383.
desde: 1023.
desseo (s.): 543, 1308.
desseos: 1303.
deseoso: 902.
desfazen: 1119.
desfazes: 160.
desfazimiento: 544.
desferra: 722.
desfizo: 608.
desonores: 336.
desonra: 296.
desparas: 716.
despendidas: 1275.
despeña: 1279.
desplegará: 874.
desplegaron: 427.
después: 597, 1004, 1043, 1137.
después de: 794.
después que: 597, 1137.
desque: 1170.
desterrado: 245.
destinados: 234.
destruydos: 1160.
destruyes: 387.
detenençia: 1234.
detienen: 1165.
deuaneo: 211.
deuoçión: 19.
dezía: 905.
dezías: 939.
dezir: 49, 69, 317, 645, 666, 968.
di: 145, 194, 297, 318, 364, 366, 474,
   491, 607, 639, 673, 692, 900, 963, 1112,
   1177, 1185.
diafana: 1412.
días: 224, 711, 779, 1292, 1332, 1427.

dichos: 753.
dieron: 978, 1071.
diestra: 1244, 1319.
diga: 408.
digan: 1103.
digas: 988.
dignidades: 151.
digno: 600, 933.
dignos: 1263.
digo: 369, 382, 633, 907.
dixere: 1152.
dixo: 1248.
dirás: 361.
dilaçión: 1040.
dilaté: 1096.
diligençia: 1081.
diligente: 808, 1049.
diluuio: 204.
diminuyes: 386.
dio: 58, 100, 575.
dioses: 559, 744, 1201, 1296, 1403.
diré: 487, 500, 999, 1039, 1439.
diremos: 465.
disçerner: 1343.
dissensiones: 728.
discordantes: 817.
discurso (s.): 1122.
dispuse: 1037.
diste: 548, 600.
disuelto: 1237.
dittadores: 333.
diuersidad: 1389.
diuersidades: 1321.
diuersos: 797.
diuididos: 859.
diuinal: 1018.
diuinales: 332, 742.
diuos: 535.
dizen: 850, 1304, 1331, 1413.
do: (adv. rel. o conj.): 39, 54, 60, 257,
   280, 281, 285, 745, 768, 1208, 1242,
   1301, 1303, 1305, 1418, 1423, 1430,
   1432.
dó (adv. interr.): 139, 462.
docto: 342.
doctor: 342.
doctrinas: 752.
documentos: 776.
dolençia: 931.
dolençias: 914.
dolor: 83, 515, 590, 947.
dolores: 167, 913.
dolorosa: 384.

dolorosas: 435.
doloroso: 1167.
dominante: 356.
dominar: 1078.
don: 972.
donde (adv. rel. o conj.): 42, 275, 282, 801, 839, 1020, 1036, 1271.
dónde (adv. interr.): 529.
dos: 415, 492, 497, 672, 1411.
dragón: 611.
dubda (v.): 133.
dubdando: 470.
dubdes: 34, 983.
dubdo: 205, 294, 703.
dubdó: 1194.
dulçe: 796, 1359.
duques: 1195.
duquesa: 1008.
duró: 572.
e: 26, 35, 45, 59, 74, 78, 80, 84, 88, 92, 94, 102, 110, 112, 119, 120, 121, 123, 124, 135, 139, 141, 142, 146, 148, 154, 157, 162, 164, 167, 171 (2x), 186, 187, 196, 199, 208, 223, 245, 252, 260, 279, 287, 290, 307, 315, 336, 340, 343, 345, 348, 359, 363, 367, 371, 384, 386, 387, 404, 415, 418, 428, 432, 439, 442, 447, 452, 453, 461, 466, 467, 471, 483, 488, 499, 503, 505, 508, 511, 514, 519, 528, 530, 532, 533, 536, 546, 552, 557, 560, 566, 568 (2x), 571, 579, 586, 604, 624, 634, 636, 640, 643, 644, 646, 647, 648, 650, 660, 662, 664, 665, 673, 674, 676, 678, 680, 683, 691, 700, 701, 706, 708, 710, 716, 720, 726, 727, 728, 733, 736, 741, 744, 747, 748, 749, 750, 751, 752, 753, 755, 756, 757, 761, 762, 765, 769, 773, 774, 775, 776, 777, 779, 781, 783, 784, 785, 789, 793, 796, 798, 803, 804, 812, 813, 815, 817, 821, 826, 828, 831, 833, 836, 838, 840, 841, 843, 845, 847, 849, 852, 855, 858, 859, 863, 864, 865, 868, 872, 873, 877, 881, 883, 896, 897, 904, 908, 911, 914, 915, 926, 936, 941, 952, 955, 958, 960, 968, 977, 980, 995, 1002, 1003, 1007, 1009, 1013, 1021, 1023, 1025, 1027, 1031, 1033, 1039, 1043, 1048, 1051, 1056, 1071, 1079, 1081, 1082, 1084, 1085, 1098, 1101, 1109, 1111, 1116, 1121,

1122, 1124, 1126, 1128, 1144, 1160, 1171, 1180, 1184, 1194, 1196, 1228, 1231, 1244, 1249, 1257, 1260, 1265, 1273, 1275, 1277, 1292, 1295, 1297, 1300, 1311, 1315, 1317, 1320, 1330, 1335, 1336, 1340, 1342, 1346, 1351, 1352, 1359, 1361, 1363, 1366, 1369, 1370, 1373, 1383, 1393, 1396, 1399, 1407, 1409, 1412, 1416, 1424, 1434, 1436, 1437, 1439.
ediles: 325.
effecto: 716.
egipçios: 614.
egual: 871.
exemplos: 745.
exercer: 1172.
exerçiçios: 615, 1364.
el (art.): 32, 55, 61, 84, 135, 201, 277, 282, 283, 284, 292, 316, 390, 412, 441, 442, 448, 510, 541, 555, 588, 599, 610, 611, 647, 668, 686, 704, 716, 736, 759, 766, 778, 801, 810, 833, 834, 835, 845, 860, 869, 882, 884, 899, 912, 979, 980, 982, 1018, 1027, 1045, 1091, 1131, 1139, 1150, 1165, 1167, 1170, 1179, 1194, 1217, 1220, 1246, 1255, 1270, 1272, 1274, 1280, 1306, 1328, 1378, 1409, 1415, 1439.
él (pron. pers.): 647, 756, 1092.
el qual: 179, 443, 770, 872, 1014.
el que: 172, 605, 1247.
electos: 323, 744.
elementos: 818.
eligieron: 961.
eligió: 788.
ellas: 114, 117, 121, 127, 1326.
ellos: 234, 237, 679.
emperadores: 119.
en: 9, 23, 34, 45, 61, 64, 93, 98, 195, 249, 276, 293, 346, 352, 403, 420, 442, 444, 516, 518, 523, 536, 548, 554, 570, 588, 609, 618, 650, 663, 687, 704, 712, 722, 734, 740, 792, 800, 819, 912, 917, 932, 994, 996, 1002, 1019, 1034, 1049, 1067, 1143, 1195, 1217, 1270, 1279, 1291, 1298, 1328, 1329, 1343, 1344, 1345, 1362, 1410, 1424, 1427.
enbidias (s.): 658.
enbidiosa: 402.
encarir: 92.
ençendiste: 534.
enemiga: 375.
enemigas: 1240.

enemigo: 32.
enemigos: 153, 187, 500, 880, 1042.
enfermedades: 914, 1338.
enfuscaron: 447.
engañaste: 363.
engaño (s.): 580, 599.
engaño (v.): 909.
engaños: 399, 478, 675.
engañoso: 596.
engendrado: 430.
enigmatos: 775.
exiemplo: 102, 379.
enlazas: 264.
enojos: 897.
enojosa: 65.
enpachos: 1234.
enpezcan: 995.
ensalçados: 117.
ensalçé: 347.
ensalçó: 569.
ensordezcan: 994.
entiendes: 9.
entiendo: 23.
entrada: 1186.
entran: 912.
entrañas: 1273.
entre (prep.): 1098.
era (v.): 814.
eran: 821.
eres: 1171.
errará: 1152.
es: 1, 24, 40, 66, 69, 83, 91, 100, 136,
    137, 138, 141, 172, 182, 230, 240, 247,
    291, 311, 410, 450, 480, 515, 616,
    670, 685, 695, 760, 884, 943, 947,
    976, 1008, 1016, 1151, 1168, 1212,
    1312, 1316, 1420, 1440.
essa (pron. dem. en f. adj.): 1199.
essas (pron. dem. en f. adj.): 129,
    221.
escreuir: 82.
escriuieron: 419, 916.
escriptas: 1056.
escusas (s.): 714.
escuse: 1040.
esse (pron. dem. en f. adj.): 441,
    1031.
ésse (pron. dem. en f. sust.): 569.
esentos: 1215.
esforçados: 388.
essos (pron. dem. en f. adj.): 193,
    337, 490, 492, 497, 567.

éssos (pron. dem. en f. sust.): 357,
    485, 649, 681.
espaçio: 1097.
espada: 155, 982, 1045.
espantables: 424.
espantar: 3.
espanto (s.): 1290.
espantos: 924.
espantosa: 1186.
esparçidos: 858.
espeçie: 848.
esperas (s.): 426, 832.
esperes: 894.
espero: 254, 1000.
espuelas: 212.
esquinas: 43.
esta (pron. dem. en f. adj.): 64,
    494, 903, 992, 1313, 1345, 1362.
ésta (pron. dem. en f. sust.): 360,
    473.
estado (s.): 932.
estados: 1072.
estas (pron. dem. en f. adj.): 241,
    1337, 1404.
éstas (pron. dem. en f. sust.): 1325.
éste (pron. dem. en f. sust.): 175,
    869.
este (pron. dem. en f. adj.): 977,
    1425.
estíos: 63.
esto: 91, 191.
estoiçianos: 739.
estos (pron. dem. en f. adj.): 297,
    655, 910.
éstos (pron. dem. en f. sust.): 314,
    319, 341, 425, 558, 661, 907.
estrellas: 1327.
estremo: 998.
estudia: 895.
estudiar: 899.
estudio (s.): 882.
estudios: 761.
eterna: 688.
éthica: 1007.
exellençia: 1316, 1402.
exçelsa: 563.
eximidas: 1337.
eximido: 17.
expertos: 1195.
expresso: 804.
extimar: 44, 81.
extrema: 527, 1258.
extremos: 1142.

fabla (v.): 357.
fabla (s.): 410.
fablar: 91, 670, 759.
fablaré: 313.
fablaremos: 642.
fablas (s.): 1209, 1344.
fablassen: 520.
fablaste: 362, 498.
fábrica: 1319.
fabricados: 121, 1401.
fábulas: 799.
ffácil: 69, 480.
faga: 1147.
fagan: 190.
fagas: 732.
fago: 12, 709, 1436.
falcones: 1396.
falla: 249, 801.
fallan: 745, 1395.
fallare: 39.
fallaría: 933.
fallases: 935.
fallemos: 703.
falles: 930.
fallesçe: 49.
fallesçido: 208.
fallo (v.): 255.
famosas: 115.
famas: 691.
famosos: 775.
farán: 133, 964, 1280.
farás: 272, 437, 1175.
faré: 25, 898, 1221, 1426.
farían: 127.
fartas: 949.
farto: 626.
fasta: 292, 1013.
fauor: 618.
fauores: 471.
fauoridos: 425.
ffaz: 7, 920.
faze: 283, 312, 1379.
fazen: 73, 112, 368, 623, 1118, 1293, 1358.
fazer: 7, 70, 581, 946, 1052.
fazes: 157, 327, 394, 660, 718, 1153, 1173.
fazienda: 106.
faziendo: 189.
fe: 1087.
fechas (v.): 1117.
fecho (v.): 177, 1248.
fechos (s.): 120, 406, 1098.

feliçidad: 888.
femençia: 1403.
feminiles: 962.
fenescan: 712.
fenesçer: 224.
feniçes: 655.
fermosa: 1317.
fermosas: 1346.
fermosos: 776.
feroçes: 1042.
feroçidad: 225.
fértiles: 1300, 1352.
festiuales: 576.
feziste: 160, 517, 1175.
fictas: 396, 1053.
fiel: 783.
fieras (v.): 152.
fiero (adj.): 571.
fierro: 469.
fijo: 508.
fixo: 1245.
fijos: 226.
philosophía: 1005.
philósofos: 797.
fin: 292, 503, 709, 976.
fines: 367, 657.
fingida: 40.
fingidas: 764.
firme (adj.): 180.
fize: 354, 565, 649, 677, 1032, 1033, 1059, 1090, 1091, 1095.
fizieron: 222, 418, 964, 1070.
fiziessen: 517.
fizo: 599, 605, 612, 841, 872, 951, 957, 969, 970, 973.
flámines: 329.
florestas: 1346.
fogueras: 536.
fojas: 896.
folgança: 839.
fonduras: 1180, 1264.
forcas: 400.
forma (s.): 812.
formasen: 812.
fornos: 1298.
fortaleza: 1259.
forçarás: 257.
franqueza: 80.
frescas: 1387.
fría: 281.
frigios: 493, 546.
fríos (s.): 62.
frío (s.): 1379.

fríuolos: 1232.
frondesçen: 1348.
fructales: 1347, 1381.
frutas: 795.
fue: 143, 301, 341, 351, 464, 561, 591, 602, 629, 768, 771, 807, 953, 1130, 1198.
fuego: 811, 833, 1094.
fuente: 1024.
fuentes: 1351.
fuera: 365, 985.
fuera de: 251, 723, 883.
fueron: 131, 144, 422, 428, 458, 463, 491, 556, 652, 661, 880, 1257, 1287, 1393.
fuertes: 435.
fuerças (v.): 581.
fuesse: 869, 889, 1058, 1068.
fuessen: 1100.
fuy: 187, 1001, 1050, 1093, 1113.
fuyr: 232, 478, 1166.
fulgureando: 1272.
fulminaste: 352.
fundamento: 179.
fuyeron: 1333.
gané: 1140.
gasta: 184.
gaudinas: 400.
geneología: 1035.
general: 374, 555, 561, 943.
generales: 161, 551, 844.
generalmente: 1090, 1138.
generosos: 677.
genos: 654, 1424.
gentes: 1114, 1280, 1337, 1404.
gigantes: 1250.
gires: 267.
giro (v.): 1148.
globo: 805.
gloria: 21, 351, 563, 735, 1000.
glorias: 401, 691, 1125.
glorioso: 103.
gloriosos: 1422.
glosa (s.): 381.
gouernada: 1068.
golfo: 147.
golondrina: 311.
goza: 1169.
gozando: 1431.
gozo (s.): 464, 899.
gozó: 1199.
gozos: 738.
gracia: 1307.

gracias: 690.
grado: 45, 878.
grand: 40, 228, 256, 304, 388, 541, 598, 760, 827, 884, 1011, 1015, 1141, 1259, 1278, 1316, 1375, 1403.
grandes (adj.): 114, 583, 1324.
grandes (s.): 659.
grandeza: 1258.
graue: 931.
grauedad: 1374.
greçianos: 547.
grey: 344.
griegos: 530.
grutas: 1178.
gualardón: 600.
guardaron: 1336.
guaresçer: 239.
guarir: 229.
guerra: 531, 660, 723, 1049, 1059.
guerreando: 1038.
guía (v.): 1008.
guisa: 539.
gusto: 796.
ha: 174, 248, 584, 1248.
hauer: 1435.
habondosas: 1347.
hauremos: 48.
han: 237, 417, 1190, 1210, 1339, 1377.
has: 6, 49, 226, 473.
haz (s.): 1061.
he: 19, 169, 179, 263, 359, 653, 667.
hedad: 650, 1122.
hedades: 1339.
hedificaçiones: 129.
herculina: 601.
herculinas: 1028.
hermano: 648.
hermanos: 316, 514, 636, 1104.
houiera: 429.
houieran: 431.
houo: 443, 972.
hombre: 105, 869, 935, 1112.
hombres: 90, 287, 394, 579, 675.
honestad: 780, 1375.
honor: 562, 1082, 1150.
honores: 166, 364.
honra: 293.
honrador: 1151.
honrados: 289.
honras (s.): 396, 548.
honré: 1088.
horden: 804.
hordenança: 816.

hordenassen: 831.
horrible: 1291.
huerco: 1217.
huérfanos: 1105.
huéspeda: 65.
huestes: 424, 720.
humanal: 696.
humanales: 236, 792.
humanidad: 685, 1169.
humanos: 14, 515, 631, 669.
ygual: 1156.
yguales: 447, 704.
ymagen: 1009.
impedimentos: 852.
imperante: 828.
imperial: 448, 564.
imperiales: 683.
imperios: 149.
impremidos: 1159, 1251.
inçendio: 608.
inçendios: 285.
infernales: 1204, 1283.
infierno: 1179.
infingido: 20.
infladas: 396.
inflamados: 1205.
infortunado: 592.
inhabitables: 421.
inhumana: 373.
inhumanidad: 228.
inmortales: 743, 1384.
inpiden: 1220.
ínsola: 1410.
instrumentes: 1365.
inuentor: 772.
inuernada: 61.
ypremenses: 1044.
yrán: 200.
yré: 279.
jamás: 269, 437, 732, 1103, 1174.
jornada: 64, 1420.
jouen (adj.): 650.
joyeles: 908.
judgadas: 705.
judgar: 1079.
juego (s.): 351.
juyzio: 510.
juntas (adj.): 77, 1372.
juntos: 817, 879.
justiçia: 754, 1089, 1434.
juridiçión: 18.
justos: 741.
la (art.): 18, 53, 56, 60, 61, 66, 192,

201, 215, 231, 254, 265, 281, 311,
344, 376, 378, 411, 516, 527, 528,
559, 580, 585, 594, 595, 601, 609,
621, 623, 624, 629, 651, 657, 693,
722, 754, 777, 802, 824, 833, 834,
836, 853, 855, 856, 857, 861, 862,
864, 873, 876, 917, 942, 956, 961,
971, 974, 984, 987, 1007, 1009, 1015,
1024, 1035, 1049, 1066, 1074, 1075,
1076, 1080, 1123, 1169, 1186, 1187,
1200, 1207, 1226, 1233, 1241, 1244,
1249, 1252, 1266, 1267, 1271, 1278,
1307, 1319, 1354, 1410, 1412, 1417,
1420.
la (pron. pers.): 39, 254, 524, 949,
952, 959, 965, 968, 1052.
la qual: 24, 312, 835.
lado: 879.
ladridos: 1188.
lafitas: 1277.
lago: 147.
lagrimosos: 680.
largas: 1373.
larguezas: 128.
las (pron. pers.): 44, 263, 476, 699,
791, 1119, 1193, 1194, 1196, 1371.
las (art.): 58, 59, 93, 113, 132, 170,
171, 212, 244, 366, 400, 404, 408, 421,
424, 426, 474, 475, 539, 548, 549,
554, 574, 609, 619, 689, 690, 705,
707, 708, 714, 730, 735, 746, 749,
765, 769, 772, 781, 785, 789, 792,
794, 810, 832, 844, 846, 896, 925,
926, 938, 1002, 1010, 1025, 1027, 1029,
1032, 1037, 1061, 1083, 1088, 1093,
1096, 1106, 1114, 1117, 1125, 1128,
1177, 1189, 1202, 1203, 1209, 1211,
1237, 1261, 1264, 1273, 1283, 1284,
1289, 1321, 1322, 1333, 1338, 1340,
1360, 1369, 1376, 1386, 1387, 1406,
1418, 1419, 1429.
lazo: 456.
lazos: 851.
le: 72, 106, 416, 595, 600, 1271.
lectores: 996.
lechos: 1285.
ledo: 355.
leemos: 512.
leen: 1056.
leerás: 900.
legados: 330.
legiones: 720.
lexos: 288, 997, 1420.

lengua: 994.
lernea: 624.
les: 395, 548, 656, 660, 1147, 1279, 1363, 1379, 1408.
letras: 730, 893.
leuaua: 906.
leuanté: 1143.
leue (adj.): 947.
leyendo: 1121.
leyes: 414, 765, 789.
liberales: 111, 1002.
libertando: 1310.
liberto (adj.): 891.
libros: 731, 893.
lides: 348, 554, 1195.
lidias (v.): 659.
ligas (s.): 1237.
ligeramente: 1225.
lira: 1307.
lo (pron. pers.): 6, 10, 22, 48, 69, 112, 133, 135, 157, 176, 210, 250, 270, 294, 303, 349, 350, 352, 354, 372, 392, 420, 460, 486, 519, 578, 587, 597, 607, 608, 612, 613, 616, 707, 715, 920, 969, 970, 981, 986, 1173, 1175, 1210, 1248.
lo (art.): 250, 451, 1112.
lo qual: 1256.
lo que: 1, 7, 168, 173, 181, 382, 418, 582, 724, 951, 964, 1108, 1440.
loables: 691, 1047.
loan: 482.
loando: 1055.
loas (v.): 433.
lóbregas: 1180.
locos: 112.
logar: 923.
logicales: 454.
loó: 55.
loor: 976.
loores: 993, 1367.
los (art.): 14, 15, 62, 63, 73, 90, 118, 122, 124, 125, 156, 161, 166, 167, 187, 194, 196, 233, 285, 287, 299, 313, 316, 361, 394, 417, 455, 456, 457, 484, 493, 507, 509, 515, 529, 532, 535, 537, 546, 547, 556, 557, 560, 565, 566, 583, 579, 583, 613, 614, 617, 631, 633, 636, 657, 659, 669, 682, 695, 737, 739, 741, 744, 745, 748, 753, 761, 773, 818, 829, 841, 843, 849, 851, 871, 905, 911, 916, 924, 962, 963, 993, 996, 1041, 1044, 1069, 1072, 1085, 1101, 1105, 1113, 1154, 1155, 1162, 1181, 1183, 1185, 1188, 1201, 1204, 1205, 1208, 1215, 1242, 1250, 1257, 1277, 1285, 1288, 1296, 1297, 1298, 1301, 1334, 1335, 1360, 1365, 1378, 1381, 1385, 1388, 1421, 1423.
los (pron. pers.): 199, 229, 239, 300, 327, 363, 429, 457, 462, 504, 581, 677 703, 1043, 1099.
los que: 86, 165, 191, 264, 419, 553, 1146, 1157, 1293.
luego: 836, 921.
luengos: 779.
lumbre: 1327, 1412.
lumbreras: 829.
lumbres: 746.
luna: 824.
luto (s.): 446.
lutos: 727.
llamamos: 1028.
llamarías: 892.
llamaron: 613.
llana: 1012.
llanto: 1291.
llegaron: 658, 1111.
llegas: 579.
llegué: 1013.
llena (adj.): 301.
lleuo: 29.
llora: 164, 991.
llorar: 434.
llorassen: 496.
lloren: 165.
lloro (v.): 1131.
lloros: 727.
máchina: 201.
madres: 1088.
maestra: 876.
magistrados: 331.
magníficas: 115.
magnos: 15.
maguer: 733.
mal (adj.): 27, 878, 985, 1147.
mal (s.): 243, 445, 1095, 1153, 1248.
mal (adv.): 929.
mala: 660.
malefiçio: 1276.
males: 164, 233, 440, 626, 679, 701, 927, 1154, 1239, 1282.
malfazer: 1191.
maligna: 604, 1200.
malos (adj.): 672.

malos (s.): 1154.
mançebez: 1249.
mandando: 1134.
mandaré: 199.
mando (s.): 804.
mandó: 828.
manera: 803.
maneras: 1053, 1349, 1394.
manifiestas (adj.): 1407.
mano: 26, 154, 1320.
manos: 351, 588, 630, 938.
mansamente: 1353.
manso: 1144.
mantos: 196.
mantouieron: 1336.
mantuue: 1087.
mar: 1058.
mares: 432.
marmóreas: 219.
mas (conj.): 37, 101, 373, 451, 487, 491, 501, 549, 551, 578, 628, 639, 651, 673, 701, 715, 819, 825, 888, 989, 1000, 1079, 1156, 1215, 1241, 1356, 1417.
más (adv.): 93, 184, 197, 288, 432, 456, 459, 483, 499, 561, 592, 632, 706, 984, 1155, 1341, 1343, 1344, 1363, 1420.
más bien: 351.
materia: 802.
mató: 955.
mayor: 45, 243, 316, 413, 441, 591, 891.
mayores: 529, 706.
mayoría: 876, 1075.
me: 2, 3, 11, 28, 30, 36, 68, 145, 190, 209, 216, 217, 220, 255, 257, 266, 267, 269, 276, 320, 392, 472, 491, 625, 713, 718, 721, 729, 735, 875, 900, 909, 927, 930, 933, 935, 939, 945, 995, 1023, 1037, 1068, 1070, 1071, 1075, 1091, 1103, 1107, 1115, 1118, 1119, 1146, 1230, 1231, 1290, 1433.
medicaciones: 929.
mediçina: 917.
megarenses: 1041.
mejor: 365, 444, 962.
mejores: 532.
memorados: 120.
menas: 139.
menazas (s.): 717.
mengua (v.): 50.

menguada: 603.
menguados: 88.
menores: 540.
menos: 463, 528, 973, 1099.
mensajeros: 331.
mentes: 792.
mera: 1434.
mesas: 1284.
mesclando: 1045.
mesma: 460, 784, 1266.
mesmo: 977, 1031, 1285.
mesmos: 1361.
mesón: 47.
metida: 35.
metropología: 1370.
mí (pron. pers.): 13, 217, 482, 692, 737, 983, 1068, 1129, 1213, 1281, 1288.
mí (pron. pos.): 18, 96, 195, 247, 368, 709, 782, 784, 879, 934, 1020, 1055, 1061, 1089, 1132, 1144.
mía: 873, 876, 1034.
mías: 938.
mill: 163.
minas (s.): 397.
mío: 253, 1109.
mira (v.): 951, 960, 1140.
miraré: 1245.
miras (v.): 213.
miraste: 1060.
miré: 1099.
miro: 1145.
mis: 29, 186, 196, 289, 426, 730, 877, 925, 1098, 1104, 1282, 1427.
miserias: 727.
mismas: 401.
modo: 157, 593, 815, 1031.
modos: 188, 335, 452, 695, 1296.
modulaçión: 1359.
molestar: 2.
montaña: 1354.
morada: 50, 1417.
moradas: 123, 218.
moradores: 843.
moral: 876, 1007.
morales: 752.
moralidad: 104.
morir: 237, 937, 1176.
moriré: 919.
mortajas: 536.
mortal: 971.
mortales: 455, 627.
mostraré: 338.
mostruos: 1204.

mouieron: 1062.
mucha: 1402.
muchas (pron. indef. en f. sust.):
769.
muchas (pron. indef. en f. adj.):
793.
mucho (pron. indef. en f. adj.): 73.
mucho (pron. indef. en f. sust.): 74.
mucho (adv.): 909.
muchos (pron. indef. en f. adj.): 75,
354, 387, 481, 626, 897, 965.
muchos (pron. indef. en f. sust.):
293, 450, 622, 877, 1315.
mudanças: 1432.
muera: 988.
muerte: 384, 411, 580, 602, 693, 942,
946.
muertes: 434, 568.
muestra: 1318.
muestran: 1368, 1375.
muestras: 1210.
muestro: 1173.
muger: 226, 956.
mugeres: 948.
mundana: 840, 1009.
mundanas: 1125.
mundano: 21, 464, 860.
mundanos: 738.
mundo: 201, 442.
murados: 124.
murallas: 139.
murieron: 239, 469, 532, 553.
muros: 130.
muy: 65, 110, 278, 310, 343, 778, 793,
837, 989, 997, 1011, 1021, 1042, 1048,
1263, 1284, 1316, 1352, 1357, 1407.
nabathea: 854.
nada: 36, 983.
narrable: 304.
narraçión: 502, 559, 623.
narraste: 337.
nasçe: 277.
nasçieron: 1411.
nasçiones: 474.
natura: 805, 825.
natural: 693, 1006.
naturalesza: 57, 173.
naturante: 825.
nauegando: 1011.
naues: 575.
negad: 392.
negar: 95.
negras: 552.

netas: 799.
ni: 98, 695, 585.
niego: 350, 578.
nin: 16, 21, 82, 96, 99, 108, 111, 115,
127   128, 136, 233, 151, 176, 253,
254, 264, 267, 270, 303, 372, 409,
440, 444, 504, 530, 541, 562, 563,
564, 576, 591, 592, 632, 668, 671,
689, 697, 698, 723, 729, 731, 738,
787, 816, 822, 824, 893, 929, 933,
944, 987, 998, 1061, 1063, 1078, 1092,
1096, 1099, 1104, 1108, 1136, 1142,
1145, 1147, 1155, 1174, 1175, 1184,
1204, 1205, 1207, 1240, 1281, 1282,
1285, 1289, 1353, 1380, 1392, 1400.
ninguna (pron. indef. en f. sust.):
140.
ninguna (pron. indef. en f. adj.):
667, 1437.
ningund (pron. indef. en f. adj.):
20, 1247.
ninguno (pron. indef. en f. adj.):
1097.
ninguno (pron. indef. en f. sust.):
1133.
ningunos (pron. indef. en f. adj.):
355, 1239.
ningunos (pron. indef. en f. sust.):
491.
niño: 4.
no: 93, 205, 416.
nobles (adj.): 747, 1369, 1396.
noches: 1292.
nombre (s.): 872, 934.
nombres (s.): 556.
non: 5, 12, 15, 19, 22, 30, 34, 39, 46,
67, 68, 81, 88, 89, 95, 97, 116, 135,
140, 144, 152, 169, 175, 194, 197,
209, 211, 213, 216, 226, 232, 234,
247, 248, 252, 258, 260, 263, 266,
268, 269, 294, 295, 312, 319, 350,
360, 369, 385, 410, 420, 423, 431,
442, 449, 457, 470, 463, 476, 485,
492, 496, 501, 511, 526, 528, 537,
540, 550, 555, 575, 578, 584, 589,
606, 637, 640, 646, 667, 685, 731,
737, 767, 768, 820, 887, 894, 909,
919, 920, 921, 923, 935, 953, 973,
983, 986, 999, 1077, 1091, 1097, 1107,
1114, 1115, 1117, 1120, 1130, 1133,
1141, 1171, 1173, 1176, 1177, 1179,
1181, 1183, 1185, 1192, 1203, 1207,

1213, 1218, 1223, 1224, 1231, 1236, 1239, 1287, 1379.
nos: 58, 174, 1008.
notables: 123.
nouedad: 601.
noxia: 1252.
nudoso: 51.
nuestra: 1066, 1417.
nuestras: 1325, 1340.
nuestro: 1439.
nuestros: 223, 1044.
nueua (adj.): 42, 650.
nueuas (s.): 408.
nunca: 224, 301, 1059, 1095, 1153, 1275.
nuzir: 1191, 1230.
o: 3, 10, 11, 45, 47, 50, 53, 87, 131, 147, 149, 150, 152, 159, 203, 209, 225, 226, 238, 274, 280, 284, 288, 322, 324, 326, 330, 332, 336, 338, 389, 407, 489, 506, 520, 581, 642, 655, 806, 837, 941, 945, 1010, 1058, 1158, 1178, 1191, 1212, 1216, 1225, 1234, 1235, 1248, 1251, 1428.
obprobio: 669.
obra (s.): 1048.
obrantes: 820.
obras (s.): 549, 785, 820, 1120, 1124.
obscuras: 1177.
obtener: 1064.
obtuue: 1138.
obtuuo: 1309.
oculto: 98.
offender: 1254.
offendí: 1107.
offendieron: 1296.
offensa: 12, 525.
offensas: 171, 336.
officios: 1047, 1361.
oý: 1005.
oýd: 560.
ojo: 1245.
ojos: 900, 996, 1205.
oluidas: 409.
oluido (s.): 420.
oluido (v.): 476.
ondas: 1357.
oppinión: 268, 784.
oppiniones: 306.
opressos: 488.
oquedades: 59.
ordenaste: 594.
orgulloso: 256.

ornados: 1286.
oro (s.): 663, 1019.
osados: 385.
oso (v.): 968.
otras (pron. indef. en f. adj.): 405, 474, 793.
otras (pron. indef. en f. sust.): 952, 1192.
otro (pron. indef. en f. adj.): 204, 593.
otro (pron. indef. en f. sust.): 722.
otros (pron. indef. en f. adj.): 233, 738, 897, 913, 1295.
otros (pron. indef. en f. sust.): 380, 385, 387, 487, 863, 965, 1368, 1385, 1397, 1398, 1405.
oyó: 525.
paçiençia: 930, 966.
paçificada: 1065.
padesçer: 238.
padres: 223, 1085.
pagado: 279.
pagar: 191.
para (prep.): 477, 522.
paraste: 145.
paresçe: 140, 637.
paresçieron: 399.
paresçió: 1080.
parriçida: 588.
parte (s.): 1011, 1015.
partes (s.): 249, 706, 1003, 1372.
partí: 1023.
partido: 950, 985.
passa: 1227.
passado: 1131.
passados: 299, 730.
passan: 335.
passar: 1215.
passaras: 918.
passaron: 163.
passassen: 493.
passe: 1149.
passeando: 1386.
passemos: 60.
passo (v.): 780.
passo (s.): 1220.
patria: 1034.
patrizó: 954.
pausas: 367.
pauorosas: 1192.
paz: 183, 1064.
peçes: 843.
pedir: 968.

pella: 862.
pena (s.): 250, 974, 1000, 1276.
penan: 1208.
penantes: 1251.
penar: 1220.
penas: 241, 735.
penos: 655.
pensar: 239, 516.
pensase: 303.
penso: 303.
peña: 1278.
peñas: 59.
peor: 629.
perder: 194.
perdí: 1132.
perdía: 1051.
perdidas: 692.
peregrino: 953.
perenales: 1350.
peresçerá: 202.
perfecçión: 79, 840.
perjuyzio: 511.
pero: 109, 305, 1057.
perpetuales: 1332.
persecuçiones: 132.
perseguiste: 545.
personas: 324, 1333.
perturbaçión: 1233.
pesará: 1428.
peso (s.): 704, 736.
piadosamente: 1377.
pides: 890.
pidió: 97.
pido: 724.
piensas: 1, 3, 5, 170, 1440.
pinta: 863.
pintura: 1317.
pinturas: 1325.
planetas: 698.
planiçies: 1330.
plaze: 72, 106, 280, 1119, 1428.
plazen: 405, 737.
plazenteras: 1395.
plazentero: 1312.
plazer: 84, 290, 1391.
plaziente: 1356.
plogo: 757, 1066, 1075, 1076.
ploguieron: 1063.
pluma: 301.
pobre: 50.
pobres: 75.
pobredad: 40, 215.
pobreza: 66.

poca: 250.
pocas: 263.
poco (adv.): 28, 719.
poco (pron. indef. en f. sust.): 178, 250, 992.
poco (pron. indef. en f. adj.): 1130.
poco a poco: 587.
pocos (pron. indef. en f. sust.): 109, 296.
pocos (pron. indef. en f. adj.): 523.
poder: 195, 868, 1190.
poderes: 583.
poderosa: 1320.
poderoso: 353, 412.
podieres: 1229.
podiessen: 520.
podrás: 7.
podresçen: 287.
poetas: 798.
polidos: 1344.
pompas: 1126.
ponen: 420.
pontífices: 324.
ponçoña: 971.
popa: 276.
por: 8, 32, 117, 121, 153, 157, 158, 159, 179, 188, 202, 206, 236, 244, 253, 299, 305, 334, 347, 359, 371, 372, 377, 379, 380, 385, 388, 398, 450, 479, 531, 593, 596, 615, 684, 689, 706, 744, 803, 804, 807, 831, 859, 863, 890, 898, 913, 950, 962, 972, 978, 995, 999, 1012, 1031, 1052, 1054, 1058, 1064, 1068, 1077, 1079, 1080, 1095, 1104, 1120, 1122, 1132, 1154, 1156, 1164, 1166, 1173, 1259, 1274, 1282, 1288, 1295, 1299, 1315, 1323, 1370, 1372, 1380, 1384, 1388.
por bien (m. adv.): 275.
por bien que: 732.
por demás (m. adv.): 230.
por qué: 607, 999, 1173.
por tanto: 689.
porfías (s.): 307, 453.
porque (conj.): 220, 360, 988, 1040, 1149, 1224, 1253, 1267.
portadas: 219.
posseedores: 842.
posseo: 271.
posseer: 686, 1263.
postpuse: 1116.
postrimeros: 1427.
potente: 1091.

praderías: 1329.
prados: 1300.
praticar: 671.
práticas: 1162.
pratiquemos: 702.
prea: 621, 1021, 1151.
preçeptor: 343.
preçeptos: 741.
prefectos: 325.
preheminençia: 1076.
premia (s.): 787.
premios: 737.
prenderás: 721.
preso: 733, 892.
prestan: 76.
prestas (adj.): 552.
presto (adv.): 48, 432.
prestos: 300, 1343.
presumir: 10, 240.
pretores: 323.
primavera: 864.
primera: 802.
primero: 315, 634, 668.
primos: 800.
prinçesa: 698.
prinçipal: 442, 771.
prinçipales: 850.
prínçipe: 27, 647, 786, 1069.
prínçipes: 119, 490.
prinçipado: 1001.
prinçipié: 1036.
prisión: 712, 887.
prisiones: 717.
pro (s.): 217.
pro (prep.): 1435.
prouadas: 262.
prouar: 381.
proçesso: 801.
procónsules: 333.
procuraron: 165.
produxiesen: 848.
profanos: 332.
proferidas: 451.
proffundo: 1217.
prompto: 403, 518.
prophetissa: 538.
propios: 164.
propria: 994.
prorrogadas: 1339.
prorrogando: 595.
prosas: 795.
proseguiendo: 1244.
proseguiremos: 468.

prosperados: 1157.
prosperé: 346.
prosperidad: 688.
prósperos: 339.
proueer: 1055.
provinçias: 1029.
prueua (v.): 1229.
prueuas (s.): 405.
público: 98.
pueblos: 124.
pueda: 205.
puedas: 320.
puede: 81, 95, 105, 232.
pueden: 89, 116, 235, 291.
puedes: 10, 17, 28, 194, 227.
puerco: 1220.
pues: 168, 181, 184, 272, 357, 433,
   497, 513, 545, 641, 885, 921, 938,
   961, 983, 1065, 1171, 1176, 1229.
pues que (conj.): 314.
pues (= después): 610.
pues (= pero): 895.
puesta: 26.
punición: 1266.
punido: 1265.
punto: 16, 968, 1073, 1099.
purpuradas: 1330.
puse: 1097.
puso: 872.
quál (adv.): 145.
qual (ádv. rel.): 514.
quál (pron. interr. en f. adj.): 590,
   803.
quáles (pron. interr. en f. sust.):
   652.
quales (pron. rel.): 1363.
quales (adv. rel.): 1409.
qualque: 923.
qualquier: 932, 1227.
quando (conj.): 55, 87, 199, 400, 768,
   1033, 1101, 1163, 1197.
quándo (adv. interr.): 1311.
quántas: 393, 397, 521.
quantas: 915.
quánto (adj. en exclamaciones): 84,
   1140.
quanto (pron. rel.): 160.
quánto/quanto (adv.): 572, 602, 756,
   757, 1050, 1225.
quantos: 328, 338, 512.
quasi: 1228.
quatro: 746, 818, 849.
qué (pron. interr.): 1, 137, 138, 141,

143, 272, 309, 357, 445, 465, 666, 1440.

que (conj.): 5, 19, 36, 100, 134, 140, 158, 190, 216, 257, 258, 302, 311, 320, 352, 362, 369, 429, 476, 501, 517, 526, 535, 616, 637, 667, 703, 711, 715, 737, 809, 829, 833, 845, 867, 869, 906, 923, 939, 954, 974, 993, 1016, 1059, 1107, 1115, 1145, 1150, 1176, 1213, 1223, 1259, 1304, 1318, 1325, 1336, 1421.

que (en compensaciones): 46, 93, 198, 459, 464, 631, 892, 1100.

que (pron. rel.): 74, 152, 163, 170, 222, 232, 248, 337, 339, 402, 423, 487, 493, 517, 548, 565, 569, 602, 619, 623, 681, 743, 765, 787, 790, 791, 795, 850, 880, 884, 905, 908, 932, 940, 947, 948, 952, 1008, 1026, 1028, 1047, 1055, 1114, 1118, 1127, 1130, 1132, 1134, 1162, 1168, 1190, 1257, 1274, 1279, 1292, 1333, 1362, 1381, 1408, 1426.

qué (adj. interr.): 83, 217.

quebrantados: 1287.

queden: 1224.

quexan: 483.

quexara: 628.

quexas: 463.

quexo: 505.

quema: 213.

querellas (s.): 539, 1164.

querello: 506.

querer: 91, 1390.

quereres: 1232.

querrás: 645, 1148.

querré: 198.

querredes: 392.

querremos: 159.

querría: 189.

quien (pron. indef.): 38, 44, 71, 136, 184, 260, 584, 959, 991, 1149, 1152.

quién (pron. interr.): 49, 133, 297, 418, 525.

quiere: 44, 71.

quieren: 707.

quieres: 277, 281, 284, 582, 666, 676, 945.

quiero: 183, 308, 317, 381, 413, 711.

quietas: 699.

quise: 1141.

quisiera: 713.

quisiere: 1149.

quisieres: 274, 895.

quisieron: 949.

raçional: 271, 879.

raro: 941.

raros: 110.

rayo: 823.

razón: 8, 82, 96, 265, 506, 891, 1080, 1433.

razona: 1268.

razonamiento: 514.

rreal: 564.

rreales: 573, 678, 682.

rebate (s.): 826.

rebueluas: 267.

recabdo: 1130.

receptasse: 834.

reçibir: 965.

recobré: 1129, 1137.

recontado: 1323.

rectíssimos: 1335.

recursos: 236.

recusas: 715.

redarguye: 472.

redes: 397.

reduzir: 1231.

refusas: 715.

reffuse: 984.

región: 631, 1207, 1345.

regiones: 149, 1010.

regir: 1079.

reglas: 781.

rreynaron: 638.

remito: 460.

remo (s.): 1216.

remos: 1143.

renombres: 395.

reñir: 108.

reparo (s.): 944.

repartes: 402.

repito: 457.

reposado: 259.

reposo (s.): 40, 346, 903.

reposos: 653.

requieren: 1408.

resçibiera: 981.

resçibiesen: 845.

resçibió: 1020.

resçibir: 83.

resistençia: 976, 1073, 1235.

resistir: 11.

resplandor: 80.

responder: 308.

respuestas: 1406.

restaurados: 235.
resultó: 839.
retorné: 1033.
reuerençia: 1084.
reueses: 644.
reuocas: 404.
rrey: 341, 354, 592, 663.
rreyes: 415, 481, 557.
rezan: 1371.
riberas: 1352.
ricas: 218.
ricos (s.): 73.
ricos (adj.): 130.
riega: 1345.
riguridad: 1355.
ríos: 1351.
riquezas: 113, 764, 1228.
ritos: 1335.
riyeron: 496.
robauan: 620.
robada: 1198.
robar: 25.
robarás: 729.
robre: 51.
rodeo: 596.
roýdas: 1274.
roýdo: 656.
romana: 344.
rromanos: 313.
rosados: 1301.
rueda: 833.
ruego: 1095.
ruydos: 533.
rumor: 826.
sabe: 992.
sabemos: 643.
saben: 519, 1114.
saber: 584, 1342.
sabes: 357, 572, 607, 612, 643.
sabia: 1320.
sabiamente: 1052.
sabio: 136.
sabrosas: 796.
sacerdote: 1306.
sacerdotes: 330.
sacomano: 35.
sacrificio: 978.
sacrificios: 125.
salda: 1021.
salido: 473.
saliré: 1299.
santas: 746.
santos: 1288.

saña: 1355
sañosa: 403.
satisfazen: 1391.
satisfazer: 305.
satisfecho: 1435.
sazón: 1348.
sçiencias: 708, 772.
sçientes: 1368.
se (pron. refl.): 71, 191, 200, 243, 482, 483, 628, 712, 745, 801, 901, 955, 978, 1050, 1169, 1208, 1260, 1368, 1377.
se (en construcciones pasivas e impersonales): 81, 95, 116, 127, 213, 232, 249, 809, 812, 850, 863, 874, 922, 1040, 1056, 1062, 1189, 1268, 1279, 1308, 1314.
sé: 181, 486, 606, 1133, 1309.
sea: 51, 53, 273, 349, 379, 383, 989, 933, 1233.
sean: 321, 323, 325, 329, 567.
seas: 369, 1223.
seguirán: 197.
segund (conj.): 295, 409, 1383.
segund (prep.): 1035.
segund que (conj.): 1314.
segundo: 204, 443, 668.
segura: 215.
seguro: 31.
seguros: 131.
selua: 1187.
seluas: 1345.
sella: 863.
semblante: 591, 1147.
semblantes: 452.
senadores: 322.
senos: 1421.
sentençias: 749, 769.
sentí: 1003.
sentido: 653.
sentidos: 1341.
sentimiento: 169.
sentimientos: 1116.
señas: 1061.
señora: 990.
señores: 118, 557.
señoría: 1074.
sepas: 710.
sepultado: 1223.
sequaces: 289.
ser: 17, 205, 211, 235, 242, 291, 304, 687, 1120, 1319, 1413.

será: 26, 33, 37, 68, 383, 485, 887, 1425.
serán: 131, 489, 692, 735, 879, 921, 927, 1281.
seré: 881.
sería: 501, 697.
sermón: 709.
serpiente: 1415.
seruiçios: 748.
seso: 247.
sí: 12, 19, 639, 651.
si (conj.): 52, 67, 77, 88, 106, 112, 133, 144, 155, 159, 201, 234, 237, 247, 274, 280, 288, 291, 392, 405, 407, 429, 458, 468, 472, 473, 495, 496, 505, 520, 573, 599, 641, 653, 676, 699, 721, 885, 889, 895, 909, 922, 935, 961, 981, 985, 1060, 1100, 1103, 1109, 1119, 1148, 1209, 1229, 1393, 1428.
sydo: 417.
siempre: 85, 656, 1431.
sientan: 167.
sierpe: 624.
siguen: 192, 1385.
siguieron: 952, 1362.
siguió: 853.
sillas: 1419.
simuladas: 393.
sin: 32, 56, 90, 107, 108, 114, 127, 340, 354, 495, 503, 539, 787, 815, 816, 821, 826, 900, 924, 955, 967, 1073, 1247, 1355, 1392, 1400, 1437.
singular: 972.
siniestra: 1241.
siniestras: 1211.
sinon: 492, 739, 1064, 1135.
sintieron: 423.
so: 26, 196, 264, 1387.
soberano: 24, 811.
soberuios: 1253.
sobernaçiones: 1093.
sobra (s.): 388.
sobre (prep.): 866, 1109, 1340.
soçobras: 552.
sol: 1328.
sola: 23, 311.
solamente: 370, 1057.
solares: 285, 1367.
solas: 241, 422.
sollempnes: 125.
solempnidades: 1082.
soles: 63.

solo: 449, 756, 822.
solos: 88, 492.
soltó: 849.
somo: 1279.
son: 15, 43, 46, 77, 85, 93, 112, 113, 117, 122, 124, 144, 149, 172, 186, 195, 234, 289, 297, 328, 407, 449, 484, 550, 558, 583, 622, 694, 705, 725, 743, 767, 795, 907, 1026, 1047, 1056, 1127, 1150, 1163, 1192, 1202, 1243, 1275, 1301, 1304, 1322, 1327, 1331, 1338, 1341, 1346, 1364, 1384, 1385, 1401, 1421.
sostener: 227.
sorda: 148.
sostener: 227.
sosternedes: 389.
sostienen: 75.
sostuue: 1105.
sotiles: 799.
soy: 177, 178, 185, 251, 358, 723.
soys: 13.
su: 56, 99, 106, 290, 344, 351, 384, 448, 464, 508, 570, 577, 602, 648, 824, 991, 1018, 1259, 1276, 1308, 1313, 1390, 1412.
suaues: 928, 1357.
subidos: 1158.
subieron: 495, 684.
subjectos: 328.
subjudgados: 13.
sojudgue: 220.
subjugado: 431.
subuertiendo: 524.
successores: 361.
suelta (adj.): 1249.
sueltos: 763.
sueño (s.): 1051.
suerte: 603, 943.
suma: 304.
sus: 120, 139, 167, 224, 367, 398, 424, 427, 433, 434, 436, 438, 439, 440, 444, 463, 475, 514, 522, 556, 560, 568, 575, 615, 626, 644, 652, 654, 674, 679, 680, 690, 701, 731, 741, 752, 774, 820, 829, 896, 911, 1003, 1010, 1126, 1128, 1154, 1180, 1188, 1214, 1294, 1298, 1328, 1344, 1364, 1376, 1419.
suyo: 1112.
suyos: 566.
tablados: 1397.
taçe: 280.
tajó: **1271.**

tal: (pron. indef. en f. adj.): 157, 513, 525, 559, 608, 788, 885, 940, 990, 1133, 1212.
tal (pron. indef. en f. sust.): 961.
tales (pron. indef. en f. adj.): 43, 188, 206, 533, 550, 1295.
tales (pron. indef. en f. sust.): 109, 926, 1155.
tan: 228, 301, 304, 370, 518, 563, 672, 779, 808, 827, 920, 929, 947, 1015, 1258, 1317.
tanta: 780, 1307.
tantalea: 1024.
tantas: 1322.
tanto (adv.): 298, 428, 433, 545, 569,
tanto (adj.): 445, 544.
tanto (s.): 733.
tanto que (conj.): 265.
tantos (adj.): 193, 556, 605, 675, 921.
tañe: 1305.
tarde: 940.
tartareas: 1264.
te: 12, 41, 197, 243, 280, 308, 338, 359, 360, 369, 381, 405, 487, 637, 674, 892, 898, 905, 907, 937, 986, 999, 1145, 1221, 1428, 1435.
thebanos: 633.
texidos: 800.
tema (v.): 216, 526.
tema (s.): 1439.
temer: 924, 1189.
temerosos: 1184.
temes: 1177, 1185, 1203.
temidas: 1202.
temidos: 428.
temientes: 1183, 1277.
temió: 1196.
temo: 252, 319, 719, 999, 1213, 1239.
temor: 32, 946, 1212, 1247.
temores: 1184.
templo: 103.
templos: 122, 130, 748, 1402.
temptaron: 1253.
tendida: 1216.
tenebrosa: 1186.
tener: 45.
tengo: 300.
terçero: 635.
terresçes: 1179, 1181, 1183.
terresçientes: 1182.
terreçió: 1193.
terrestes: 842.
terror: 1212.

terrores: 1181.
thesoro: 1018.
thesoros: 726.
testifica: 1315.
testigo: 383, 413.
testigos: 484.
testos: 911.
ty: 16, 220, 328, 460, 483, 511, 949, 1022.
tiaras: 321.
tiemplan: 861.
tiempo: 61, 1131, 1143.
tiempos: 340, 444, 687, 700, 1378,
tiene: 184, 231.
tienen: 74, 86, 168, 217, 1419.
tyerra: 246, 657, 836, 1012, 1015, 1058, 1313.
tierras: 244, 432, 810, 1032.
tyrano: 27.
tyranos: 672.
tires: 266.
toda: 47, 246, 848, 917, 931, 1139, 1207, 1348, 1354.
todas (pron. indef. en f. adj.): 249, 747, 1003, 1280, 1292, 1349, 1369, 1394, 1399, 1432.
todas (pron. indef. en f. sust.): 1372.
todo (pron. indef. en f adj.): 105, 1112.
todo (pron. indef. en f. sust.): 276, 814.
todos (pron. indef. en f. sust.): 185, 186, 195, 327, 334, 373, 449, 469, 501, 694, 711, 858, 866, 1090, 1156.
todos (pron. indef. en f. adj.): 233, 337, 340, 529, 567, 659, 687, 700, 763, 818, 852, 910, 913, 927, 1072, 1303, 1378, 1424.
togados: 1069.
tomada: 33.
tomare: 38.
tomen: 36.
torçer: 1104.
tormento: 884.
tormentos: 1214.
tornaré: 1438.
tornaron: 575.
tornas: 403.
torno: 768.
torres: 130.
total: 1071.
touieres: 275.
touiesse: 699, 867.

trabajando: 1135.
trabajosa: 68.
tractada: 629.
tractados: 731.
trae: 887.
traen: 864.
traýa: 908.
trayó: 790.
traýste: 535, 587.
trágicos: 509.
tres: 1072.
tribulaçiones: 475.
tribulança: 1227.
tribunos: 326.
tripudio: 883.
triste: 516, 586.
tristes: 367, 394, 435, 488, 636.
tristeza: 176.
triumpha: 1170.
triumphan: 1423.
triumphante: 1170.
triunfaste: 349.
triumpho (s.): 21, 562.
triumphos: 415.
trompa: 570.
trompas: 1127.
tronando: 1269.
tronante: 1255.
trono: 448, 1019.
tronos: 683.
troyana: 621.
troyanos: 484, 530, 546.
tú (pron. pers.): 2, 5, 17, 170, 214, 266, 275, 401, 578, 607, 643, 721, 724, 890, 930, 945, 1153, 1161, 1218, 1236.
tu (pron. pos.): 25, 33, 498, 527, 543, 878, 889, 1123, 1172.
tumbos: 439.
tus: 132, 164, 193, 261, 306, 335, 399, 406, 414, 471, 478, 479, 497, 499, 500, 549, 583, 630, 658, 711, 719, 720, 764, 880, 924, 1124, 1224, 1232.
tuue: 1108.
tuyo: 1109.
tuyos: 567.
vn: 240, 687, 813, 822, 947, 1356.
vna (pron. indef. en f. adj.): 700.
vna (art.): 943, 1067.
vnas: 172.
vniversal: 868.
vno (pron. indef. en f. sust.): 359, 449, 450, 819.

vnos (pron. indef. en f. sust.): 327, 377, 861, 1365, 1405.
vsas: 1161.
vsé: 1053.
vsurpar: 1269.
vtil: 343, 837, 1021.
valieron: 416.
van: 87, 1146.
vanagloria: 997.
vanas: 1128.
vano: 240, 767.
varones: 15.
vaya: 257, 258.
veamos: 272.
vedadas: 1281.
vees: 1157.
vegada: 1199.
vegadas: 263.
veynte: 415.
vexaçión: 787.
vexada: 586.
vejedad: 651, 777.
vejez: 1252.
vela (s.): 1144, 1216.
venados: 1385.
vençer: 1054.
venerables: 122.
veneraçión: 1267.
venga: 932.
venida: 991.
ventura: 995.
veo: 134, 715.
ver: 6, 1089.
verá: 203.
vera: 368.
verano: 312.
verdad: 291, 349, 468, 684, 757, 907, 1087.
verdadero: 782.
verdes: 1300.
verdor: 1384.
verdugo: 1165.
veredas: 1386.
vergüença: 1437.
versos: 800.
vestales: 329.
vestiduras: 1373.
beuir: 72, 89.
beuiré: 1431.
vezes: 1012.
vi: 109, 1009, 1025, 1030.
vía: 192, 516, 853.
bía: 938.

vías: 206.
viçendas: 725.
viçeral: 148.
victoria: 562.
victorias: 404, 690.
victorioso: 356.
victoriosos: 649, 1415.
vida: 56, 231, 494, 585, 595, 696, 903, 992, 1271, 1362.
vidas: 433, 568, 761, 1340.
viene: 276.
vienen: 87.
viento: 282.
vientos: 849.
vieron: 1103.
vigor: 1209.
vimos: 948.
vinieron: 200.
vio: 175.
viriles: 963.
virtud: 23, 271.
virtuosos: 1423.
visto: 561, 1123.
vistos: 1413.
biudas: 1106.
biua (v.): 1135.
biuas (v.): 42.
biue: 101.

biuen: 290, 1382.
biuo (v.): 8.
biuos: 1341.
bolantes: 846.
voluntad: 92.
voy: 31.
bozerías: 1219.
bozes: 1289.
buelua: 987.
vuestra: 696.
vulgo: 884.
vulto: 99.
y: 5, 57, 70, 72, 76, 133, 155, 197, 295, 1087, 1131.
ya: 144, 161, 181, 513, 540, 545, 572, 621, 643, 723, 920, 948, 954, 993, 1145, 1163, 1193, 1229, 1309.
yerra: 247.
yerro (v.): 472.
yo: 8, 31, 67, 134, 169, 177, 183, 185, 198, 205, 251, 255, 258, 264, 270, 308, 319, 369, 413, 434, 500, 565, 606, 633, 653, 677, 697, 700, 719, 723, 881, 906, 986, 1001, 1033, 1036, 1059, 1133, 1213, 1426, 1433.
yugo: 1168.
zelo: 977.
zonas: 421.

C. INDICE DE RIMAS

Rimas oxítonas:

-a: CX, 2-3; CLXXIX, 1-4.

-ad: X, 6-7; XIII, 5-8; XXVII, 6-7; XXIX, 1-4; LXXXII, 2-3; LXXXVI, 5-8; XCV, 5-8; XCVIII, 1-4; CXI, 5-8; CXXXIV, 2-3; CXLI, 2-3; CXLVII, 1-4; CLXXII, 6-7.

-al: XXXVI, 2-3; XLVII, 6-7; LXXI, 1-4; LXXXI, 5-8; LXXXVII, 5-8; XCVII, 2-3; CIX, 1-4; CIX, 6-7; CXXII, 2-3; CXXVI, 6-7; CXLV, 1-4.

-al /-ial: LVI, 5-8.

-án: XXV, 5-8.

-ar: I, 2-3; IV, 1-4; VI, 1-4; XI, 1-4; XII, 2-3; XII, 6-7; XIV, 1-4; XV, 1-4; LX, 5-8; LXXXIV, 6-7; CXIII, 2-3; CXVI, 2-3; CXXXV, 6-7.

-as: I, 6-7; XXIX, 6-7; XXXIV, 5-8; XCI, 1-4; XCII, 1-4; CXV, 6-7, CXLVII, 6-7.

-az: XXIII, 6-7; CXXXIII, 5-8.

-é: XX, 6-7; XXV, 6-7; XL, 2-3; XLIII, 2-3; XLIV, 2-3; LXI, 6-7; LXXVI, 6-7; CXXX, 1-4; CXXXVI, 6-7; CXLIII, 1-4; CLXXX, 6-7.

-el: XLVII, 2-3.

-er: IX, 6-7; XXV, 2-3; XXVI, 5-8; XXIX, 2-3; XXX, 6-7; XXXVII, 2-3; XXXIX, 1-4; LXXIII, 5-8; LXXXVI, 6-7; CXXXII, 6-7; CXLIX, 6-7; CLVII, 6-7; CLVIII, 6-7; CLXVIII, 6-7; CLXXIV, 6-7.

-ey: XLIII, 5-8.

-ez: CLVII, 1-4.

-í: II, 5-8; XXVIII, 1-4; LXI, 2-3; CXXVIII, 6-7; CXXXIX, 2-3; CXLII, 1-4; CLXXVII, 5-8.

-ió: XIII, 1-4.

-ión: III, 2-3; LXIII, 6-7; CV, 5-8; CXI, 6-7; CLIX, 2-3.

-ión /-ón: CXXXV, 5-8; CLV, 1-4; CLXIX, 1-4.

-ir: II, 2-3; IX, 5-8; XI, 2-3; XII, 1-4; XXIX, 5-8; XXX, 5-8; XL, 5-8; CXLVI, 6-7.

-ó: VII, 6-7; LXXII, 1-4; LXXVIII, 1-4; XCVI, 5-8; XCIX, 6-7; CXIII, 5-8; CXX, 2-3.

-ón: I, 5-8; VI, 6-7; XII, 5-8; XVIII, 5-8; XXVI, 2-3; LXIV, 2-3; LXXVII, 2-3; LXXXI, 2-3; XCIV, 6-7; CXXII, 1-4.

-ón /-ión: XXXIV, 1-4; LXX, 6-7; LXXVIII, 6-7; LXXXIX, 5-8; XCVIII, 5-8; XCIX, 1-4; CLI, 6-7; CLXX, 6-7; CLXXX, 1-4.

-or: XLIII, 6-7; LVI, 1-4; LXXIV, 6-7; CXIX, 2-3; CXLIV, 6-7;
                        CLII, 1-4; CLVI, 6-7.
-os: LXII, 1-4; CLXXVII, 2-3.
-os /-ios: CI, 6-7.

Rimas paroxítonas:

-aben: CXL, 2-3.
-abes: XLV, 5-8.
-abdo /-ado: CXLII, 2-3.
-ables: XVI, 2-3; LIII, 5-8.
-açia: CLXIV, 2-3.
-actos /-atos: XCVII, 6-7.
-ada: V, 1-4; VIII, 5-8; XX, 2-3; LXXIX, 5-8; CXXIII, 6-7;
                        CXXXI, 5-8, CXXXIV, 1-4; CL, 6-7; CLXXVIII, 1-4.
-adas: XXVIII, 2-3; XXXIII, 6-7, L, 1-4; LXXXIX, 1-4; CLXI,
                        1-4; CLXVII, 2-3.
-ades: VIII, 2-3, XIX, 6-7; CXV, 2-3; CXXXVI, 2-3; CLXVI, 1-4;
                        CLXVIII, 2-3.
-ado: VI, 5-8; XXII, 6-7; XXXI, 5-8; XXXIII, 2-3; XXXV, 6-7;
                        LIV, 6-7; LXXIV, 5-8; CX, 6-7, CXVII, 1-4; CXXVI,
                        1-4; CLIiI, 6-7.
-ados: XI, 5-8; XV, 5-8; XVI, 1-4; XXX, 2-3; XXXVII, 1-4;
                        XXXVIII, 2-3; XLII, 2-3; XLIX, 1-4; LVIII, 2-3;
                        XCII, 2-3; CXXXIV, 5-8; CXLV, 5-8; CXLVI, 2-3; CLI,
                        5-8; CLVI, 2-3; CLXI, 6-7; CLXIII, 1-4; CLXIII, 5-8;
                        CLXXIV, 1-4; CLXXV, 5-8; CLXXVI, 1-4.
-adres: CXXXVI, 5-8.
-agan: XXIV, 6-7.
-ago: XIX, 2-3.
-ajas: LXVII, 5-8.
-ales: XXI, 1-4; XXX, 1-4; XLII, 1-4; LV, 5-8; LVII, 6-7; LXIX,
                        6-7; LXXII, 5-8; LXXIX, 2-3; LXXXV, 6-7; LXXXVI,
                        2-3; LXXXVIII, 5-8; XCIII, 6-7; XCIV, 5-8; CVI, 1-4;
                        CVII, 2-3; CXVI, 6-7; CXXIX, 5-8; CXLV, 2-3; CLV, 6-7;
                        CLXI, 2-3; CLXIX, 6-7; CLXXIII, 5-8.
-alla: XXXII, 1-4.
-amo: LXIV, 1-4.
-ana: XLVII, 5-8; CXXVII, 1-4.
-anas: CXLI, 5-8.
-ança: CV, 6-7; CLIV, 2-3.
-ançan: CLXXV, 6-7.
-anças: CLXXIX, 5-8.
-ando: LIX, 6-7; LXX, 2-3; CXXVII, 2-3; CXLII, 6-7; CLIX, 5-8;
                        CLXIV, 6-7; CLXXIX, 6-7.
-ando /-iando: CXXX, 6-7.
-anes: CLXXIV, 5-8.
-ano: III, 5-8; IV, 2-3; V, 2-3; XCVI, 6-7; CII, 2-3; CVIII, 1-4.
-anos: XL, 1-4; LXI, 1-4; LXV, 2-3; LXXIX, 6-7; LXXX, 1-4;
                        LXXXIV, 5-8; XCIII, 2-3; CXXXVIII, 5-8.
-anos /-agnos: II, 6-7.
-ante: XXIII, 1-4; CIV, 1-4; CXLIV, 2-3; CXLVII, 2-3.

-antes:	CIII, 1-4; CVI, 6-7; CLVII, 2-3.
-anto:	CLXII, 2-3.
-antos:	XXV, 1-4; CXVI, 1-4.
-aña:	CLXX, 2-3.
-año:	LXXIII, 1-4; LXXV, 6-7; CXIV, 5-8, CLXXIII, 2-3.
-años:	XXI, 2-3; XLV, 2-3; L, 6-7; LX, 6-7; LXVI, 2-3; LXXXV, 2-3; CLIII, 5-8.
-ara:	CXXIV, 2-3.
-aras:	XC, 1-4.
-arca /archa:	CXXVIII, 1-4.
-are:	V, 6-7.
-ares:	XXXVI, 5-8, LIV, 5-8; CLXXI, 6-7.
-argo:	LXIII, 2-3.
-ario:	XLIX, 6-7.
-aro:	CXVIII, 5-8.
-aron:	XXI, 5-8; LXXVII, 5-8; LXXX, 6-7; CXXXIX, 6-7; CLVII, 58.
-aros:	XIV, 6-7.
-artes:	LXXXIX, 2-3; CXXVI, 2-3; CLXXII, 1-4.
-asçe /-açe:	XXXV, 5-8.
-aso:	CXXVII, 5-8.
-asse:	CV, 2-3.
-asse /-ase:	XXXVIII, 6-7.
-assen:	LXII, 5-8, CII, 1-4; CIV, 6-7.
-asta:	XXIII, 5-8; LXXX, 5-8; CXX, 6-7.
-aste:	XLIII, 1-4; XLIV, 5-8; XLVI, 2-3; LXVI, 1-4; CXXXIII, 1-4.
-ate:	VII, 5-8; CIV, 2-3.
-ates:	XCVI, 2-3.
-ausas:	XLVI, 6-7.
-aues:	LXXII, 6-7; CLXX, 5-8.
-aya:	XXXIII, 1-4.
-azas:	XXXIII, 5-8.
-azen:	X, 1-4; CXL, 6-7.
-azes:	XX, 5-8; XC, 6-7; CXLVII, 5-8.
-ea:	LXXVIII, 5-8; CVII, 6-7; CXXVII, 5-8.
-eas:	XLVII, 1-4.
-eçia:	LXXIX, 1-4.
-ectos:	XLI, 5-8.
-echas:	CXL, 5-8.
-echo:	CLXXX, 2-3.
-echos:	LI, 6-7; CLXI, 5-8.
-edas:	CLXXIV, 2-3.
-edes:	XLIX, 5-8.
-ela:	CXLIII, 5-8.
-elo /-ello:	CXXIII, 1-4.
-ella:	CVIII, 6-7.
-ellas:	CXLVI, 1-4; CLXVI, 6-7.
-ema:	XXVII, 5-8; LXVI, 6-7.
-emia:	XCIX, 2-3.
-emios:	XCIII, 1-4.
-emo:	XL, 6-7; CXXV, 6-7; CLII, 5-8.
-emos:	LIX, 1-4; LXIV, 5-8; LXXXI, 2-3; LXXXVIII, 6-7; CXLIII, 6-7.

-emplos:	XCIV, 1-4.
-ena:	XXXII, 2-3; CXXII, 6-7.
-enas:	XVIII, 2-3; XXXI, 1-4; XCII, 6-7.
-ençia:	CXXXV, 1-4; CXXXVI, 1-4; CLV, 2-3; CLXV, 1-4; CLXXVI, 2-3.
-ençias:	XCVII, 1-4.
-endas /-iendas:	XCI, 5-8.
-endo /-iendo:	CXLI, 1-4.
-enos:	LXXXII, 6-7; CXXXVIII, 2-3; CLXXVIII, 5-8.
-enos /-uenos:	CXXII, 5-8.
-ensa:	II, 1-4; LXVI, 5-8.
-enses:	CXXXI, 1-4.
-enta /-ienta:	XXXI, 2-3.
-ente:	CXXXII, 1-4; CXXXVII, 2-3; CXLIII, 2-3; CLIV, 1-4.
-ente /-iente:	CLXX, 1-4; CLXXIII, 1-4; CLXXVII, 6-7.
-entes:	CLXXI, 5-8.
-ento:	XXIII, 2-3; CXI, 1-4.
-ento /-iento:	XLV, 6-7.
-entos:	LVII, 5-8; XCVII, 5-8; CIII, 2-3; CLII, 6-7.
-eña:	CLV, 6-7.
-eo:	XVII, 6-7; XXVII, 2-3; XXXIV, 6-7; LII, 1-4; LXVIII, 6-7; LXXV, 1-4; LXXVIII, 2-3; LXXXV, 1-4; CL, 1-4; CLXIV, 1-4.
-eos:	CLXIII, 6-7.
-eptos /-ectos:	XCIII, 5-8.
-era:	CI, 2-3; CVIII, 5-8.
-eras:	LIV, 2-3; CIV, 5-8; CLXIX, 5-8; CLXXV, 2-3.
-eres /-ieres:	CXII, 6-7.
-erno /ierno:	CXLVIII, 2-3.
-ero:	XXXII, 6-7; LXXX, 2-3; LXXXIV, 1-4; XCVIII, 6-7; CLXIV, 5-8.
-ero /iero:	LXXII, 2-3.
-eron /ieron:	CLXVII, 5-8.
-erra:	XCI, 2-3.
-erses /erxes:	LXXXIII, 5-8.
-ersos:	C, 5-8.
-esçe:	VII, 1-4.
-esçen:	XXXVI, 6-7.
-eses:	LXXXI, 1-4.
-eso:	XCII, 5-8; CI, 1-4.
-essos:	LXI, 5-8.
-estos:	XXXVIII, 1-4; CXIV, 6-7.
-esza /-eza:	VIII, 1-4.
-etas:	LXXXVIII, 2-3; C, 6-7.
-exas:	LVIII, 6-7.
-eyes:	LII, 6-7.
-eza:	IX, 2-3; X, 5-8; XXII, 5-8; CLVIII, 2-3.
-ezas:	LV, 6-7.
-ezcan.	CXXV, 2-3.
-ia:	XXIV, 5-8; XXXVI, 1-4; LXIII, 5-8; LXV, 1-4; CVII, 5-8; CIX, 2-3; CX, 1-4; CXIV, 1-4; CXXVI, 5-8; CXXX, 2-3; CXXXII, 2-3; CXXXV, 2-3; CLXXII, 2-3.
-iales /-ales:	XCIX, 5-8; CLI, 1-4.

-ian: XVI, 6-7.
-iana /-ana: CLXXVII, 1-4.
-iandro /-andro: XCV, 6-7.
-iano /-ano: XXXIX, 5-8; LVIII, 5-8; LIX, 2-3.
-ianos: LXIX, 2-3.
-yanos /-anos: LXVII, 2-3.
-ías: XXVI, 6-7; XXVIII, 5-8; XXXIX, 2-3; LXXXIX, 6-7;
                            XCVIII, 2-3; CXII, 1-4; CXVIII, 2-3; CLIII, 2-3; CLXII,
                            1-4; CLXVII, 1-4; CLXXIX, 2-3.
-ica: CLXV, 2-3.
-içia: XCV, 2-3; CXXXVII, 1-4.
-içio: CXXIII, 2-3; CLX, 1-4.,
-içios: XVI, 5-8; CXXXI, 6-7; CLXXI, 1-4.
-ictas /-iptas: CXXXII, 5-8.
-ictos /itos: CLXVII, 6-7.
-yda (-ida):   XLVIII, 2-3; LII, 2-3; LXII, 6-7; LXXIV, 1-4; LXXV, 2-3;
                            CXXIV, 5-8; CLIX, 6-7.
-idas: LV, 1-4; LXXI, 5-8; LXXXVII, 1-4; XCVI, 1-4; CLI, 2-3;
                            CLX, 2-3; CLXVIII, 1-4.
-ides: CL, 2-3.
-idias: LXXXIII, 2-3.
-ido: III, 1-4; LIII, 1-4; LVII, 2-3; LX, 1-4; LXXXII, 5-8,
                            CXIX, 6-7.
-idos: LIV, 1-4; CVIII, 2-3; CXLV, 6-7; CXLIX, 1-4; CLXVIII, 5-8.
-iegas /-egas: LXXIII, 2-3.
-iego /uego: XLIV, 6-7.
-iemplo /-emplo: XIII, 6-7.
-iençia /-ençia: CXVII, 2-3; CXXI, 6-7.
-ienda: XIV, 2-3.
-iendo: III, 6-7.
-iene: CXVIII, 1-4.
-ienen: X, 2-3; XI, 6-7.
-iensas /-ensas: XXII, 2-3.
-iente: CXXIX, 2-3.
-ientes: CXLVIII, 6-7.
-ientes /-entes: CLX, 5-8.
-iento: LXVIII, 5-8.
-iento /-ento: XXII, 1-4; CII, 5-8.
-ientos: CXL, 1-4.
-ientos /-entos: CVII, 1-4.
-iera /-era: CXXIII, 5-8.
-iere /-ere: CXLIV, 5-8.
-ieren: CLXXVI, 5-8.
-ieres: XXXV, 2-3.
-ieres /-eres: LXXIII, 6-7; CXIX, 1-4; CLIV, 5-8.
-ieron: XXVIII, 6-7; LIII, 2-3; LXXXVI, 1-4; CXIX, 5-8; CXXI,
                            1-4; CXXXIII, 6-7; CXXXIV, 6-7; CXXXVIII, 6-7,
                            CLXII, 5-8; CLXXI, 2-3.
-ieron /-ueron: LXX, 1-4
-yerra (-ierra):   XXXI, 6-7; CXXVII, 6-7.
-ierra /-erra: LXXXIII, 1-4; CXXXIII, 2-3.
-ierro: LIX, 5-8.
-ierto /-erto: CXII, 2-3.

-iessen:	LXV, 5-8; CVI, 5-8.
-iestra:	CLVI, 1-4.
-igas:	CLV, 5-8.
-igno /-ino:	CXVII, 5-8.
-igo:	IV, 5-8; XLVIII, 6-7; LII, 5-8; CXIV, 2-3.
-igos:	XX, 1-4; XXIV, 2-3; LXIII, 1-4; CX, 5-8; CXXXI, 2-3.
-iles:	CXXI, 2-3.
-ilio:	XLIV, 1-4.
-yna (-ina):	XXXIX, 6-7; CXV, 5-8.
-ina /-igna:	LXXVI, 1-4; CL, 5-8.
-inas:	L, 5-8; CXXIX, 1-4.
-ino:	CXX, 1-4.
-ío:	XXXII, 5-8.
-iones:	XVII, 1-4; LX, 2-3; XC, 5-8; CXVI, 5-8; CXXXVII, 5-8.
-iones /-ones:	XIX, 5-8.
-íos:	VIII, 6-7.
-iosa /-osa:	LI, 2-3.
-ioso /-oso:	V, 5-8.
-iosos /-osos:	XLVIII, 1-4; LXXXII, 1-4.
-ipçios /içios:	LXXVII, 6-7.
-ira:	CXX, 5-8.
-ires:	XXXIV, 1-4.
-irla:	CXXI, 5-8.
-irme:	CLIV, 6-7.
-iro:	CXLIV, 1-4.
-issa /-isa:	LXVIII, 2-3.
-iste:	LXVII, 6-7; LXIX, 1-4; LXXIV, 2-3; LXXV, 5-8.
-itas /-iptas:	CLXXVIII, 2-3.
-ito:	LVIII, 1-4.
-iuas:	VI, 2-3.
-iuen:	CLXXIII, 6-7.
-ixo:	CLVI, 5-8.
-yzio:	LXIV, 6-7.
-izo:	LXXVI, 5-8.
-obras:	LXIX, 5-8.
-obre:	VII, 2-3.
-ocos:	XIV, 5-8.
-odo:	CII, 6-7; CXXIX, 6-7.
-odos:	XXIV, 1-4; XLII, 6-7; LVII, 1-4; LXXXVII, 6-7, CLXII, 6-7.
-ojos:	CXII, 1-4.
-olo:	XCV, 1-4; CIII, 6-7.
-oma:	XIX, 1-4.
-ombre:	CIX, 5-8; CXVII, 6-7.
-ombres:	L, 2-3.
-ompas:	CXLI, 6-7.
-ompto / onto:	LXV, 6-7.
-ona:	CLIX, 1-4.
-onas:	XLI, 1-4.
-onia:	XVIII, 6-7.
-onra:	XXXVII, 5-8.
-opa:	XXXV, 1-4.
-ora:	CXXIV, 6-7.
-ores:	XV, 6-7; XXI, 6-7; XLI, 2-3; XLII, 5-8; XLVI, 1-4; LXVII,

	1-4, LXVIII, 1-4; LXX, 5-8; CVI, 2-3; CXV, 1-4; CXXV, 1-4; CXLVIII, 5-8, CLXVI, 2-3; CLXXV, 1-4.
-oria:	LXXI, 2-3; CXXV, 5-8.
-orias:	LI, 1-4; LXXXVII, 2-3.
-ornos:	CLXIII, 2-3.
-oro:	LXXXIII, 6-7; CXXVIII, 2-3.
-oros:	XCI, 6-7.
-osa:	IX, 1-4; XLVIII, 5-8; CXLIX, 2-3; CLVX, 5-8.
-osas:	XV, 2-3; C, 1-4; CXLIX, 5-8; CLXIX, 2-3.
-osçes /-oçes:	XXVII, 1-4.
-oso:	XLV, 1-4; CXIII, 6-7.
-osos:	LXXXV, 5-8; CLXXVIII, 6-7.
-ubda /-uda:	XVII, 5-8.
-ubdo /udo:	XXXVII, 6-7.
-udio:	CXI, 2-3.
-uego:	CV, 1-4; CXXXVII, 6-7.
-uera:	CXXIV, 1-4.
-uera /-era:	XLVI, 5-8.
-uerco:	CLIII, 1-4.
-ueron /-eron:	CLVIII, 1-4.
-ueron /-ieron:	LIII, 6-7.
-uerte:	LXXVI, 2-3; CXVIII, 6-7.
-uertes:	LV, 2-3.
-uestas /-iestas:	CLXXVI, 6-7.
-uestra /-iestra:	CLXV, 6-7.
-uestras /-iestras:	CLII, 2-3.
-ueuas:	LI, 5-8.
-ugo:	CXLVI, 5-8.
-ulto:	XIII, 2-3.
-uma:	XXXVIII, 5-8.
-umbres:	XCIV, 2-3.
-una:	I, 1-4; XVIII, 1-4; LXXVII, 1-4; LXXXIV, 2-3; LXXXVIII, 1-4; CIII, 5-8; CLXXX, 5-8.
-unas /-umpnas:	CXII, 5-8.
-undo:	XXVI, 1-4; LVI, 2-3.
-uno:	CXXXVIII, 1-4; CXLII, 5-8.
-unos:	XLI, 6-7; LXII, 2-3.
-ura:	CI, 5-8.
-uras:	CXLVIII, 1-4; CLVIII, 5-8; CLXVI, 5-8; CLXXII, 5-8.
-uro:	IV, 6-7.
-uros:	XVII, 2-3.
-usas:	XC, 2-3.
-use:	CXXX, 5-8.
-utas:	C, 2-3.
-uto:	LVI, 6-7.
-uue:	CXXXIX, 1-4.
-uyes:	XLIX, 2-3.
-uyo:	CXXXIX, 5-8.
-uyos:	LXXI, 6-7.

IX. BIBLIOGRAFÍA

(SAN) AGUSTÍN, *Sancti Aurelii Augustini episcopi 'De Civitate Dei'*, Libri XXII, iterum recognovit B. Dombart, Vol. I, Lipsiae, 1877.

ALCOVER, ANTONI M.ª y B. MOLL, FRANCESC DE, *Diccionari català-valencià-balear*, Barcelona, 1968.

ALFONSO EL SABIO, *General Estoria. Primera Parte*. Edición de Antonio G. Solalinde, Madrid, 1930.

ALFONSO EL SABIO, *General Estoria. Segunda Parte*. Edición de Antonio G. Solalinde, Lloyd A. Kasten y Víctor R. B. Oelschläger, II, Madrid, 1961.

ALONSO, DÁMASO, *La lengua poética de Góngora*, tercera edición, corregida, Anejo XX de la «Revista de Filología Española», Madrid, 1961.

Antología de poetas líricos castellanos, desde la formación del idioma hasta nuestros días, por Marcelino Menéndez y Pelayo, tomo V, Madrid, 1911.

Antología de poetas líricos castellanos, compuesta por Marcelino Menéndez y Pelayo, tomo IV, C. S. I. C., Santander, Aldus, 1944.

AUBRUN, CHARLES V., «Inventaire des sources pour l'étude de la poésie castillane au XVᵉ siècle», en *Estudios dedicados a Menéndez Pidal*, IV, Madrid, 1953, pp. 297-330.

BARTOLINI, ALESSANDRA, «Il canzoniere castigliano di San Martino delle Scale (Palermo)», *Bolletino centro di studi filologici e linguistici siciliani, Palermo 4* (1956), pp. 147-187.

BATTISTI, CARLO y ALESSIO, GIOVANNI, *Dizionario Etimologico Italiano*, Firenze, 1950.

BELLO, ANDRÉS y CUERVO, RUFINO J., *Gramática de la lengua castellana*, tercera edición, Buenos Aires, 1952.

BLÜHER, KARL ALFRED, *Seneca in Spanien*, Untersuchungen zur Geschichte der Seneca-Rezeption in Spanien vom 13. bis 17. Jahrhundert, München, 1969.

BOCCACCIO, GIOVANNI, *De casibus illustrium vivorum*. A facsimile reproduction of the Paris edition of 1520 with an introduction by Louis Brewer Hall, Gainesville, Florida, 1962.

BOCCACCIO, GIOVANNI, *De mulieribus claris*, a cura di Vittorio Zaccaria. Vol. X de «Tutte le opere di Giovanni Boccaccio», Arnaldo Mondadori Editore, Verona, 1970.

BOGGS, R. S.; KASTEN, LLOYD; KENISTON, HAYWARD; RICHARDSON, H. B., *Tentative Dictionary of Medieval Spanish*, Chapel Hill, North Carolina, U.S.A., 1946.

BOOR, HELMUT DE, *Das Attilabild in Geschichte, Legende und heroischer Dichtung*, Darmstadt, 1963.

BOURLAND, C., «The unprinted poems of the Spanish Cancioneros in the Bibliothèque Nationale, Paris», *Revue Hispanique*, XXI (1909), pp. 460-566.

BURLEY, WALTER, *Gualteri Burlaei liber, 'De vita et moribus philosophorum'*, mit einer altspanischen Übersetzung der Eskurialbibliothek, herausgegeben von Hermann Knust, Tübingen; Unveränderte Nachdruck 1964, Minerva GMBH, Frankfurt am Main.

Bustos Tovar, José Jesús de, *Contribución al estudio del cultismo léxico medieval*, Anejo XXVIII del *Boletín de la Real Academia Española*, Madrid, 1974.

Calderón de la Barca, *El pleito matrimonial del cuerpo y el alma*. Edición crítica de Manfred Engelbert, Berlín, 1969.

Calomino, Salvatore, «Early Spanish Manuscripts in American University Libraries, I. Houghton Library, Harvard University», *La Corónica*, Vol. 5 (Spring, 1977), núm. 2, pp. 112-114.

Camões, Luis de, *Os Lusíadas*, en *Obras Completas*, com prefácio e notas do Prof. Hernâni Cidade, volume V, *Os Lusíadas* (II), Livraria Sá da Costa, 2.ª edição, Lisboa, 1956.

Cancionero castellano del siglo XV, ordenado por R. Foulché-Delbosc, tomo I, Madrid, Casa Editorial Bailly-Baillière, 1912.

Cancionero de Roma, edición de M. Canal Gómez, tomo II, Florencia, Sansoni, 1935.

(El) Cancionero de Palacio (Manuscrito núm. 594), edición de Francisca Vendrell de Millás, C.S.I.C., Barcelona, 1945.

Cancionero de Juan Fernández de Ixar, estudio y edición crítica por José María Azáceta, tomo II, C.S.I.C., Madrid, 1956.

Cancionero de Gallardo, edición crítica por José María Azáceta, C.S.I.C., Madrid, 1962.

Cancionero de Juan Alfonso de Baena, edición crítica por José María Azáceta, tomo I, C.S.I.C., Madrid, 1966.

'Centón epistolario' del bachiller Fernán Gómez de Cibdareal. 'Generaciones y semblanzas' del noble caballero Fernán Pérez de Guzmán. 'Claros varones de Castilla' y letras de Fernando de Pulgar, Madrid, 1775.

(Le) Chansonnier espagnol d'Herberay des Essarts (XVe siècle), édition précédée d'une étude historique par Charles V. Aubrun, Bordeaux, 1951.

Christmann, Hans Helmut, *Lateinisch 'calere' in den romanischen Sprachen*, mit besonderer Berücksichtigung des Französischen, Wiesbaden, 1958.

Cicerón, *De Senectute, De Amicitia, De Divination*, with an English translation by William Amistead Falconer, The Loeb Classical Library, London-Cambridge, Massachusetts, 1959.

Corominas, J., *Diccionario crítico etimológico de la lengua castellana*, IV vols., Gredos, Madrid, 1955-1957.

Corominas, Joan, *Breve diccionario etimológico de la lengua castellana*, tercera edición muy revisada y mejorada, Gredos, Madrid, 1973.

Corriente, M., *A grammatical sketch of the Spanish Arabic dialect bundle*, Madrid, 1977.

Crónica de los reyes de Castilla: Crónica de D. Juan Segundo, B.A.E., tomo LXVIII.

Cuervo, Rufino José, *Diccionario de Construcción y Régimen de la Lengua Castellana*, 2 vols., Instituto Caro y Cuervo, Bogotá, 1954.

Dain, A., *Les manuscrits*, Paris, 1949.

De Nigris, Carla, «La 'Comedieta de Ponza' e la 'General Estoria'», *Medioevo Romanzo*, II (1975), pp. 154-164.

De Nigris, Carla y Sorvillo, Emilia, «Note sulla tradizione manoscritta della 'Comedieta de Ponça'», *Medioevo Romanzo*, V (1978), pp. 100-128.

Diccionario de Autoridades, reproducción facsímile, 3 vols., Gredos, Madrid, 1954.

Diccionario Enciclopédico Hispano-Americano, 28 vols., Barcelona, 1887-1910.

Dios Mendoza Negrillo, S. J., Juan de, *Fortuna y Providencia en la literatura castellana del siglo XV*, Anejo XXVII del *Boletín de la Real Academia Española*, Madrid, 1973.

Dizionario Enciclopedico Italiano, Roma, 1958.

Enciclopaedia Britannica, 23 vols., Chicago, etc., 1968.

Enciclopedia Vniversal Ilvstrada, Evropeo-Americana, Espasa-Calpe, Barcelona.

ENCINA, JUAN DEL, *Arte de poesía castellana*. Edición de Juan Carlos Temprano, en *Boletín de la Real Academia Española*, LIII (1973), pp. 321-350.

ESTEVE BARBA, FRANCISCO, *Biblioteca Pública de Toledo. Catálogo de la colección de manuscritos Borbón Lorenzana*, Madrid, 1942.

ÉTICO DE ISTRIA, *Cosmographia Aethici Istrici ab Hieronymo ex graeco in latinum breviarium redacta*. Edición de Henricus Wuttke, Lipsiae, 1853.

FALCÓN MARTÍNEZ, CONSTANTINO; FERNÁNDEZ-GALIANO, EMILIO, y LÓPEZ MELERO, RAQUEL, *Diccionario de la mitología clásica*, 2 vols., Alianza Editorial, Madrid, 1980.

FERNÁNDEZ DE HEREDIA, JUAN, *La grant crónica de Espanya*, libros I-II. Edición según el manuscrito 10.133 de la Biblioteca Nacional de Madrid, con introducción crítica, estudio lingüístico y glosario por Regina Af Geyerstam, Uppsala, 1964.

FILOSTRATO, *The life of Apollonius of Tyana*. The Loeb Classical Library, vol. I, Cambridge, Massachusetts, 1960.

FOSTER, DAVID WILLIAM, *The Marqués de Santillana*, Twayne's World Authors Series, núm. 154, New York, 1971.

GALLARDO, BARTOLOMÉ JOSÉ, *Ensayo de una biblioteca española de libros raros y curiosos*, t. III, Madrid, 1868.

GARCI-GÓMEZ, MIGUEL, «Otras huellas de Horario en el Marqués de Santillana», *Bulletin of Hispanic Studies*, L (1973), pp. 127-141.

GARCÍA DE DIEGO, VICENTE, *Gramática histórica española*, segunda edición revisada y aumentada, Gredos, Madrid, 1961.

GONZÁLEZ CUENCA, JOAQUÍN, «Cancioneros manuscritos del prerrenacimiento», *Revista de Literatura*, XL (1978), pp. 177-215.

GRANDA, GERMÁN DE, «Personalidad histórica y perfil lingüístico de Ruy Díaz de Guzmán (1560?-1629)», *Thesaurus*, XXXIV (1979), pp. 138-163.

GRANDGENT, C. H., *Introducción al latín vulgar*, tercera edición, Madrid, 1963.

GRAVES, ROBERT, *The Greek Myths*, 2 vols., Penguin Books, 1980.

GREEN, OTIS H., «Sobre las dos fortunas: de tejas arriba y de tejas abajo», en *Studia philologica. Homenaje ofrecido a Dámaso Alonso*, II, Gredos, Madrid, 1960-61, pp. 143-154.

GREEN, OTIS H., *Spain and the Western Tradition*, Volume II, Madison, Milwaukee and London, 1968.

HANSSEN, FEDERICO, *Gramática histórica de la lengua castellana*, París, 1966.

HOMERO, *Ilias, Odyssee*. Edición de J. C. Bruijn y C. Spoelder, segunda edición, Haarlem, 1940.

JENSEN, FREDE y LATHROP, THOMAS A., *The Syntax of Old Spanish Subjuntive*, Mouton, The Hague - Paris, 1973.

(SAN) JERÓNIMO, *Saint Jérôme, Lettres*, tome III. Texte établi et traduit par Jérôme Labourt, Paris, 1953.

KERKHOF, M.P.A.M., «Algunas notas acerca de los manuscritos 2.655 y 1.865 . de la Biblioteca Universitaria de Salamanca», *Neophilologus*, LVII (1973), pp. 135-143.

KERKHOF, M.P.A.M., «Anotaciones bibliográficas a los textos del cancionero 1.865 (X6) de la Biblioteca Universitaria de Salamanca», *Revista de Archivos Bibliotecas y Museos*, LXXVII, 2 (1974), pp. 601-618.

KERKHOF, M.P.A.M., «Algunas observaciones sobre la edición de Manuel Durán de las 'Serranillas', 'Cantares y Decires' y 'Sonetos fechos al itálico modo' del Marqués de Santillana (Clásicos Castalia núm. 64, Madrid, 1975)», *Neophilologus*, LXI (1977), pp. 86-105.

KERKHOF, MAXIM. P.A.M., «El Ms. 80 de la Biblioteca Pública de Toledo y el Ms. 1.967 de la Biblioteca de Catalunya de Barcelona, dos códices poco conocidos: algunas poesías inéditas y observaciones sobre varios textos contenidos en ellos», *Revista de Archivos, Bibliotecas y Museos*, LXXXII (1979), pp. 17-58.

KÜHNER, RAPHAEL, *Ausführliche Grammatik der lateinischen Sprache*, Zweiter Band, Hannover, 1878.

LANG, HENRY R., *List of Cancioneros*, en *Cancioneiro Gallego-Castelhano, the extant Galician poems of the Gallego-Castilian school (1350-1450), collected and edited with a literary study, notes and glossary by...*, New York - London, 1902.

LAPESA, RAFAEL, *La obra literaria del Marqués de Santillana*, Ínsula, Madrid, 1957.

LAPESA, RAFAEL, «Un gran poema estoico del Marqués de Santillana», *Ínsula*, XXII, núm. 130, sept. de 1957, pp. 1-2.

LAPESA, RAFAEL, «De nuevo sobre las serranillas de Santillana», en *Libro-Homenaje a Antonio Gómez Pérez*, tomo II, Cieza, 1978.

LAPESA, RAFAEL, *Historia de la lengua española*, octava edición refundida y muy aumentada, Gredos, Madrid, 1980.

LEE, SIDNEY, *Dictionary of National Biography*, Vol. LIX, London, 1899.

LEITE DE VASCONCELOS, *Textos arcaicos*, quinta edição, Lisboa, 1970.

LEOMARTE, *Sumas de historia troyana*. Edición, prólogo, notas y vocabulario de Agapito Rey, Anejo XV de la *Revista de Filología Española*, Madrid, 1932.

LIDA DE MALKIEL, MARÍA ROSA, *Juan de Mena, poeta del prerrenacimiento español*, Fondo de Cultura Económica, México, 1950.

LIDA DE MALKIEL, MARÍA ROSA, «Un nuevo estudio sobre el Marqués de Santillana», *Romance Philology*, XIII (1960), pp. 290-297.

LÓPEZ BASCUÑANA, MARÍA ISABEL, «Arcaísmos y elementos populares en la lengua del Marqués de Santillana», *Medioevo Romanzo*, IV (1977), pp. 404-417.

LÓPEZ BASCUÑANA, MARÍA ISABEL, «El mundo y la cultura grecorromana en la obra del Marqués de Santillana», *Revista de Archivos, Bibliotecas y Museos*, LXXX (1977), pp. 271-320.

LÓPEZ BASCUÑANA, MARÍA ISABEL, «Santillana y el léxico español (Adiciones al diccionario de Corominas)», *Nueva Revista de Filología Hispánica*, XXVII (1978), pp. 299-314.

LÓPEZ BASCUÑANA, MARÍA ISABEL, «Algunos rasgos petrarquescos en la obra del Marqués de Santillana», *Cuadernos hispanoamericanos*, 331 (1978), pp. 19-39.

LÓPEZ DE MENDOZA, D. ÍÑIGO, *Obras de D. Íñigo López de Mendoza, Marqués de Santillana*, edición de José Amador de los Ríos, Madrid, 1852.

LÓPEZ DE MENDOZA, DON ÍÑIGO, «Il 'Proemio' del Marchese di Santillana», edición de Luigi Sorrento, *Revue Hispanique*, LV (1922), pp. 1-49.

LÓPEZ DE MENDOZA, D. ÍÑIGO, MARQUÉS DE SANTILLANA, *La 'Comedieta de Ponza'*. Edición crítica, introducción y notas de Maxim. P.A.M. Kerkhof, Groningen, 1976.

LÓPEZ DE MENDOZA, D. ÍÑIGO, MARQUÉS DE SANTILLANA, *Defunsión de don Enrrique de Uillena, señor docto e de exçellente ingenio*. Edición, introducción y notas de Maxim. P.A.M. Kerkhof, Martinus Nijhoff, Den Haag, 1977.

Los libros del Marqués de Santillana. Catálogo de la Exposición 'La biblioteca del Marqués de Santillana' (febrero, 1977), Biblioteca Nacional, Madrid, 1977.

LUCANO, M. ANNAEUS LUCANUS, *Pharsalia*, cum commentario Petri Burmanni, Leidae, 1740.

MANITIUS, MAX, *Geschichte der lateinischen Literatur des Mittelalters*, Erster Teil: von Justinian bis zur Mitte des zehnten Jahrhunderts, München, 1911.

MANRIQUE, JORGE, *Poesía*. Edición de Jesús-Manuel Alda Tesán, Cátedra, Madrid, 1976.

MARICHAL, ROBERT, «La critique des textes», en *Encyclopédie de la Pléiade*, tome II, Paris, 1961.

MARQUÉS DE SANTILLANA, *Bías contra Fortuna*, Stanislao Polono, Sevilla, 1502.

MARQUÉS DE SANTILLANA, *Bías contra Fortuna*, Pedro Hagembach, Toledo, ¿alrededor de 1502?

MARQUÉS DE SANTILLANA, *Bías contra Fortuna*, Jacobo Cromberger, Sevilla, 1511.

MARQUÉS DE SANTILLANA, *Bías contra Fortuna*, Antonio Álvarez, Sevilla, 1545.

MARQUÉS DE SANTILLANA, *Canciones y decires*, edición, prólogo y notas de Vicente García de Diego, Ediciones de La Lectura, Madrid, 1913.

MARQUÉS DE SANTILLANA, *Poesías completas*, I y II, edición de Manuel Durán, Clásicos Castalia núms. 64 y 94, Madrid, 1975 y 1980.

MARTÍNEZ DE TOLEDO, ALFONSO, *Arcipreste de Talavera o Corbacho*. Edición de J. González Muela, Clásicos Castalia, núm. 24, Madrid, 1970.

MENA, JUAN DE, *La Coronación*. Edición facsímile sobre la de ¿Toulouse 1489? *Incunables poéticos castellanos*, X, 1964.

MENA, JUAN DE, *Laberinto de Fortuna. Poemas menores*. Edición preparada por Miguel Ángel Pérez, Editora Nacional, Madrid, 1976.

MENA, JUAN DE, *Laberinto de Fortuna*. Edición, estudio y notas de Louise Vasvari Fainberg, Alhambra, Madrid, 1976.

MENA, JUAN DE, *Obra lírica*. Edición, estudio y notas de Miguel Ángel Pérez Priego, Editorial Alhambra, Madrid, 1979.

MENÉNDEZ PIDAL, RAMÓN, *Cantar de Mío Cid*, 3 vols., Espasa-Calpe, Madrid, 1954.

MENÉNDEZ PIDAL, RAMÓN, *Manual de gramática histórica española*, duodécima edición, Espasa-Calpe, Madrid, 1966.

MENÉNDEZ PIDAL, RAMÓN, *Orígenes del español*, octava edición, Espasa-Calpe, Madrid, 1976.

METZELTIN, MICHAEL, *Altspanisches Elementarbuch*, I, *Das Kastilische*, Heidelberg, 1979.

MEYER LÜBKE, W., *Grammaire des langues romanes*, t. II, *Syntaxe*, Paris, 1900.

MOREL-FATIO, A., *Catalogue des manuscrits espagnols et portugais de la Bibliothèque Nationale*, Paris, 1892.

MUSSAFIA, ADOLF, «Per la bibliografia dei 'Cancioneros' Spagnuoli», en *Denkschriften der Kaiserlichen Akademie der Wissenschaften, Philosophisch-Historische Classe*, 47. Band, Wien, 1902, pp. 1-20.

NORTON, F. J., *A descriptive catalogue of printing in Spain and Portugal. 1501-1520*, Cambridge University Press, Cambridge, 1978.

OELSCHLÄGER, VICTOR R. B., *A Medieval Spanish Word-List*, Madison, 1940.

OROSIO, PAULO, *Seven Books of History against the Pagans*. The Apology of Paulus Orosius. Translated with Introduction and Notes by Irving Woodworth Raymond, New York, Columbia University Press, 1936.

OVIDIO, OVIDIUS NASO, *Metamorphoseon libri XV*, ed. Hugo Magnus, Berolini, 1914.

PASQUALI, G., *Storia della tradizione e critica del testo*, Firenze, 1934.

PATCH, HOWARD R., *The Goddess Fortuna in Mediaeval Literature*, Cambridge, Harvard University Press, 1927.

Paulys Real-Encyclopädie der classischen Altertumswissenschaft, neue Bearbeitung begonnen von Georg Wissowa, Stuttgart.

PENNA, MARIO, introducción al catálogo de la *Exposición de la Biblioteca de los Mendoza del Infantado en el siglo XV*, Madrid, 1958.

PÉREZ Y CURIS, M., *El Marqués de Santillana, Iñigo López de Mendoza. El poeta, el prosador y el hombre*, Ediciones Renacimiento, Montevideo, 1916.

PETRARCA, FRANCISCI PETRARCHE, *Opera omnia*, Venetiis, 1503.

PETRARCA, FRANCESCO, *Le Rime*, a cura di Giosue Carducci e Severino Ferrari, Sansoni, Firenze, 1965.

PICCUS, JULES, «The nineteenth century 'Cancionero General del siglo XV'», *Kentucky Foreign Language Quarterly*, VI (1959), pp. 121-125.

PICCUS, JULES, «El 'Cancionero A' y el 'Ms. 247' del 'Cancionero General del siglo XV' que mandó componer el Rey. Dos cancioneros «perdidos» identificados», *Hispanófila*, 17 (1963), pp. 1-34.

PICCUS, JULES, reseña de la edición de las *Poesías completas* del Marqués de Santillana, de Manuel Durán, Castalia, núms. 64 y 94, Madrid, 1975 y 1980, *Hispania*, 65 (1982), pp. 139-140.

PIERO, RAÚL A. DEL, *Dos escritores de la baja Edad Media castellana (Pedro de Veragüe y el Arcipreste de Talavera, cronista real)*, Anejo XXIII del *Boletín de la Real Academia Española*, Madrid, 1971.

PIETSCH, KARL, «Zur Spanischen Grammatik», en *Homenaje a Menéndez Pidal*, tomo I, Madrid, 1925, pp. 33-47.

Pliegos poéticos góticos de la Biblioteca Nacional, Joyas Bibliográficas, V, Madrid, 1961.

Pliegos Poéticos Españoles de la Biblioteca Nacional de Lisboa. Edición en facsímile precedida de un estudio por María Cruz García de Enterría, Joyas Bibliográficas, Serie Conmemorativa, XX, Madrid, 1975.

Primera Crónica General de España, publicada por Ramón Menéndez Pidal, 2 vols., Gredos, Madrid, 1955.

PULGAR, FERNANDO DE, *Claros varones de Castilla y letras de Fernando de Pulgar, consejero, secretario y cronista de los Reyes Católicos don Fernando y doña Isabel*, Madrid, 1789.

PULGAR, FERNANDO DEL, *Claros varones de Castilla*. Edición y notas de J. Domínguez Bordona, Clásicos Castellanos, núm. 49, Madrid, 1942.

QUENTIN, DOM H., *Essais de critique textuelle (Ecdotique)*, París, 1926.

REES, J. W., «Mediaeval Spanish UVIAR and its transmission», *Bulletin of Hispanic Studies*, XXXV (1958), pp. 125-137.

REICHENBERGER, ARNOLD G., «The Marqués de Santillana and the Classical Tradition», *Iberomania*, 1. Jahrgang, Heft 1 (febrero, 1969), pp. 5-34.

RUIZ, JUAN, *Libro de Buen Amor*. Edición crítica de Joan Corominas, Gredos, Madrid, 1973.

SALINAS, PEDRO, *Jorge Manrique o tradición y originalidad*, Seix Barral, Barcelona, 1974.

SALVÁ Y MALLÉN, PEDRO, *Catálogo de la biblioteca de Salvá, enriquecido con la descripción de otras muchas obras, de sus ediciones, etc.*, vol. I, Valencia, 1872.

SÁNCHEZ, THOMÁS ANTONIO, *Colección de Poesías Castellanas anteriores al siglo XV*. Preceden noticias para la vida del primer Marqués de Santillana y la Carta que escribió al Condestable de Portugal sobre el origen de nuestra poesía ilustrada con notas por D. Th. A. S., bibliotecario de S. M., tomo I, «Poema del Cid», Madrid, 1779.

Sánchez de Vercial, Clemente, *Libro de los exenplos por a. b. c.* Edición crítica por John Esten Keller, C. S. I. C., Madrid, 1961.

San Pedro, Diego de, *Cárcel de amor.* Edición de Keith Whinnom, Clásicos Castalia, núm. 39, Madrid, 1971.

Sas, Louis F., *Vocabulario del «Libro de Alexandre»,* Anejo XXXIV del *Boletín de la Real Academia Española,* Madrid, 1976.

Schiff, Mario, *La bibliothèque du Marquis de Santillane,* Bibliothèque de l'École des Hautes Études, París, 1905.

Schossig, Alfred, *Der Ursprung der altfranzösischen Lyrik,* Max Niemeyer Verlag, Halle, 1957.

Serís, Homero, *Manual de bibliografía de la literatura española,* primera parte, Syracuse, New York, 1948.

Simón Díaz, José, *Bibliografía de la Literatura Hispánica,* tomo III, C. S. I. C., Madrid, 1953.

Simón Díaz, José, *Bibliografía de la Literatura Hispánica,* tomo III, vol. primero, C. S. I. C., Madrid, 1963.

Smith, C. C., «Los cultismos literarios del Renacimiento: pequeña adición al Diccionario crítico etimológico de Corominas», *Bulletin Hispanique,* LXI 1959), pp. 236-272.

Souza, Roberto de, «Desinencias verbales correspondientes a la persona «vos/vosotros» en el «Cancionero General» (Valencia, 1511», *Filología,* X (1964), pp. 1-95.

Steunou, Jacqueline, y Knapp, Lothar, *Bibliografía de los cancioneros castellanos del siglo xv y repertorio de sus géneros poéticos,* tome I, Centre National de la Recherche Scientifique, París, 1975; tome II, París, 1978.

Street, Florence, «The text of Mena's «Laberinto» in the «Cancionero de Ixar» and its relationship to some other fifteenth-century mss.», *Bulletin of Hispanic Studies,* XXXV (1958), pp. 63-71.

Terlingen, J. H., *Los italianismos en español desde la formación del idioma hasta principios del siglo xvii,* Amsterdam, 1943.

Valbuena Prat, Angel, *Historia de la Literatura Española,* tomo I, séptima edición, Barcelona, 1964.

Valdés, Juan de, *Diálogo de la lengua.* Edizione critica a cura di Cristina Barbolani de García, Messina-Firenze, 1967.

Valerio Máximo, *Valerii Maximi factorum et dictorum memorabilia libri novem,* Stuttgart, 1966.

Vàrvaro, Alberto, *Premesse ad un'edizione critica delle poesie minori di Juan de Mena,* Napoli, Liguori, 1964.

Vendrell, Gallostra, Francisca, «La corte literaria de Alfonso V de Aragón y tres poetas de la misma», *Boletín de la Real Academia Española,* XIX (1932), pp. 85-100, 388-405.

Villena, Enrique de, *Los doze trabajos de Hércules,* edición de Margherita Morreale, Madrid. 1958.

Virgilio, *The Aeneid of Virgil,* edited with Introduction and Notes by T. E. Page, M. A., New York, 1967.

Wagenaar, K., *Étude sur la négation en ancien espagnol jusqu'au XV^{e}siècle,* Groningen-Den Haag, 1930.

Waleys, John, *Summa Joannis Vallensis de regimine vite humane, etc.,* Argentinae, 1518.

West, M. L., *Textual Criticism and Editorial Technique,* B. G. Teubner, Stuttgart, 1973.

Whinnhom, Keith, reseña de la edición de las *Poesías completas* del Marqués de Santillana, de Manuel Durán (Castalia, núms. 64 y 94, Madrid, 1975 y 1980) y de la edición de *Los sonetos «al itálico modo» del Marqués de Santillana*, de Joseph M. Sola Solé (Puvill, Barcelona, 1980), *Bulletin of Hispanic Studies*, LVIII (1981), pp. 140-141.

WITTSTEIN, A., «An unedited Spanish Cancionero», *Revue Hispanique*, XVI (1907), pp. 295-333.

YLLERA, ALICIA, *Sintaxis histórica del verbo español: Las perífrasis medievales*, Departamento de filología francesa, Universidad de Zaragoza, 1980.

ZAUNER, ADOLF, *Altspanisches Elementarbuch*, segunda edición, Heidelberg, 1921.

X. APÉNDICES

A. La edición de un fragmento del *Prohemio* en el *Centón epistolario...*, Madrid, 1775: Al título de D. Fernand Álvarez de Toledo.

Hallándose este Caballero en la prision le dirigió el Marqués de Santillana una obrita intitulada: Coplas de Bias á la Fortuna con la carta ó proemio que se sigue.

Quando yo demando á los Ferreras tus criados y mios, é aun á muchos otros, Señor é mas que hermano mio, de tu salud, é de qual es agora tu vida, é que es lo que faces é dices; é responden é certifican con quanto esfuerzo, con quanta paciencia, con quanto desprecio é buena cara tu padesces, consientes é sufres tu detencion, é todas las otras congojas, molestias y vejaciones que el mundo ha traído; é con quanta liberalidad é franqueza partes é distribuyes aquellas cosas que á tus sueltas manos vienen; refiriendo á Dios muchas gracias, me recuerdo de aquello que Homero escribe en la Ulixia: conviene á saber, que como por naufragio, ó fortuna de mar, Ulixes, Rey de los Cefalanos, desbaratado viniese en las riveras del mar, é desnudo é mal tractado fuese traído ante la Reyna de aquella tierra, é de los Grandes del Reyno, que con ella estaban en un festival é grande convite: é como aquella le viese y le acatase, despues todos los otros con grande reverencia tanto le estimaron, que dexada la cena, todos estaban contemplando en él; así que apenas era alguno que mas desease cosa que pudiese alcanzar de los dioses que ser Ulixes en aquel estado. Adonde á grandes voces, y muchas veces, este soberano poeta exclama diciendo: ¡O homes! habed en gran cura la virtud, la qual con el naufragio náda, é al que está desnudo é deshechado en los marinos litos ha mostrado con tanta autoridad é así venerable á las gentes. La virtud, así como el Filosofo dice, siempre cayó de pies, é como el abrojo. E ciertamente, Señor é mas que hermano mio, á los amigos tuyos é mios, asi como uno de aquellos, es é debe ser de los trabajos tuyos el dolor, la mengua ó alta, así como Lelio decia de Cipion: ca a virtud siempre será, agora libre é detenido, rico ó pobre, armado ó sin armas, vivo ó muerto, con una loable é maravillosa eternidad y fama. Con estos Ferreras me escribistes que algunos de mis tractados te enviase, por consolacion tuya. Desde allí con aquella atencion que furtar se puede de los mayores negocios, é despues de los familiares, pensé investigar alguna buena manera, así como remedios, ó meditacion contra Fortuna, tal que si ser pudiese, en esta vejacion á tu nobleza gratificase, como no sin asaz justas y aparentes causas á lo tal é á mayores cosas yo sea tenido. Ca principalmente ovimos unos mesmos abuelos, é las nuestras casas siempre sin enterrupcion alguna se miraron con leales ojos, sincéro é amoroso acatamiento; é lo mas del tiempo de nuestra crianza quasi una é en uno fué: así que juntamente con las personas cresció é se aumentó nuestra verdadera amistad. Siempre me pluguieron é fueron gratas las cosas que á ti, de lo qual me tove é tengo por contento: por quanto aquellos á quienes las obras de los virtuosos placen, así como librea ó alguna señal traen de virtud. Una continuamente fué nuestra mesa: un mesmo uso en todas las cosas de paz é de guerra. Nenguna de las nuestras cámaras é despensas se pudo decir menguada, si la otra abastada fuese. Nunca yo te demandé cosa que tú no cumplieses, nin me la denegases: lo qual me face creer que las mis demandas fuesen rectas é honestas é conformes á la razon, como sea que á los buenos é doctos varones jamás les plega ni deban otorgar sinó buenas é lícitas cosas. E sean agora por informaciones de aquellos que mas han visto, é paresce verdaderamente hayan querido hablar de las costumbres y calidades de todos los Señores y mayores hombres deste nuestro Regno, é de aquellos que de treinta años, ó poco mas, que yó comencé la navegacion en este vejado é trabajoso golfo, he avido noticia é conoscimiento, é de algunos compañía é familiaridad, loando á todos, tú eres el que á mí mucho plugiste é places. Ca la tu voluntad non esperó á la mediana mancebía, ni á los postrimeros dias de la vejez; ca en edad nueva aún puedo decir comenzó el resplandor de la tu utilidad é nobleza. Nin es quien pueda negar, que fechas las treguas con los Reyes de Aragón é de Nabarra, é lebantadas las huestes del Garray é del Majano, cesadas las guerras, en las quales veril é muy virtuosamente te oviste, é por tí obtenidas las inexpugnables fuerzas de Xalante, é Teresa, Sahara, é Xarficil en el Regno de Valencia, aver tu seido de los primeros que contra Granada la frontera emprendiese, ciertamente estando ella en otro punto é mayor prosperidad que tú la dexaste al tiempo que triunfal é gloriosamente por mandado de nuestro Rey de las fronteras de Córdoba é Jaen te partiste, aviendo ganado tantas é mas Villas é Castillos, así guerreándolas, como combatiéndolas, entrándolas forzosamente, que ninguno. E como quiera que el principal remedio é libertad á la tu detención é infortunios depende de aquel que universalmente á los vejados reposa, á los aflictos remedia, á los tristes alegra, espero ya sea que en algunos tiempos traerá á memoria á los muy excelentes y claros nuestro Rey é Príncipe (como en la mano suya los corazones sean de los Reyes) todas las cosas que ya de los tus fechos he dicho, y muchos otros servicios á la Real Casa de Castilla por los tuyos é por ti fechos. E por me allegar á la rivera é puerto de mi obra, recuérdome de aver leido en aquel libro donde la vida del Rey Asuero se escribe, que de Ester se llama, como en aquel tiempo la costumbre de los Reyes fuese en los retraimientos é reposos suyos mandar leer las gestas é actos que los naturales de sus Reynos é forasteros oviesen fecho en servicio de los Reyes, de la partria é del bien público, que Mardocheo prósperamente é con glorioso triunfo de la muerte fué librado. Pues lee nuestro Rey é mira los servicios, regrácialos é satisfácelos; é sí se aluenga, non se tira. Ni tanto lugar avrá el nucíble apetito, nin la ciega saña, que tales é tan grandes aldabadas é voces de servicios las sus orejas non despierten: ca non son los nuestros Señores Diomedis de Tracia, que de humana carne facia manjar á sus caballos; non Buseris de Egipto, matador de los huespedes; non Perillo Siracusáno, que nuevos modos de penas buscaba á los tristes culpados hombres; non Dionisio de esta misma Siracusa; non Attila flagelum Dei; nin de muchos otros tales; mas benívolos, clementes é humanos: lo qual todo hace á mi firmemente esperar de tu libertad. La qual con salud tuya, é de tu noble muger, é de tus fijos dignos de tí, nuestro Señor aderesce así como yo deseo.

En: *Centón epistolario del bachiller Fernán Gómez de Cibdareal. Generaciones y semblanzas del noble caballero Fernán Pérez de Guzmán. Claros varones de Castilla, y letras de Fernando de Pulgar*, Madrid, 1775, Adicciones (sic), pp. 224-228.

B. El capítulo V de la traducción castellana de *De vita et moribus philoso-phorum:* Biante.

Biante, primensis, filosofo, asiano, uno de los siete sabios de Grecia, principe fue en la cibdad de los yprimenses. E dise Laercio que, como en Grecia estoviese guerra entre los yprimenses y mesanenses, y los cavalleros de los yprimenses troxiesen muchas virgenes cativas de los mesanenses, Biante como vio aquesto ovo mucho dolor y libro luego a las cativas moças y asy como a propias fijas las guardo y vistiolas y doto a cada una dellas y en-biolas a los padres con muy fieles guardas, mostrando piedad a los enemigos y denostando todo linaje de crueldad y disiendo que aun los más crueles ene-migos non devian ser con tal inpiadad dannados. E como aquesto fuese rrecontado en el consejo de los mesanenses fueron enbiados mensajeros por ellos con dones a Biante, demandandole pas con mansos coraçones. En otro tienpo, segunt cuenta ese mesmo Laercio, como uno que se llamava Aliato, toviese sitiada la cibdat de Yprimen y esperase que los yprimenses avian de fallescer por fanbre, Biante con tal arte encubrio el defecto que los de la cibdad padescian. Fiso engordar dos mulas y lançarlas fuera de la cibdad en lugar que fortuita mente fuesen tomadas de los enemigos, las quales como las viese Aliato entendio que los de la cibdad estavan muy abondados de vituallas, y enbio a Biante que saliese a el a tratar de concordia. Biante non quiso salir, mas enbiole desir que le enbiase su enbaxador a la cibdad, ca temio que, sy saliese, seria tomado de los enemigos y asy traeria danno a los yprimenses. E como el enbaxador de Aliato entrase en la cibdad Biante avia fecho ayuntar en la plaça un grant monton de arena y fecho desparsir por encima del trigo mostrogelo al enbaxador, lo qual despues que Aliato lo sopo fiso rreconciliacion con aquella cibdat, y asy fue aquella cibdad deli-brada por la prudencia de Biante. En otro tienpo, segunt dise Valerio, como se mudase la fortuna y los enemigos tomasen la cibdad de adonde el bivia todos aquellos que podieron escapar de las manos de los enemigos cargaronse de todas las cosas suyas que eran de mas precio y fuyeron con ellas, y Biante, non llevando nada de aquellas cosas, fuyo. E preguntado porque non llevava nada consigo de sus bienes rrespondio: «Todos los mis bienes, yo comigo melos traygo.» E aquellos bienes, en el coraçon y entendimiento los traya, y no eran bienes que se podian ver con los ojos, mas eran bienes que en el animo se avian de estimar, los quales en la casa del entendimiento estavan encerradas.

Las sentencias de aqueste son las que se siguen, segunt dise Laercio en la vida de los filosofos: Estudia de conplacer a los onestos y a los viejos. La osada manera muchas veces pare enperecible lision. Ser fuerte obra es de natura, aver abundancia de rriquesas obra es de la fortuna, poder fablar cosas convenibles y congruas, esto es propio del anima y de la sabiduria. Enfermedad es del anima cobdiciar las cosas ynposibles. Non es de rrepetir el ageno mal. Mas triste cosa es judgar entre dos amigos que entre dos enemigos, ca judgando entre los amigos el uno sera fecho enemigo, judgando entre los enemigos el uno se fara amigo. Desia que asy avia de ser me-dida la vida de los onbres como sy mucho tiempo o poco oviesen de bevir. Asymesmo que convenia a los onbres conversar asy en el uso de la amistad como sy menbrasen que podia ser convertida en muy graves enemistades. Qualquier cosa que posieres, persevera en la guardar. Non fables arrebatado, ca demuestra vanidad. Ama la prudencia. Y fabla de los dioses como son. Non alabes al onbre yndigno por sus rriquezas. Lo que tomares rrescibelo, demandandolo y non forçandolo. Qualquier cosa buena que fisieres, Dios entiende que la fase. La sabiduria mas cierta es y mas segura que todas las otras posesiones. Escoge los amigos y delibra luengo tienpo en los elegir y tenlos en una aficion, mas non en un merito. Sigue tales amigos que non se te faga verguença aver los escogido. (La vida de tu amigo, a grant gloria tuya deves rreputarla). Dos cosas son muy contrarias en los consejos: la yra y el arrebatamiento. (Aver perdido el dia, esto es averlo pasado sin facer ninguna buena obra). La presteça mas gracioso fase el beneficio.

Preguntado Biante que cosa fuese en esta vida muy buena, dixo: «Tener la conciencia syenpre en sy abraçada con lo que es derecho y ygualesa.» Preguntado quien fuese entre los onbres mal afortunado, rrespondio: «El que non puede padecer y sofrir mala fortuna.» Navegando Biante una ves con unos malos onbres y corriendoles fortuna y andando la nave para se perder, aquellos malos onbres estavan llamando a los dioses que los librase(n). El les dixo: «Callad porque los dioses non vos syentan aqui do ymos navegantes.» Preguntado que cosa fuese dificil al onbre, rrespondio: «Sofrir graciosa mente la mudança (para lo peor).

Rresplandecio Biante en los tienpos de Esechias, rrey de Juda.

Y escrivio elegante mente muchas cosas provechosas en dos mill versos, y despues que fue muerto los yprimenses le hedificaron tenplo y fisieron estatua.

> En: *Gualteri Burlaei liber De vita et moribus philosophorum*, mit einer altspanischen Übersetzung der Eskurialbibliothek, herausgegeben von Hermann Knust, Tübingen, 1886 (Unveränderte Nachdruck, 1964, Minerva GMBH, Frankfurt am Main), pp. 33-41.

C. Reproducción facsímile de la edición de *Bías contra Fortuna* de Sevilla, 1545.

«BIAS CONTRA FORTUNA»

REPRODUCCIONES FACSIMILARES

Edición de Sevilla, 1545

ꝗ Prologo enla trasladacion.

Qui comiença vn notable tratado. llamado Bias
contra fortuna. Aqueste Bias fue vn noble varon
grande sabio τ muy virtuoso; natural ð vna cibdad
llamada togada enla partida ð Asia. El qual poꝛ sus me
rescimientos poꝛ gouernado ð aquella entre los princi
pales; el mayoꝛ fuesse. La qual cibdad como poꝛ vn princi
pe tyrano situada fuesse; y poꝛ aquel muy fortissimamentꝛ
largo tiempo cercada fue; τ finalmente poꝛ fuerça ð armas
entrada τ metida a saco mano τ del todo destruyda τ cc.
y como aqueste noble varon τ gouernado ð aꝗlla cibdad
sabida poꝛ sus enemigos; su mucha nobleza τ no menos sa
biduria. El qual nonbrado poꝛ singular philosopho llama
do Bias; a vn ꝗ poꝛ sus enemigos fue tomado; dado lefue
lugar a vida; escapando sola su personaquedasse auiendo p
dido todo quãto hauia; en aquel destruymiẽto; ante el prin
cipe al real lleuado fuesse; τ poꝛ aquel preguntado ꝗ cosas ẽ
la destruycion ð su cibdad pdido hauia. El ꝗl sabio Bias
respondio poꝛ aquestas palabras. No he perdido cosa; ca
todos mis bienes lleuo comigo τ cete.
Sobre esta palabra dize Valerio maximo en vn su libro ꝗ
dize dela memoria delos claros varones / las palabras si
guientes. O muy claro y muy magnanimo entre los muy
nobles y claros varones Bias famosissimo varõ digno ð
perpetua memoria; el qual anichilo y vencio la victoria de
su enemigo; en poner en oluido las cosas transitorias yter
restes. que enel destruymiento de su cibdad perdido hauia;
diziendo. Todos mis bienes comigo los lleuo; dando a en
tender que los bienes ꝓpios y de verdadero valoꝛ / son sci=

encia y saber con nobleza y loables virtudes. Assi que aun
que vencido/fue vencedor diziendo el tema. Mis bienes
comigo los lleuo.¶ Ca no ay cosa en que se conosca la vic
toria y gloria del vencedor triũfante:como enel mal y da
ño del vencido. Y como aqueste sabio varõ Bias dixesse
que no auia perdido cosa diziendo. Mis bienes lleuo co=
migo. Seguia se que su enemigo no le auia vencido segun
de suso dize:quel vencido fue vẽcedor.¶ Aqueste magna
nimo varon Bias;o el que en nõbre suyo fabla hizo aque=
fte tractado en remo/llamado Bias contra fortuna : enel
qual dize como Bias se razona conla fortuna diziendo/q̃
no le ha pauor alguno / z ella lo espanta y amenaza,cõ per
dimiento de bienes/muger y fijos/con deftierro/con prefi
on:z con ceguedad z con muchos z diuersos tormentos z
muerte.z finalmẽte conlas penas del infierno.¶ E todo
aq̃fto replica marauillosamẽte aqueste noble varon Bias
en tal manera que enla final conclufion queda del la fortu=
na confufa y vencida.
¶ Acabase el prologo/comiẽça el tractado enla foja figuẽ
te/el qual tractado hizo el muy noble Marques de Santi
llana/al conde de Alua don Fernando aluares de Toledo
eftando prefo por mandado del Rey don Juan:a requefta
del maeftre de Santiago don Aluaro de luna.

Bias cõtra fortuna. el marques
yñigo lopes. al cõde d̃ alua.

Uando yo demando alos seteras tus criados τ mi
os/ τ ahun a muchos otros. Señor τ mas que
hermano mio; de tu salud τ de qual es agora tu vi=
da : τ que es lo que fazes τ dizes . E responden τ certifican
con quanto esfuerço: con quāta paciencia/con quāto disp̃e
cio τ buena cara/tu padesces/ consientes τ sufres tu deten
cion: τ todas las otras congoxas/molestias τ vexaciones
que el mūdo ha traydo. E con quāta liberalidad τ franque
za partes τ destribuyes aquellas cosas q̃ a tus sueltas ma
nos vienen. Refiriendo a dios muchas gracias/ me recu=
erda de aquello que Ĉ mero escriue enla ulixia. Cōuiene a
saber q̃ como por naufragio/o fortuna de mar Ulixes rey
delos çefalanos/desbarado viniese enlas riberas del mar
E desnudo τ mal tractado fuesse traydo ante la reyna de a
quella tierra. τ delos grandes del reyno que conella estauā
en vn festiual τ grande conbite. E como aquella le viessez
lo acatasse:τ despues todos los otros con grande reueren=
cia/tanto le estimaron/que decada la cena :todos estauan
contenplando enel.   Asi que apenas era alguno q̃ masd̃
fieafe cosa q̃ pudiesse alcançar dlos dioses/que seer Ulixes
e naquel estado:a donde a grandes bozes τ muchas vezes
este soberano poeta clama diziendo ¶ O hombres hauedē
grande cura la virtud:la qual conel naufragio nada.τ al q̃
esta desnudo τ desechado enlos marinos litos/ha mostra=
do con tanta autoridad. E assi venerable alas gētes la vir
tud.si como el philosopho dize s.empre cayo de pies. E
como el abrojo. E ciertamente señor τ mas que hermano
mio:alos amigos tuyos τ mios assi como vno de aquellos
es τ deue ser:delos trabajos tuyos/el dolor /la mengua /o
alta,assi como Elio dezia de Cipion ca la virtud siempre
sera;agora libre /o dtenido,rico/o pobre.armado/o sin ar

mas.bíuo /o muerto con vna loable ¬ marauillosa eter=
nidad ¬ fama.Con estos ferreras me escriuifte que algu=
nos de mis tractados /te embiasse por consolacion tuya
¶Desde alli con aquella atencion que furtar se puede de=
los mayores negocios / ¬ despues delos familiares .pen=
se inuestigar alguna buena manera : assi como remedios
o meditacion:contra fortuna. ¿Tal que si seer pudiesse en
esta vexacion/ala tu nobleza gratificasse.Como no sin as=
saz justas ¬ aparentes causas alo tal: ¬ a mayores cosas
yo sea tenido.ca principalmente houimos vnos mesmos
abuelos. ¬ las nuestras casas siempre sin enterruption al
guna/se miraron con leales ojos / sincero ¬ amoroso aca
tamiento, ¬ lo mas del tiempo de nuestra criança quasi=
vna/ ¬ en vno fue. Assi que juntamente con las personas
crescio ¬ se augmento nuestra verdadera amistad / siem=
pre me pluguieron ¬ fueron gratas las cosas /que a ty. de
lo qual me tuue ¬ tengo por contento: por quãto aquellos
a quien las obras delos virtuosos plazen / assi como libre
o alguna señal traen de virtud. Vna continuamente fue
nuestra mesa: vn mesmo vso en todas las cosas de paz:¬
de guerra. Ninguna delas nuestras camaras ¬ despen=
sas se pudo dezir menguada/ si la otra abastada fuesse.
Nunca te yo demande cosa/ que tu no cumpliesses/ nin
me la denegasses.Lo qual me faze creer/ que las mis de
mandas fuessen rectas ¬ honestas/ ¬ conformes ala ra=
zon.Como sea que alos buenos ¬ doctos varones jamas
les plega ni deuan otorgar / si no buenas ¬ licitas cosas
E sean agora por informaciones de aquellos que mas
han visto ¬ paresce verdaderamente hayan querido ha=
blar delas costumbres ¬ calidades de todos los señores

a iij

rinayores hombres deste nuestro reyno /o de aquellos
que de treynta años /o poco mas: que yo començe la naue=
uagacion en este verano y trabajoso folgo he hauido no=
ticia y conoscimiento / y de algunos compañia z familia
ridad /loando a todos. Tu eres el que a mi mucho plugui
ste / z plazes: ca la tu voluntad /non espero ala mediana
mancebia; ni alos postrimeros dias dela vejes La en he=
dad nueua ahun puedo dezir /començo el resplando: de
la tu vtilidad y noblesa: nin es quien pueda negar / que
fechas las treguas con los reyes de Aragon z d: Naua
rra E leuantadas las huestes del Garray z del Mayano
Cessadas las guerras enlas quales veril y muy virtuosa
mente te ouiste / y por ti obtenidas las inexpunables fuer
ças de Xalante z Teresa .Sahara/z Xarafucil. enel re
yno de Valencia. hauer tu seydo delos primeros que con=
tra Granada /la frontera emprendiesse/ ciertamente estan
do ella en otro punto /y mayor prosperidad que la tu de=
xaste /Al tiempo que triumphal z gloriosamente por man
dado de nuestro Rey: delas fronteras de   Cordoua y
Jahen /te partiste: hauiendo ganado/ tantas y mas vi=
llas y castillos /assy guerreando las como combatiendo=
las E entrandolas forçosamente /que ninguno. E co=
mo quiera que el principal remedio y libertad: ala tu deten
cion z infortunios / despues de aquel que vniuersalmen=
te alos verados reposa / alos aflictos remedia / alos tri=
stes alegra E spero ya sea que en algunos tiempos traera
a memoria /alos muy excelentes y claros nro Rey z prin=
cipe: como enla mano suya ;los coraçones sean delos rey
es. Todas las cosas que ya delos tus fechos yo he dicho
y muchos otros seruicios /que ala real casa de   Castilla

por los tuyos ʼꝫ por ti fechos. E por me allegar ala rí=
bera ꝫ puerto de mi obra :recuerdome / de hauer leydo
en aquel libro:donde la vida del rey Aſſuero ſe eſcriue:que
de Heſter ſe llama. Como en aquel tiempo la coſtumbre
delos Principes fueſſe/ en los retraymientos ꝫ repoſos
ſuyos ʼmandar leer las geſtas ꝫ actos : que los natura=
les de ſus reynos y foraſteros / houieſſen hecho en ſeruic
cio delos reyes dela patria ꝫ del bien publico/que Mor=
dochco proſperamente ꝫ con glorioſo triumpho dela mu
erte fue librado. Pues lee nueſtro rey ꝫ mira los ſeruici=
os/regracialos ꝫ ſatiſfazelos· E ſi ſe aluenga no ſe tira:
ni tāto lugar aura el nuzible apetito nin la ciega ſaña/que
tales ꝫ tan grandes aldauadas ꝫ bozes de ſeruicios las
ſus orejas no deſpierten. Ca nonſon los nueſtros ſeño=
res Dromedis de   Tracia/que de humana carne hazia
manjar a ſus cauallos. Mon Buſeris de Egipto mata
dor delos hueſpedes Mon Perillo ſyracuzano: que nue=
uos modos de penas buſcaua /alos triſtes culpados hom
bres. Mon Dyoniſio deſta meſma ſiracuſa. Mon Atila
filagulun dei;nin de muchos otros tales. Mas benigno
uelos /clementes ꝫ humanos. Lo qual todo haze a mi fir=
me mēte eſperar de tu libertad. lo qual con ſalud tuya ꝫ de
tu noble muger /ꝫ de tus fijos dignos de ty. Nueſtro ſe=
ñor adereçe aſſi como yo deſſeo:ꝫ deſde aqui daremos la
pluma alo proferido. E porꝗ ante de todas coſas:ſepasꝗ
en fue Blas:porꝗ eſte es la principalidad de mi tema ſe=
gun adlāte/mas claro pareſcera. delibere de eſcriuir quien
haya ſeido:ꝫ de donde: ꝫ algunas coſas de ſus nobles
actos /loables ꝫ comendables ſentencias:porque me pa=
reſce fazer mucho al nueſtro fecho ꝫ caſo.

                                              a iiij

Fue Bias segund dize valerio / τ Alaercio que mas lata τ estensamente escriuio delas vidas τ costumbres delos philosophos. Asiano dela cibdad ympzimen que primero houo nombre Togada. de noble prosapia / o linaje : bien informado y instruydo en todas las liberales artes: en la natural τ moral philoso-phia. De vulto fermoso τ de persona honorable τ graue τ grande autoridad en sus fechos / de claro τ sotil ingenio Assi por mar como por las tierras / anduuo toda la ma-yor parte del mundo. Quanto tiempo durase eneste loa-ble exercicio / non se escriue. Pero baste / en tornando ela cibdad de Ympzimen / halloalos vezinos de aquella en grandes guerras / assi nadales como terrestes / con los Mayerenses gentes poderosas / expertos en armas / a-quien con gran atencion fue rogado : vista la dispusicion τ habilidad suya / la cura dela guerra assi como Capitan emprendiesse. E como despues de muchos ruegos τ gran des afincamientos / la aceptasse: en muy pocos tiempos assi delos amigos como delos enemigos fue conoscido la su virtud τ veril estremydad. ¶ Leemos del entre o-tras muchas cosas de humanidad / que como caualleros de su exercicio: prendiessen en vna cibdad / o villa gran copia de donzellas virgines / juntamente có otras muchas cosas: tanto que a Bias llegaron las nueuas / mando con grand diligencia fuessen puestas τ depositadas en poder de honestas matronas de su cibdad : τ haziendo les gra-cias τ dones de muy valiosas cosas. A los padres mari dos τ parientes suyos / las restituyo: embiando las con muy fieles guardas / blasmando τ denostando todo lina je de cruelidad / diziendo. Ahun que los enemigos bar-

baros no deuian con tal impropiadad fer vagnificados.
E como lo tal alas orejas delos Majerenfes llegado z
el fermofo acto hermofamente z eftenfamente reconta=
do les fueffe Sin dilacion alguna /loando aquel: embia=
ron fus delegados z referiendo le gracias con muy ricos
dones:demandando le paz con muy humildes z manfos
coraçones. ¶ Defpues pafados algunos tiempos / como
de raro la fortuna en ningunas cofas repofa / z Aliaco
principe:fituaffe alos ympremefes / efforçando fe de ha=
uer la cibdad por fambre /como fueffe cierto: delos beue=
res:z principalmente de pan carefcieffe Blas: con tal cau
tela / o arte de guerra : affayo encobrir la fu defectuofa
neceffidad: z hizo en algunos dias durante el campo: en=
groffar ciertos cauallos E que fe demoftraffen contra vo
luntad delas guardas: falir fuera dela cibdad .E como
luego fneffen tomados : pufo en grand dubda Aliaco z=
alos que conel eran:dela hambre delos ympremefes.Affi
que luego fe tomo confejo: que a Blas z a ellos fueffe
mouida z demandada fabla . Por el qual aceptada di=
ziendo:que el no fe fiaua de hablar fuera delos muros de
fu cibdad.mas que Aliaco /o qualefquier otros fuyos :po=
dian entrar feguros a hablar de qualefquier pacciones z
tractos z otras cofas que les pluguieffe.   Aceptado lo
tal:fegun efte mefmo Alaercio del efcriue : muy mayor z
mas vtil cautela les hizo .Ca mando poner grandes mon
tones de arena enlas maeftras calles z palacios: por don
de los Majerenfes hauian de paffar / efparziendo z co=
briendo aquellos montones de arena:de todas maneras
de pan : affi que verdaderamente creyeron fer la opini=
on fuya errada:z los ympremefes en grand copia de man

tenimiento abundos.   E assi no solamente treguas a
tiempo / mas paz perpetua fue entre ellos con grandes
certenidades ; fecha : jurada z firmada Testifica assi mes=
mo Valerio que dimitidas z dexadas las armas por es=
te Bias / tanto se dio ala sciencia moral : que todas las o
tras cosas aborescido. E houo assy como en odio por talq
no sin causa : vno delos siete sabios fue llamado. E vno
assy mesmo de aquellos que renunciada la tabla / o mesa d
oro : la ofrescieron con gran liberalidad al oraculo de A
polo. ¶ Deste Bias assy mesmo se cuenta ; que como aque
lla mesma cibdad : agora por los Majerenses : agora
por otros enemigos se tomasse y pusiesse a robo Todos a
quellos que pudieron escapar delas hostiles manos : car=
gando las cosas suyas de mayor precio : fueron conellas
E como el solo con grand reposo passease por los exidos
fuera dela ciudad : fingiesse que la fortuna le vino al encu=
entro : z le preguntasse como el no seguia la opinion dlos
otros vezinos de ympremicn. E esto fue lo que el respódio

Omnia bona mea mecum porto

Que quiere dezir. Todos mis bienes / comigo los lieuo
¶ Dizen otros delos quales es Seneca : que este fue El
tilbon. Pero digan lo que les plazera : z sea qualquiera /
tanto que sea : ca delos nombres / vana z sin prouecho es
la disputa. E en conclusion : este sera nuesta tema . E scri
uio Bias / estas cosas que se siguen. ¶ E studio de com=
plazer : a los honestos y alos viejos. La osada manera
muchas vezes pare empecible lision. ¶ Seer fuerte : fer=
moso. obra es de natura. Abundar en riquezas : obra es
dela fortuna. Saber z poder fallar cosas conuenibles z

congruas: Esto es propio del anima y dela Sabiduria
Enfermedad es del animo .Cobdiciar las cosas empe=
cibles: no es de repetir el ajeno mal.   Mas triste cosa es
juzgar entre los amigos /que entre los enemigos : ca Juz
gando entre los amigos /el vno sera hecho enemigo.
E juzgando entre los enemigos: el vno sera hecho ami=
go. Dezia que assy hauia de ser medida la vida delos hom
bres como si mucho tiempo: o poco houiessen de biuir.
❡ Conuiene alos hombres hauer se assi enel vso de ami :
stad :como si se membrassen; que pedia ser conuertida en
grande enemistad.
❡ Qualquiera cosa que pusieres :perseuera en la guardar.
❡ No fables arrebatado : ca de muestra vanidad.
❡ Ama la prudencia :z fabla delos dioses como son.
❡ Non alabes al hombre indigno por sus riquezas.
Lo que tomares rescibe lo; demandandolo y no forçando
lo.
Qualquier cosa buena que fizieres / entiende que dios la
haze.
La sabiduria /mas cierta cosa z mas segura es que todas
las otras possessiones.
E scoje los amigos :y delibera gran tiempo enlos elegir: y
ten los en vna afection :mas no en vn merito .
Tales amigos sigue: que nonte fagan verguença hauer
los. Segundo. Faz que los amigos a grand gloria repu=
ten tu vida.
❡ Dos son muy contrarias enlos consejos: pra z arre=
batamiento. la pra faze perescer el dia. E el arrebatami=
ento traspassarlo. La presteza/ mas gracioso haze ser el be=
neficio.

¶ Preguntado Bias que cosa fuesse entre los hõbres: mal fortunado. Respondio. El que non puede padescer ꞇ sofrir mala fortuna.

¶ Nauegando Bias en compañia de vnos malos hombres: ꞇ corriendo fortuna: ꞇ andando la naue para se perder: aquellos que enla naue estauan: a grandes bozes alos dioses llamauan: por que los librassen. alos quales el dixo. Callad: por que los dioses non nos sientan.

¶ Preguntando que cosa fuesse dificil al hombre. Respõdio: que suffrir generosamente la mudança enlas penas. Resplandescio Bias enlos tiempos de Ezechias Rey de Juda. escriuio esto: ꞇ otras muchas cosas en dos mill versos. A quien despues de muerto: los ympremeses he dificaron templo ꞇ le fizieron Estatua.

¶ Acaba el prologo declarando la causa de su proposito: ꞇ comien ça la obra ꝗ Bias cõtra Fortuna se dize.

Comiença Bias y dize

¶Pues lo q̃ pięsas fortuna
tu me cuydas molestar
o me piensas espantar
bien como niño de cuna
S.Como piensas tu que non
ver lo has
B.Faz lo que fazer podras
ca yo biuo con razon.
   Fortuna contra Bias
Como entiendes en defensa
o puedes lo presumir
o me cuydas resistir
B.Si/ca no te fago ofensa
S.sojuzgados soys a mi
los humanos
B.No son los varones .mag
ni curan punto de ty. ꝺnos
   La fortuna
Piensas tu ser exemido
dela mi juridicion
B.Si que no he deuocion
de ningun bien infingido
gloria triumpho mundano
no lo atiendo
en sola virtud entiendo
la qual es bien soberano
   Prosigue fortuna
Tu cibdad hare robar
y sera puesta so mano

de mal principe tyranno
B.Poco me puedes dañar
mis bienes lieuo comigo
no me curo
assy que yo voy seguro
sin temor del enemigo
   Fortuna
Tu casa sera tomada
no dubdes de llano en llano
y metida a saco mano
B.Tomen q̃ no me da nada
mas sera de cobdicioso
quien tomare
ropa do no la fallare
pobredad es gran reposo
   Fortuna
Conuiene te de buscar
casa nueua donde biuas.
B.Tales cosas son esquiuas
a quien las quiere estimar
y tener en mayor grado
que no son
que toda casa/o meson
presto lo hauremos dexado

Dezir me has a quien fallesce
o mengua morada pobre
sea de nudoso robre
o de cañas si acaesce
o sea de amiclate
do arribo

el ceçar quando loo
la su vida sin debate

E demas naturaleza
nos dio las concauedades
delas peñas z oquedades
do passamos la braueza
en tiempo de yuernada
delos frios
los soles delos estios
enesta breue jornada
    Fortuna.
¶ Huespeda muy enojosa
es la contina probeza
B.Si yo no busco riqueza
no me sera trabajosa
F.facil es delo dezir
B.z abun de fazer
a quien se quiere abstener
z le plaze bien biuir
    Fortuna.
Los ricos/mucho bien fazen
z aquellos que mucho tienen
a muchos pobres sostienen
dan z prestan z conplazen
quasi juntas son riqueza
z caridad
dan perfection a bondad
z resplandoz a franqueza

Ca no se puede estimar
por razon ni escreuir

que dolor es rescebir
z quanto plazer el dar
siempre son acompañados
los que tienen
quando van z quãdo vienen
assi no son los menguados
    Bias.
Como no pueden biuir
los hombres sin demandar
esto es querer hablar
y voluntad de ynquerir
las cosas mas que no son
y altercar
ca no se puede negar
ni contrastar mi razon.

¶ Pytagoras no pidio
en publico/ni en oculto
ni en vergonçoso vulto
antes es cierto que dio
mas biue su autoridad
y buen exemplo
como glorioso templo
de clara moralidad.
    Fortuna.
Todo hõbre puede bien dar
si le plaze su fazienda
sin debate ni contienda
sin reñir ni altercar
pero de tales vi pocos
y muy raros
liberales ni auaros

⁊ si lo fazen son locos.

℃Las riquezas son de amar
ca sin ellas grandes cosas
magnificas ni fermosas
no se pueden acabar
por ellas son ensalçados
los señores
principes emperadores
⁊ sus fechos.memorados

℃E por ellas fabricados
son los templos venerables
⁊ las moradas notables
⁊ los pueblos son murados
los solennes sacreficios
cessarian
nin sin ellas se farian
larguezas ni beneficios
      Bias
℃Essas hedificaciones
ricos templos/torres/muros
seran/o fueron seguros
delas tus persecuciones
F.si faran ⁊ quien lo dubda
B.yo que veo
el contrario/y no lo creo
ni es sabio quien tal cuyda

℃Que es de Riniue fortuna
ꝗ es d Tebas queesd Atenas
do sus murallas ⁊ menas

que no paresce ninguna
que es de Tiro de .sidon
y Babilonia
que fue dela Maçedonia
que si fueron ya no son

℃Di me qual paraste a roma
a Corintio y a Cartago
Al golfo cruel y lago
Sorda y Biçeral Carcoma
son imperios y regiones
o cibdades
coronas ni dignidades
que no fieras y baldones

℃Agora por enemigos
y combate ⁊ mano armada
y si deras el espada
desacuerdas los amigos
y por tal modo lo fazes
que por C
y si queremos por B
quanto feziste desfazes
      Fortuna
Dera ya los generales
antiguos y ajenos daños
que passaron ha mil años
y llora tus proplos males
B.lloran los que procuraron
los honores
y sientan los sus dolores
pues tienen lo que buscaron

Ca yo no he fentimiento
delas cofas que tu pienfas
τ las victorias τ ofenfas
vnas fon al que es contento
delo que naturaleza
nos ha dado
a efte no ui cuydado
ni le contefce trifteza

Yo foy hecho bien andante
ca de poco foy contento
lo qual he por fundamento
çimiento firme/ conftante
pues fe ya que lo que abafta
es affaz
yo quiero comigo paz
pues dē mas tiene/mas gafta

Yo foy amigo de todos
τ todos fon mis amigos
τ fue delos enemigos
amado; por tales modos
faziendo como querria
que me fagan
ca los que defto fe pagan
figuen la derecha via.
   Fortuna
Effos tus amigos tantos
di/no los puedes perder
todos fon en mi poder
τ pueftos folos mis mantos

τ no mas te feguiran
que yo querre
τ quando yo mandare
como vinieron fe yran
   Bias.
Si la machina del mundo
perefcera por Feton
o verna de Talion
otro diluuio fegundo
yo no dubdo/ pueda feer
por tales vias
de buenos amigos bias/
fallefcido τ carefcer
   Fortuna
O bias no me conofces
ciertamente affi lo creo
no cuydas fer deuaneo
dar alas efpuelas coçes
no miras como fe quema
tu cibdad
B. La fegura pobredad
me afegura que no tema

Que pro me tiene ami
fortuna /ricas moradas
con marmoreas portadas
por que me fojuzgue a ty
ardan effas demafias
que fizieron
nueftros padres quecreçeron
nunca fenefcer fus dias

5.ꞆꝊ b:uia ferocidad
no has fijos/o muger
como puedes foftener
tan gran inhumanidad
B Affayar delo guarir
es po: de mas
la vida tiene compas
que no fe puede fuyr

Ꞇ Ri todos losotros males
fi ellos fon deftinados
no pueden fer reftaurados
po: recurfos humanales
fi ellos han de morir
o'padefcer
penfar delos guarefcer
es vn vano prefumir.
　　　Fortuna.
Ꞇ Bias deftas folas penas
cuydas; deuo fer contenta
mayor mal fe te acrefcienta
ca po: las tierras ajenas
andaras z defterrado
B. Toda tierra
es/fi mi fefo no yerra
de aquel que no ha cuydado

Ꞇ En todas partes fe falla
lo poco con poca pena
yo foy fuera de cadena
z non temo de batalla

po: ajeno/ni po: mio
no lo efpero
yo me fallo canallero
orgullofo/con gran brio.

Ꞇ Do me forçaras ꝗ vaya/
que yo no vaya de grado
con animo repofado
z no como quien affaya
de nuevo tus amenazas
ca prouadas
las he/no pocas vegadas
ni fo yo delos que enlazas

Ꞇ Tanto que dela razon
fortuna/tu no me tires
ni me rebueluas ni gires
nunca de mi opinion
no me vantras jamas
ni lo creo
virtud racional poffeo
pues veamos que faras.

Ꞇ Sea Affia fea Europa
o Africa fi quifieres
donde tu po: bien touieres
ca todo me viene en popa
quieres do el apolo nafce
muy de grado
pre/contento z pagado
o fi te plaze/do taçe.
　　　　　　　　　　b

¶Quieres do la siesta fria
donde el viento boreal
faze del agua cristal
o quieres al medio dia
do los yndicios solares
denegrescen
los hombres y los podresce
o mas lexos si mandares.

Fortuna.

¶Mis secaces so hõrrados
z biuen a su plazer
B.Verdad es si puedẽ ser/
fasta la fin segurados
F.muchos murierõ en hon
B.No lo dubdo.   (rra
z non pocos segun cudo
abatidos con desonrra.

¶Di fortuna quiẽ so estos
tanto bien auenturados
comiença por los passados
F.Como assi lostẽgo p̃st os
nunca fue tan llena pluma
que abastasse
nin pienso nin lo pensasse
seu narrable con grãd suma

¶Pero por satisfazer
a tus opiniones Bias
argumentos z por fias
yo te quiero responder

que dizes de Octauiano
muy ayna
B.Que es la sola golõdrina
la qual no faze verano.

Fortuna.

¶Fablare delos romanos
pues que destos començe
z primero conterne
al mayor delos hermanos
Romulo quiero dezir
di de Remo
ca con estos yo no temo
que me puedes concluyr.

Bias.

¶Seã monarcas coronas
consules z senadores
sean electos prectores
pontifices z personas
sean ediles perfectos
o tribunos
ca todos los fazes vnos
quantos son a ti subjetos.

¶Sean flamines/ bescales
sacerdotes/o legados
mensarios /o magistrados
profanos/o magistrales
proconsules/dictadores
ca por todos
passan tus crueles modos
offensas z desonores

F. Delos todos q̃ narraste
o quantos te monstrare
que prosperos ature
todos tiempos sin cõtraste
τ desto fue Numa rep
docto doctor
τ muy vtil preceptor;
dela su romana grey.

E como a Numa põpilio
en reposo prospere
por batallas ensalce
E lides a Tulio ostilio
B.Verdad sea lo tribu sãte
no lo niego
mas biẽ fue su gloria juego
que en breue lo fulminaste.
   Fortuna.
¶Quãto Marco poderoso
rey lo fize muchos años
ledo sin ningunos daños
dominante victorioso
fabla pues dessos que sabes
B.Soy contento
τ darte por vno ciento
porque desta no te alabes.

¶Diras delos succeßores
deeße Marco que fablaste
τcomo los engañaste;
F.Di carescierõ d honores

B.Ciertamẽte mejor fuera
F. Dilas causas
B.sus fies τ tristes pausas
fazen mi conclusion vera.

¶No te digo yo que seas
tan solamente cruel
por Tarqno τ Tanaquel
ui por Seruio/aßi lo creas
mas a todos inhumana
general
enemiga capital.
dela gente fabiana.

A vnos por cobdiciosos
aparejas la cayda
sea por enxemplo Mida
a otros por dadiuosos
prouarte quiero sin glosa
lo que digo
Espurio sea mi testigo
τ su muerte dolorosa.

¶A otros por no osados
abaxas τ deminuyes
τ muchos otros destruyes
por grã sobra d esforçados
o Nicias/sostenedes
el contrario
Marcomalio/Gayo mario
negad me lo si quisierdes.
   b ij

Quantas caras simuladas
fazes/alos tristes hombres
augmentãdo les renõbres
confictas honrras infladas
q̃ntas redes/quãtas minas
por sus daños
parescieron tus engoños
quãdo las forcas guadinas

Tu d̃ aq̃llas mesmas' glori
que repartes embidiosa(as
tornas en pronto safiosa
τ reuocas las vitorias
si te plazen otras pruevas
de tus fechos
si son buenos τ derechos
postumio diga las nuevas

℮ Al oluidas segun creo
ca no es fabla fingida
la muerte con la cayda
del poderoso Pompeo
quiero yo mayor testigo
de tus leyes
triumphos de veynte reyes
no le valieron contigo.
                Fortuna.
℮ Los çesares quiẽ hãsido
bias/τ lo que fizieron
los que de Roma escriuierõ
non lo ponen en oluido

las seluas inhabitables
solas fueron
aquellas que no sintieron
las sus huestes espãtables.

℮ Estos assi fauoridos
delas mis claras esperas
desplegaron sus vanderas
τ tanto fueron temidos
que si los houiera Mares
engendrado
no ouieran sojuzgado
mas presto tierras τ mares
                Bias.
Pues tanto loas sus vidas
quiero yo llorar sus muertes
dolorosos/tristes suertes
sus desastres sus caydas/
ca jamas faras yguales
sus altezas
de sus tumbos τ batezas
ni sus bienes de sus males,

℮ Desse çesar el mayor
τ principal enel mundo
del qual no houo segundo
en sus tiempos ni mejor
que dizes de tanto mal
ca de luto
enfuscaron Casio τ Bruto
el su throno ymperial.

F.¶ Uno solo no son todos
B. Por muchos es vno haui
mas dexalo preferido   (Do
z dexa semblantes modos
de porfias z argumentos
logicales
consuelo delos mortales
lazo delos mal contentos.

Los claudios nolos repito
ca si fueron desastrados
mas que bien auenturados
a ti mesmo lo remita
F. A Tito z Uaspasiano
dolos dexas
B. No menos fueron sus que
que fue su gozo mundano (ras

¶ De Uecelio que diremos
de Oton z Domiciano
z de Ealua que de llano
si verdad proseguiremos
todos murieron a fierro
no dubdando
de tus fauores z vando
redarguye me si yerro.

¶ Si desta bien as sabido
di delas otras naciones
ca las sus tribulaciones
non creas que las oluido

assi para demostrar.
tus engaños
como por fuyr tus daños
faciles de contrastar
Fortuna
¶ Muchos reyes assirianos
bias/se loan de mi
B. E mas se quexan de ti
testigos son los troyanos
F. No sera Dardanio dessos:
B. Bien lo se/
mas otros que te dire
tristes/aflictos z presos.
Fortuna.
¶ Sera Elion z Tros
dessos principes algunos
B. Mas di me/fueron ningu
si no solo essos dos   (nos
delos frigios que passassen
desta vida
si sobieron sin cayda
si reyeron/no llorassen.

Pues delos dos tus amigos
fablaste por tu descargo
por tus culpas z mas cargo
dire yo/tus enemigos
mas no todos/que seria
narracion/
sin fin/z sin conclusion
nin dayres los contaria.
b iij

¶ Fortuna si quexo/o clamo
o querello con razon
los casos de Laomedon
z de su fijo Priamo
a los tragicos dexemos
el juyzio
z non a ti/por luyzio
de quantos buenos leemos.

¶ Pues ya tal caualleria
qual Hector z sus hermanos
dolor es a los humanos
eu pensar la triste via
que fezifte que fiziessen
tan en pronto
bien lo saben Asia z Ponto
si fablassen/o pudiessen.

¶ Ay quantas causas buscaste
a Troya para sus daños
assi que en muy pocos años
subertiendo lo assolaste
quien oyo de tal ofensa
que non tema
la tu crueldad estrema
z no menos/la defensa.

¶ Donde todos los mayores
de griegos z de troyanos
por guerra de crudas manos
murieron z los mejores

tales ruydos y barajas
encendiste
que ahun a los diues diste
en fogueras y mortajas

¶ No bastaron los clamores
de Casandra profetisa
nin las querellas sin guisa
de lHelena/ya no menores
ni el gran razonamiento
de Pentheo
a contrastar tu desseo
de tanto desfazimiento

¶ Pues ya tanto perseguiste
a los frigios z troyanos
dexaras a los grecianos
en las honrras que les diste
mas fortuna las tus obras
no son tales
mas angustias generales
prestas z negras çaçobras

¶ La de los que murieron
en las lides/batallando
del general/no tocando
los sus nombres tantos fuerõ
los reyes y los señores
estos son
dioses/la tal narracion
oyd/z los sus clamores.

5.℟ Fue visto mas general
honor triumpho y victoria
ni tan excelsa gloria
real nin ynperial
que yo fize a los atridas
y a los suyos
B. Essos todos sean tuyos
en sus muertes y sus vidas.

¶ Esse que tanto ensalço
en su clara trompa Omero
ardid/belico τ fiero
ya sabes quanto duro
casi las cosas reales
alabades
di/no tonaron sus naues
alegres/ni festiuales.

¶ Pirro bien busco su daño
no lo niego/mas tu ciegas
a los hombres y los llegas
a la muerte con engaño
τ los fuerças a fazer
lo que quieres
grandes son los tus poderes
contra quien no ha saber.

¶ Ni ahun cotenta dla vida
de Ulixes verada y triste
poco a poco lo traxiste
en manos del porricida

Tolagano/no culpado
qual dolor
fue semblante/ni mayor
ni rey mas afortunado.

¶ Por otro modo a Teseo
ordenaste la cayda
prorogando le la vida
por engañoso rodeo
despues que lo descebiste
con gran daño
si Fedra fizo el engaño
digno galardon le diste.

¶ La nouedad hercolina
que buscaste de su muerte
quanto fue menguada suerte
τ costelacion malina
el que tantos bienes fizo
yo no se
tu lo sabes/di por que
tal incendio lo desfizo.

¶ Las culebras/en la cuna
afogo/pues el leon
el camino del dragon
fizo/sabes lo fortuna
los arcadios lo llamaron
los egipcios
por sus claros exercicios
es cierto que lo adoraron.

b iiij

Los çentauros deuedio
en fauor de Periteo
las arpias que a Fineo
robauan/affecto
ya dela troyana prea
muchos son
que fazen la narracion
z dela sierpe lernea.

Bien me deraria de grecia
farto de sus muchos males
cuytas/congoxas mortales
mas querer se ha Boecia
ca fue la peor tractada
de tus manos
que region delos humanos
ni mas desauenturada.

Yo digo delos tebanos
z de Cadino primero
Layo Edipo terçero
z delos tristes hermanos
F. No te paresce que basta
que regnaron
B.si/mas di como acabaron
z no deres a Jocasta.

Pues si de cartageneses.
o asertos/hablaremos
ya tu sabes z sabemos
sus contrastes z reueses

querras dezir de Hanibal
F. E como non
del z del principe Amon.
z de su hermano Asdrubal

Ellos fize victoriosos
eu jouen z nueua hedad
B. Si/mas ala verdad
quales fueron sus reposos
ca si yo bien he sentido
de sus genos
a estos finidos fenos
siempre buscaste ruydo.

Alos fines dela tierra
ahun llegaron tus embidias
con todos los grandes lidias
z les fazes mala guerra
destos fueron Arcaxerçes
Tiro z poro
habitantes reyes en oro
Asticares / Dario z Xerçes

De Sardanapalo z Nero
que quieres dezir fortuno
F. Que no he culpa ninguna
al segundo ni al primero
oprobio delos humanos
es/fablar
conferir ni platicar
delta n malos dos tyranos.

¶Mas de Tiestes τ Atreo
τ clamare de sus daños
hombres de tantos engaños
τ si quieres de Zetes
yo los fize generosos
τ reales
ellos buscaren sus males
τ los casos lacrimosos.

¶E ssos que assi descendierõ
de los culmines reales
τ tronos ymperiales
por verdad ante lobieren
pues no es de humanidad
el posser
todos tiempos en seer
eterno en prosperidad.

¶Ni por tanto las deuidas
gracias delas sus vitorias
loables famas τ glorias
ami di seran perdidas
ca la muerte natural
es a todos
ni son conformes los modes
de vuestra vida humanal.

¶Miseria yo fortuna
ni princesa de planetas
si las touiesse assi quietas
τ yo todos tiempos vna

mas de sus bienes τ males
platiquemos
ca dade que los fallemos
enel peso ser yguales.

¶Ca las cosas son juzgadas
por mas τ maiores partes
alli loquieren las artes
τ sciencias mu y aprouadas
fago fin a mi sermon
τ sepas Elias
que yo quiero que tus dias
se fenescan en prision.
                    Elias.
¶Bien quisiera me deteras
contrastar las tus escusas
mas veo que lo reculas
y del effecto desparas
con menazas de presiones
que me fazes
yo temo poco tus azes
τ tus huestes y legiones.

¶Ca si tu me prenderas
busca en otro la deserra
yo soy ya fuera de guerra
ni pido lo que tu das
ca son bienes abiçendas
τ tesoros
lutos miserias τ llores
dissensiones τ contiendas.

Ni creas me robaras
las letras de mis passados
ni sus libros y tractados
por bien que fagas jamas
z con tanto/maguer preso
en cadenas
gloria me seran las peñas
z comer el cibo a peso.

Que ami no plaze los hmios
ni otros gozos mundanos
si no son los escocianos
en cōpaña dz accidemios
z los sus justos preceptos
diuinales
que son bienes ymmortales
z por los dio ses electos.

Do se fallan los enxēplos
delas quatro santas lumbres
y todas nobles costumbres
z seruicios delos templos
z las sentencias dz tales
E chilen
dz Pictato y de Zenon
z sas doxtrinas morales.

E los dichos de Cleobolo
comendando la justicia
a Teofrazo dz amicicia
z quanto blasmo del solo

z quanto plugo verdad
a Periandro
el fablar de Aniramandro
que es de grand autoridad.

E los estudios z vidas
de Anaxagoras z Crates
sueltos de todos debates
de tus riquezas fingidas
z las leyes que dexo
el Espartano
ca no son decrecto vano
quando fue do no torno.

E muchas delas sentēcias
de Pithagoras el qual
fue de todos principal
yuuentor delas sciencias
delos cantos z accentos
y sus actos
z famosos inginatos
z fermosos documentos

Ela clara vejedad
del muy anciano Gorgias
z como tan luengos dias
passo con tanta honestad
z las de Estilbon
muy verdadero
fiel amigo z compañero
z de mi mesma opinion.

¶ E las obras de Platon
principe dela çedemia
que sin veracion. ni premia
eligio tal vanicion
y las leyes celestiales
que trayo
aquel que las coloco
enlas mentes diuinales.

E muy muchas otras cosas
despues delas absolutas
prosas que son como fructas
de dulçe gusto z sabrosas
de philosophos diuersos
z poetas
fabulas sotiles nectas
texidas en primos versos.

¶ Donde se falla el processo
dela materia primera
z como y por qual manera
por orden y mando expresso
aquel goblo de natura
O caos
fue diuidido por dios
con tan diligente cura.

¶ Que antes que se apartassen
las tierras del oçeano
ayre fuego soberano
z con forma se formassen

en vulto y ayuntamiento
era todo
z congregacion sin modo
sin ordenança ni cuento.

¶ E iuntos z discordantes
todos los quatro elementes
en vno mas descontes
de sus obras no obstantes
eran y sin arte alguna
ni vno solo
rayo demostraua Apolo
ni su claridad la luna

¶ Mas natura naturante
sin remor y sin debate
de suoluio tan grand debate
z mando como ymperante
que los cielos sus lumbreras
demostrassen
z por cursos ordenassen
las otras baxas esperas.

¶ E que la rueda del fuego
la del ayre recebtasse
la qual el agua abraçasse
z aquella la tierra luego
O muy vtil coniuncion
z concordança
donde resulto folgança
z mundana perfeccion.

¶ E fizo los animales
terrestes/posseedores
z los pocos moradores
de las aguas generales
z que el ayre rescibiesse
las bolantes
aues/z assi concordantes
toda especia produxiesse.

¶ E solto los quatro vientos
que se dizen principales
delos lazos clauernales
z todos ympedimentos
Aura/consiguio la via
nabatea
z la de Licia Borea
Austro la de medio dia.

¶ zefiro la de oçeano
z assi todos esparsidos
z por actos diuididos
cruzan el cerco mundano
ca vnos templa la çera
dela pella
por otros se pinta z sella
z traen la prima vera.

¶ Capaz z sancto animal
sobre todos conuenia
que touiesse mayoria
o poder vniuersal

quiso que este fuesse el honbre
racional
a los celestes ygual
al qual fizo z puso nombre.

¶ E la biblioteca mya
alli se desplegara
alli me consolara
la moral maestra mia
z muchos de mis amigos
mal tu grado
seran juntos a mi lado
que fueron tus enemigos.

¶ E assi sere yo atento
de todo en todo al estudio
z fuera deste tripudio
anulgo que es gran tormento
pues si tal captiuidad
contemplacion
trae/non sera presion
mas calma felicidad.
        Fortuna.
¶ Si tu carcel fuesse Bias
como tu pides/por cierto
con mayor razon liberto
que preso/te llamarias
libros/ni letras algunas
non esperes
pues estudia si quisieres
las sus fojas z colunas.

E muchos otros enojos
te fare por te apartar
del gozo del estudiar
di me/leeras sin ojos
Demetrico se çego
desseoso
desta vida de reposo
z Omero ciego/canto.

Los bienes que te dizia
que yo leuaua comigo
estos son/ verdad te digo
z las joyas que traya
ca si mucho no me engaño
todos estos
actores z los sus testos
entran comigo en baño.
    Fortuna.
Por todos otros dolores
dolencias/enfermedades
z de quantas calidades
escriuieron los actores
en toda la medicina
passaras
B. Morire. F. No moriras
B. Faz lo ya. F. no tã ayna
    Blas.
Pues luego no seran tãtos
si se podran comportar
que no den qualquier lugar
sin temer los tus espantos

a las mis contenplaciones
z las tales
me seran a todos males
suaues meditaciones.

Assi piensast ã mal armado
tu me falles. de paciencia
a toda graue dolencia
ã veza en qualquier estado
nin me fallaria digno
de mi nombre
si no me fallasses hombre
z batallador continuo.
    Fortuna.
Morir morir te conuiene·
pues bia a las manos bias
B. Cumple que al me dirias
que tal cosa tarde viene
o contingente de raro/
ca la muerte
es vna general suerte
sin deffensa ni reparo

O fortuna tu me quieres
con muerte fazer temor
que es vn tan leue dolor
que ya vimos de mugeres
fartas de ti/la quisieron
por partido
mira lo que fizo Dido
z otras que la siguieron

¶No fue caso Pelegrino
que ya Porcia patrito
z sin culpa se mato
la muger de Colatino
bien assi fizo Daymira
z Jocasta
ca cierto quien la contrasta
corta z debil mente mira.

¶Pues que lo tal eligieron
por mejor los feminiles
animos/di los veriles
que faran lo que fizieron
muchos otros recebir la
con paciencia
sin puto de resistencia
E aun oso dezir pedir la.

¶Assi lo fizo Caton
assi lo fizo Hanibal
ca la ponçoña mortal
houo por su galardon
Leuola/no fizo menos
ala pena
antel miedo de Porsena
ca fin es loor de buenos.

¶E con este mesmo zelo
se dieron por sacrificio
el animo de Domicio
el continente Metelo

si Cesar lo rescibiera
al espada
pues d mi no dubdes nada
que refuse la carrera.

¶Ca si mal partido fuera
yo non te la demandara
nin creas/buelua la cara
porque digas/muera:
mas sea muy bien venida
tal señora
ca quien su venida llora
poco sabe desta vida.

¶Y a sea que los loores
en propria lengua esordeka
z por ventura me empesca
en ojos delos lectores
muy leros de vana gloria
nin estremo
te dire porque no temo
pena/mas espero gloria.

¶Y yo fue bien principiado
en las liberales artes
z senti todas sus partes
z dspues de grado en grado
oy de philosophia
natural
z la ethica moral
que es duquesa q nos guia.

¶ E ui la ymagen mūdana
las sus regiones buscando
muy grand parte nauegādo
τ vezes por tierra llana
τ llegue fasta cabcaso
el que cierra
tan gran parte dela tierra
que es admiratiuo caso.

¶ A dōde muestra tierra
el su diuino thesoro
en cadera τ trono doro
donde rescibio mi arca
vtil τ muy salda prea
contra ty
τ partime desde alli
ala fuente tantalea.

¶ E vilas alixandrinas
colunas/que son a oriente
τ las gades del poniente
que llamamos hercolinas
las prouincias boreales
vi del todo
τ por esse mesmo modo
fize las tierras australes.

¶ E quādo yo retorne
en y premē/patria mia
segun la genelosia
donde yo principie

a las armas me dispuse
guerreando
dire como abreuiando
porque dilacion se escuse.

¶ Do falle los mejareses
muy feroçes enemigos
τ despues los fize amigos
de nuestros ypremeses
mezclando conel espada
beneficios
que son loables oficios
τ obra muy comendada.

¶ E nla guerra diligente
fue/quanto se conuenia
el cibo τ sueño perdia
por fazer lo sablamente
bien vse/maneras fictas
por vençer
loando mi proueer
se leen τ son escriptas.

¶ Pero solamente baste
fuesse por mar/o por tierra
que yo nunca fize guerra
fortuna/si bien miraste
ni las señas de mi as
se mouieron
nin batallas me pluguieron
si no por obtener paz·

Pues affi pacificado
plugo ala nueftra cibdad
en vna confoamidad
fueffe poa mi gouernada
principe delos togados
me fizieron
τ total curame dieron
de todos los tres eftados.

Sin punto de refiftencia
acepte la feñoaia
plugo me la mayoaia
plugo me la preheminencia
non creas poa ambicion
ni dominar
mas poa regir τ juzgar
parefcio poa la razon.

Con amoa τ diligencia
honoa τ folepnidades
contracte/las dignidades
τ deuida reuerencia
alos confcritos padres
acate
mantoue verdad τ fee
hóare las antiguas madres

A mi veer fize jufticia
a todos generalmente
nonme cure del potente
nin fize del amicicia

fuy las foboanaciones
como fuego
nunca fiz nada poa ruego
nin dilate las acçiones

No pufe efpacio ninguo
entre mis fechos τ ajenos
ni los mire punto menos
que fi fueffen de confuno
τ quando los cibdadanos
debatieron
digan fi jamas me vieron
toaçer/ni poa mis hermáos

A los huerfanos foftoue
a las biudas defendi
non me acuerdo que offendi
ni denegue lo que toue
τ fi fobae/miyo τ tuyo
altercaron
τ delante mi llegaron
a todo hombae di lo fuyo.

Fuy los ayuntamientos
delas gentes que no faben
no me cure/que me alaben
τ pofpufe fentimientos
delas cofas no bien fechas
que me fazen
plaze me fi las deffazen
poa no fer obaas derechas.

¶ E mi andando e leyendo
e por discurso de hedad
vista la tu calidad
e tus obras conosciendo
dexe las glorias mundanas
e sus pompas
que son como son de tropas
e las sus riquezas vanas

¶ E assi recobre a my
que no fue poco recabdo
e lloro el tiempo passado
que por mi culpa perdi
ca yo no se tal ninguno
que mandando
biua/si no trauajando
ni de cuydados ayuno.

¶ Despues que me recobre
obtoue generalmente
el amor de toda gente
mira quanto bien gane
no quise gran alcauela
ni estremos
en tiempo leuante remos
e cale manso mi vela

¶ Nin te pienses que ya miro
a los que me van delante
ni les faga mal semblante
antes si querras me giro

por que passe quien quisiere
ca la honor
es prea del honrrado
errara quien al dixere.

¶ Ca tu nunca fazes mal
a los malos por sus males
ni derribas mas los tales
mas a todos por ygual
los que vees prosperados
o sobidos/
aquellos son ympremidos
dest ruydos/assolados.
Fortuna.
¶ Bias tu vsas de aquellas
platicas/que los culpados
quando ya son condepnados
por aparentes querellas/
ca detienen el verdugo
por fuyr
el doloroso morir
que es abhominable yugo.
Bias.
¶ Goza se la humanidad
desque triunfa del triunfante:
e pues no eres bastante
de exercitar tu crueldad
muestra por que no lo fazes
ni jamas
lo feziste/ni faras
pues no cale que amenazes.

F. Di no temes laa escuras
gritas z bozes de Abernio
no terresces el inferno
z sus lubzegas fonduras
no terresces los terrozes
terrescientes
no terresces los temientes
z temerosos temozes.

C Di no temes los bzamidos
dela entrada tenebzosa
ni dela selua espantosa
los sus canes z ladridos
temer se deuen las cosas
que han poder
de mozir/o mal fazer
otras no son pauozosas.

C Y a las reçelo Teseo
z dubdolas el Alcides
duques/espertos en lides
z temio las Periceo
B. Dizes quãdo Proserpina
fue robada
no gozo dessa vegada
la congregacion malina
Fortuna.
C Delos dioses celestiales
las estigias son temidas
no temes las emmenidas
ni los mostruos infernales

ni los ojos inflamados
de pluton
B. Mon; ni toda la region
do se penan los culpados.

C La si las fablas vigoz
han; assi como lo muestras
alas animas siniestras
es el terroz/o temoz
non a mi; ca yo no temo
sus tormentos
mas passar con los esentos
a vela tendida=o remo.
Fortuna
C E nel pzofundo de huerto
a do tu no cuydas Bias
assi como bozerias
ympiden el passo al puerto
te fare penar cient años
denegado
que no seas sepultado
poz que no quedẽ tus daños
Bias.
C O quanto ligeramente
con la buena confiança
passa qualquier tribulança
z casi; de continente
pues ya pzueua si pudieres
de nuzirme
z non creas reduzir me
a tus friuoles quereres

¶Sea la perturbacion
empachos/o detenencia
contrastes/o resistencia
como tu dizes/o non
ca dissuelto/delas ligas
corporales
no temo ningunos males
contrarios/ni enemigos

¶Mas dexando la siniestra
carrera/delos culpados
cruel mente son cruciados
z proseguiendo la diestra
mirare con ojo fixo
el ardor
del que sin ningun temor
ha fecho mal/o lo dixo

¶E la suelta mancebes
delos tyranos gigantes
ympremidos/o penantes
dela noxiosa vejes
por que soberuios tentaron
offender
al tronante Jupiter
lo qual de fecho assayaron

¶Elos Aloydas que fueron
de tan estrema grandeza
que por su gran fortaleza
secuyderon z creyeron

las celestiales alturas
corromper
muy dignos de posseer
las tartareas fonduras

¶E punido/Salomona
dela mesma punicion
por que la veneracion
deyfica/se razona
vsurpar quiso tronando
enel yda
donde le tajo la vida
el alto fulgereando.

¶E las entrañas de Ticio
que por el bueytre/roydas
son/z nunca despendidas
penas de su maleficio/
E las fyxas temientes
la gran peña
que en somo se les despeña
al creer de todas gentes.

¶Mi seran a mi vedadas
por mis delictos ni males
delas furias infernales
las mesas/muy abastadas
ni assi mesmo los lechos
bien honrrados
ca no fueron quebrantados
por mi los sanctos derechos.

c ij

¶ Ni las bozes de Elegias
me faran algun espanto
en aquel horrible llanto
que todas noches 7 dias
fazen/los que corrompieron
sus deudos
7 por otras tales modos
a los dioses ofendieron.

¶ E los alçipies derados
en los sus ardientes fornos
salire por los adornos
verdes 7 fertiles prados
do son los campos rosados
Elizeos
de todos buenos dessos
dizen que son acabados

¶ Do cantado tañe Orfeo/
el sacerdote de Tracia
la lira/con tanta gracia
ca se cuenta su desseo
ra se obtouo de çeruero
liberando
enridiçe/como 7 quando
bien es cuento plazentero.

¶ Desta tierra su aparencia
segun que se certifica
por muchos/7 testifica
de tan gran excelencia

¶ 7 pintura tan fermosa
que bien muestra
ser fabrica dela diestra
sabia mano 7 poderosa.

¶ Alli las diuersidades
son tantas delas colores
recontado por actores
de grandes autoridades
q estas/de nuestras pinturas
seran dellas
son como lumbre de estrellas
ante el sol en sus alturas

¶ En aquellas praderias
7 planices purpuradas
dizen/que son colocadas
a perpetuales dias
las personas que fuyeron
los delictos
7 los remissimos rictos
guardaron 7 mantouieron.

¶ Estas gentes exemidas
son delas enfermedades
han prorogadas hedades
sobre las nuestras/7 vidas
son de mas biuos sentidos
7 saber
mas prestos en discerner
en sus fablas mas polidos

Seluas eneſta region
ſon ⁊ floreitas fermoſas
de frutales habundoſas
frondas en toda ſazon
aguas de todas maneras
pereneles
fuertes ⁊ rios caudales
⁊ muy fertiles riberas.

Eredano manſamente
riega toda la montaña
ſin reguridad ni ſaña
mas con vn curſo plazlente
cuyas ondas muy ſuaues
fazen ſon
⁊ dulçe meludacion
con los cantos delas aues.

E aqllos meſmos oficios
que eneſta vida ſeguieron
⁊ quales mas les pluguieron
ſon alli ſus exercicios
vnos con jnſtrumentos
⁊ cantares
cantan loores ſolares
otros ſe demueſtran çientes.

En todas las nobles artes
⁊ por metro ⁊ poeſia
las rezan con alegria
todas juntas ⁊ por partes

⁊ con largas veſtiduras
grauedad
mueſtran cõ mucha honeſtad
las ſus comendables curas.

Han ſe alli pradoſamente
todos los tiempos del año
frio no les faze daño
nin calor por conſiguiente
de guiſa que los fructales
que alli biuen
ſegun cuentan ⁊ deſcriuen
ſon por verdor ymmortales.

Otros ſiguen los venados
paſſeando las veredas
ſo las freſcas arboledas
⁊ por los altos collados
con diuerſidad de canes
ſu querer
ſu querer ſatiſſazen ⁊ plazer
ſin congoxas ⁊ afanes

E ſi fueron caçadores
alli de todas maneras
fallan caças plazenteras
nobles/falcones ⁊ açores
otros corren a tablados
otros dançan
⁊ todas coſas alcançan
ſin anguſtias ni cuydados

¶ Ahun son alli fabricados
templos de mucha excelencia
τ dioses de grand heminēcia
destas gentes adorados
vnos con otros confieren
las respuestas
muy ciertas τ manifiestas
de aquellos que les requieren

¶ Qual es el Febo τ Dyana
enla ynsola del sos
nascieron ambos ados
τ la su lumbre ō pafana
dizen/ser vistos alli
actualmente
victoriosos del serpiente
τ de antēon otrosy.

¶ Mas ala nuestra morada
delas animas benditas
do tienen sillas conscriptas
mas lexos es la jornada
que son los celestes senos
gloriosos
do triunfan los virtuosos
τ buenos en todos genos

¶ Este camino sera
aquel que fare yo Bias

en mis postrimeros dias
si te plaze/o pesara
a las bienauenturanças
do cantando
biuire siempre gozando
do cessan todas mudanças

¶ Acabamiento del tractado

¶ yo me cuydo con razon
mera/justicia τ derecho
hauer te/por satisfecho
assi fago conclusion
τ sin verguença ninguna
tornare
al nuestro tema/τ dire
Que es lo q̃ piensas Fortuna

Deo gracias.

¶ Esta obra fue ymprimida
enla muy noble ciudad de Se
uilla/por Antonio aluarez
acabose a veynte y tres dias
del mes de diziembre Año de
mil y quinientos y quarenta y
cinco Años.